DIETA
WEIGH DOWN

GWEN SHAMBLIN

BETANIA

Un Sello de Editorial Caribe

Betania es un sello de Editorial Caribe

© **2000 Editorial Caribe**
una división de Thomas Nelson, Inc.
Nashville, TN — Miami, FL (EE.UU.)

E-Mail: editorial@editorialcaribe.com
www.caribebetania.com

Título en inglés: *The Weigh Down Diet*[t]
© 1997 por Gwen Shamblin y The Weigh Down Workshop[t], Inc
Publicado por Doubleday

Traductor: *Josie de Smith*

ISBN: 0-88113-615-8

A menos que se indique de otra manera,
las citas bíblicas corresponden a la versión
Reina-Valera, 1960. Otras versiones usadas:
Versión Popular, Dios Habla Hoy (DHH) y versión
Reina-Valera Actualizada (RVA)

Impreso en Estados Unidos
Printed in the United States of America

En memoria de mi padre,
Walter Hodges Henley, doctor en medicina,
24 de marzo de 1927: Día de Acción de Gracias, 1981.
Lo recuerdo silbando al hacer sus recorridos en el hospital,
inclinándose profundamente en oración en la iglesia,
y enfrentando la muerte confiadamente y en paz.

❖❖❖❖❖❖❖

Y con cariñosa gratitud a mi esposo, David, y a nuestros
hijos, Michael y Michelle. Gracias por su paciencia,
perseverancia y oraciones mientras yo escribía.

❖❖❖❖❖❖❖

Reconocimientos: También quisiera agradecer al personal
de The Weigh Down[†] Workshop, especialmente al equipo
editorial que trabajó unido con diligencia para que este
libro fuera una realidad.

CONTENIDO

INTRODUCCIÓN

Bienvenido. Está usted por embarcarse en un programa singular para rebajar de peso llamado *La Dieta Weigh Down*[†]. Este libro le brinda los conceptos principales que se están enseñando a lo largo y ancho de los Estados Unidos, Canadá y Europa y son presentados en iglesias de todas las denominaciones.

Hemos titulado a este libro *La Dieta Weigh Down*[†], pero no deje que la palabra *dieta* lo engañe. Por lo general, cuando decimos «dieta» pensamos en dos usos de la palabra. El primero es «la comida y bebida que se consume regularmente». El segundo es «comer siguiendo reglas prescritas». Queremos asegurarle que *La Dieta Weigh Down*[†] se basa en la libertad total que expresa la primera definición.

La Dieta Weigh Down[†] le está mostrando a las personas, diariamente, cómo Dios puede transformar sus corazones y sus mentes para ¡superar la atracción magnética del refrigerador! En lugar de enfatizar el contenido calórico de los alimentos, el *Curso Weigh Down*[†] le anima a concentrarse en controlar su apetito natural, interno. Pero de más importancia, ¡su concentración será enseñada a enfocarse en la voluntad de Dios con respecto a la alimentación!

Los estudios demuestran que estamos más gordos que nunca. Y pareciera que entre más obsesionados estamos con nuestro peso, menos rebajamos y más despreciamos a los rechonchos, los regordetes, los corpulentos, los gordos y los mórbidamente obesos. La industria billonaria dedicada a la pérdida de peso es una vertiginosa rueda de promesas, casi nunca cumplidas.

Los años de dietas restrictivas no han hecho más que fortalecer las cadenas de la esclavitud a la comida. Los años de concentrarnos en la comida y dar a nuestro aburrimiento, angustia y problemas un plato de bizcochos de chocolate y nueces no han hecho más que aumentar nuestro estrés. Ponernos en dieta nos ha drenado emocionalmente, si no financieramente, y ha empeorado nuestros problemas en lugar de solucionarlos.

En este torbellino entra el *Curso Weigh Down*[†], que puede ofrecer testimonios tan entusiastas como los que ofrecen por televisión los gurús de las dietas o que los ayunos a base de líquidos jamás hayan producido: las inspiradoras sagas de mujeres y hombres y niños que han rebajado 20, 50, 180 libras y las siguen rebajando.

Capítulo tras capítulo, este libro le guiará a dejar de ponerse en dieta, lo que llamamos «hacer que la comida se porte bien». Si usted está en dieta, tomando píldoras para adelgazar, contando los gramos de grasa, usando listas de intercambio de alimentos o cambiando el contenido de los mismos, entonces usted cree que su problema básico es la comida. El *Curso Weigh Down*[†] contrarresta todo esto al reafirmar que estar a dieta mantiene a la persona concentrada en lo que debe y no debe comer. El hecho de concentrarse en la comida no hace más que aumentar la atracción magnética del refrigerador. Este libro enfatiza la fuerza de Dios, no la «fuerza de voluntad».

Si está usted dispuesto, el camino que está por tomar será una magnífica experiencia de aprender sabiduría, rescatándole de las dietas y llevándole a una pérdida permanente de peso.

Al final, verá que no era la dieta que restringía los carbohidratos ni los grupos de apoyo dietéticos locales los que ayudaron a miles a perder el molesto peso extra en cuestión de meses, sino Dios.

No haga caso a lo que piensa la gente. No considere lo grande o pequeño que usted es. No piense para nada en usted mismo. Si Dios le indica en su corazón que tome este curso de acción, acompáñenos. Dios no llama a gente perfecta; ¡nos llama a los imperfectos para que nos entreguemos a Él a fin de que veamos cómo nos rescata con su maravillosa y poderosa mano!

Con mucha devoción al Dios verdadero, al Señor Todopoderoso,

Gwen Shamblin
Fundadora, The Weigh Down Workshop[†]

CONSIDERACIONES MÉDICAS

Antes de iniciar este programa, recomendamos que se haga un examen médico. Consultar con su doctor es especialmente importante si sufre usted de algún problema de salud sobre el cual inciden uno o más alimentos.

Se está preparando usted para entrar en el terreno de «alimentos regulares» que compra en la tienda, incluyendo cosas con sal y grasas y azúcar. Pero el volumen de alimentos va a disminuir drásticamente, y ¡a su cuerpo esto le va a encantar! Dios nos hizo sensibles a qué y cuánto nuestro cuerpo necesita y usted ¡tiene que resucitar este sistema!

Si tiene usted problemas de salud previos como, por ejemplo: diverticulitis, cirrosis del hígado, diabetes, hiperlipoproteinemia, resecciones intestinales, úlceras crónicas, nefritis, estreñimiento crónico, etc., asegúrese de estar bajo el cuidado de su médico y siguiendo sus indicaciones sobre comidas y medicinas. Por ejemplo, si sufre de estreñimiento crónico, tiene que seguir comiendo alimentos fibrosos. Si tiene úlceras, tome su medicamento y no coma alimentos que le hacen mal al estómago.

Pero puede haber problemas físicos previos que posiblemente mejoren cuando baja de peso y empieza a comer alimentos regulares en menores cantidades. Por ejemplo, si tiene alto el colesterol o los triglicéridos, es posible que rebajar de peso permanentemente alivie este problema. Debe mantenerse en contacto con su médico. El colon espástico y las úlceras podrían lentamente mejorar al comer el volumen de alimento que su cuerpo realmente necesita. A menudo los síntomas de las molestias que preceden a la menstruación son menos intensos al ir bajando de peso. En algunos casos mejoran los problemas de las coyunturas y músculos. Las personas que toman cortisona o que sufren de lupus bajan de peso sin problemas, aunque con más lentitud.

Cuando tomo un medicamento que se debe tomar con la comida, lo tomo acompañado de una a tres galletitas. Consulte con su médico.

¡No va a creer de cuánta energía y vida disfrutará, y cuánta mejora emocional experimentará!

Diabetes de tipo I y tipo II e hipoglucemia

Consulte a su médico y asegúrese de que conoce bien los principios que rigen este programa.

El diabético de tipo I necesita saber cómo chequear regularmente su nivel de glucosa y hacer la adaptación correspondiente de la insulina que ingiere al irse reduciendo el volumen de comida. Tiene que comer cuando el azúcar en la sangre está demasiado baja y cuando siente apetito.

La diabetes de tipo II (que comienza cuando ya es adulto) es por lo general el resultado directo de comer demasiado. El cuerpo está sobrecargado por la ingestión de demasiada comida, y el páncreas no puede producir suficiente insulina para manejar el exceso. Los diabéticos que han cumplido todo nuestro programa a veces han podido regular su nivel de insulina y descartar las medicinas simplemente reduciendo la cantidad de alimentos que comen, lo cual normaliza la proporción insulina/alimento.

A veces, la falta de azúcar en la sangre y el apetito no coinciden. Si los niveles del azúcar en la sangre bajan, ¡no se asuste! Por lo general, pequeñas cantidades de alimento ingerido a los pocos minutos le hará sentirse mejor. Esto no es decirle que coma hasta hartarse.

Niños

Este libro ha sido escrito para adultos que pesan demasiado. El Apéndice B contiene información sobre niños con exceso de peso y prácticas alimenticias para niños.

FASE I

CÓMO LLEGAR A SER ALGUIEN QUE COME DELGADAMENTE

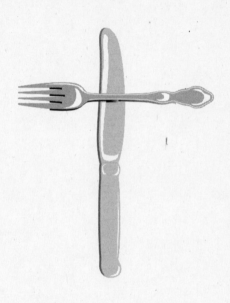

El método Weigh Down

Dicho sea de paso, ¿qué tiene que ver Dios con esto?

¡Con la ayuda de Dios usted *puede* aprender a detenerse a la mitad de una comida y no tener ningún deseo de comer la segunda mitad si su estómago está satisfecho! Dios no nos dio el chocolate o la lasagna o las ricas salsas para torturarnos, sino para que los disfrutemos. Pero ¡quiere que aprendamos a superar la atracción magnética del refrigerador para que la comida no nos consuma la vida!

El problema y la solución

Hemos sido creados con dos cavidades vacías en nuestro cuerpo que necesitan ser alimentados. Una es el estómago y la otra es el corazón.

Ilustración 1-1: Dios creó dos cavidades vacías en cada uno de nosotros.

Ilustración 1-2: Alimente el estómago solo cuando haga ruido y deje de alimentarlo cuando esté satisfecho (no excesivamente lleno). Usar la comida para llenar el corazón da lugar a la obesidad.

El *estómago* es literalmente una cavidad en nuestro cuerpo que tiene que ser alimentado con la adecuada cantidad de comida. En cuanto al *corazón*, estoy hablando figuradamente de nuestros sentimientos más profundos. Para satisfacer estos sentimientos más profundos, nuestras necesidades o anhelos del corazón, puede suceder a menudo que nos valgamos de la comida sobrecargando nuestro estómago con mucho más de lo que necesita.

Tratar de alimentar a un corazón doliente, necesitado, con comida o cualquier otra cosa sobre esta tierra (bebidas alcohólicas, tabaco, antidepresivos, lascivia sexual, dinero, el elogio de los demás, etc.) es un error común. La persona que intenta alimentar un corazón ansioso con comida permanecerá en el camino hacia la gordura. Los que se valen del abuso de las bebidas alcohólicas o del tabaco o del poder también cosecharán las consecuencias de su proceder. No hay nada inherentemente malo en la comida, el alcohol, el tabaco, el dinero, las tarjetas de crédito, etc. Pero es malo convertirse en un esclavo de cualquiera de estas cosas y permitir que nos dominen.

La solución al sobrepeso

Como puede ver en el diagrama, hemos estado tratando de alimentar nuestro corazón doliente, ansioso, con alimentos físicos. También hemos aprendido a amar la comida. Por lo tanto, la solución es la siguiente:

1. Volver a aprender cómo alimentar al estómago sólo cuando realmente tiene apetito.
2. Volver a aprender cómo alimentar o nutrir el alma humana ansiosa por medio de una relación con Dios.

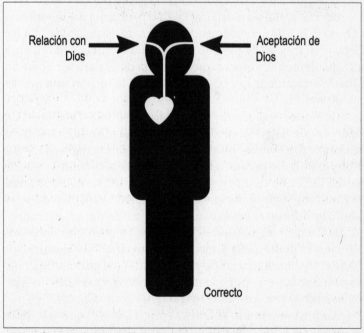

Ilustración 1-3: Nuestro corazón y nuestras necesidades se alimentan al buscar y comprender que Dios es nuestro Financiero, Consolador, Mecánico, Abogado, Médico, Consejero, Amigo, Esposo, Defensor, Guía Confiable y Padre.

3. Volver a aprender cómo reconocer los diferentes impulsos «de hambre» y no confundirlos.

¿Soy un fracaso?

Las preocupaciones principales para usted serán: «¿Cómo
puede esto darme resultado?» Porque:

1. «Me siento distanciado de Dios porque creía que me
hizo gordo y, durante años, no ha contestado mis oraciones en
las que pedía rebajar de peso».

2. «He intentado como cinco veces todas las dietas, todas
las píldoras y los ejercicios, y he fracasado miserablemente, así
que ¿cómo puede esto dar resultado?»

Lo que en realidad estamos preguntando es: «¿Soy un fracaso o es que Dios está enojado conmigo y me sabotea?»

Bueno, usted no es un fracaso, su problema no es genético
y Dios no lo está saboteando. Sí espera que su esclavitud a las
dietas y al exceso de peso lo obliguen a recurrir a Él. Le ama
entrañablemente y quiere que dependa de Él para ser liberado
a fin de comprobar lo poderoso que es y lo importante que es
usted para Él.

¿Por qué hasta ahora no han dado resultado las dietas? La
razón es que usted (como yo y el resto del mundo) ha tratado
de usar reglas (dietas) humanas en lugar de las reglas de Dios.
Dios nunca le ha pedido a nadie que coma alimentos tomados
de una lista, que cuente los intercambios de grasas o que tome
una píldora para quitarle el apetito. Usted sencillamente ha
estado aplicando el medicamento incorrecto para este trastorno. Estaba usando su fuerza de voluntad y las reglas del hombre. Dios es demasiado sabio como para dejar que el grupo local de apoyo para rebajar de peso o contar los gramos de grasa
sean su Salvador y, por lo tanto, se lleven todo el mérito. Las
reglas hechas por los hombres no dan resultado.

Ahora, bienvenido al Curso Weigh Down *, que le enseña
las reglas de Dios sobre el alimento y le demuestra lo inútil
que son las reglas hechas por el hombre. ¡Bienvenido al Curso

Weigh Down^t, que le muestra cómo usar la fuerza de Dios en lugar de su propia fuerza de voluntad! Bienvenido al Curso Weigh Down^t, por el cual miles han adelgazado después de años de intentarlo.

En resumidas cuentas: **usted no es un fracaso**. Ha estado valiéndose de las reglas del hombre y su fuerza de voluntad y, ahora, va a usar el plan y el poder de Dios para su alimentación. Hay esperanza, ¡y el mérito será de Dios!

Las dietas nunca dan resultado

Las dietas no van a la raíz del problema. De hecho, las dietas agravan el problema en lugar de mejorarlo. Las dietas tratan sencillamente de hacer que la comida se porte bien. ¡Las fábricas de alimentos han dedicado varias décadas y millones de dólares a quitar las grasas y calorías a fin de que la comida sea digna! En realidad, la industria alimenticia ha gastado millones de dólares para obligarnos a sentirnos necesitados. Muchas compañías productoras de alimentos quizá no quieran que tengamos éxito en bajar de peso, más bien prefieren hacer que nos sintamos dependientes de ellas para que consumamos lo que sea que venden. En realidad, cuanto más fracasan las dietas, mejor anda la industria.

¡La raíz del problema no son los ingredientes de la comida, sino cuánto volumen baja por ese viejo caño (nuestro esófago)! Y es verdad que nosotros, los consumidores, hemos querido que la industria alimenticia saque las grasas de los bizcochitos para poder sencillamente comernos más. Cambiar la comida pero no cambiar la cantidad de lo que ingerimos nos deja en una montaña rusa de rebajar y luego aumentar de peso. Cambiarnos el metabolismo o el sistema nervioso tomando píldoras u hormonas no es permanente, porque no podemos seguir tomándolas debido a los efectos secundarios. La motivación de querer ser delgado no es vanidad sino algo natural. Dios nos ha programado para querer lo mejor para nuestro cuerpo.

COMIDAS QUE EL QUE ESTÁ EN DIETA CONSIDERA DIGNAS

Ilustración 1-4: Las dietas han incitado la ingestión de grandes cantidades de alimentos de bajas calorías. Para cuando los que están a dieta la abandonan, ya se han acostumbrado a las cantidades grandes. Vuelven a subir de peso y culpan a la comida. Debemos volver a analizar esto. No es la comida —¡es estar acostumbrado a comer grandes cantidades de comida!

No podemos seguir queriendo que el doctor nos haga una liposucción en una parte del cuerpo mientras continuamos atiborrándonos de comida. Tenemos que entregar la raíz del problema, eso es mucho más fácil de lograr que dietas o procedimientos quirúrgicos. Weigh Down † es distinto de todos los demás sistemas dietéticos porque no vende un plan dietético, una comida o lo que sea. Vende un futuro, un futuro a ser llenado y satisfecho. El apetito se satisface, el amor de Dios es abrazado y disfrutado, y los apetitos están bajo control y son entregados a Dios.

¿Tiene que ser religioso para cumplir este programa?

Para aquellos de ustedes que no se sienten particularmente religiosos, no se preocupen. Tienen exactamente lo que necesitan para poder cumplir este programa. Como pueden apreciar, cada uno de nosotros tiene un corazón con el cual adorar, y todos adoramos algo. Eso nos indica que tenemos la capacidad de entregar nuestro corazón a algo. El quid de la cuestión es: ¿podemos transferir nuestra devoción de una cosa a otra? La respuesta es: ¡*sí*!

Dar nuestro corazón a algo es un proceso aprendido y que puede volverse a aprender. Por ejemplo, algunos *disfrutan* de los deportes, pero otros parecen *adorarlos*. Algunos disfrutan de las cosas materiales, pero otros parecen adorarlas. Algunos usan el dinero, otros hacen lo que sea para conseguirlo.

Algunos usan la comida como combustible para hacer andar al cuerpo, y algunos sueñan con ella. ¡Algunos de estos soñadores se han despertado a la mañana para encontrarse con los restos de huesos del pollo frito sobre su pecho! Esta vieja relación con la comida puede ser transferida para convertirse en una relación con Dios o en una disposición hacia Dios.

En el pasado quizá le ha encantado lo que sentía al planear una comilona y al soñar mientras revisaba recetas, libros de cocina y revistas que tenían planes para comidas y fotos de comidas. Quizá le ha gustado lo que sentía al esperar que todos se fueran a la cama (y mejor que no se volvieran a levantar) para que usted pudiera preparar, cocinar y comer la comida sin que nadie le juzgara.

La buena noticia es que puede volver a aprender cómo obtener del Señor ese mismo sentimiento. Cuando aprende a sentirse contento al encontrar a Dios, logrará mucha más satisfacción. Dedicarse a un exceso de Dios no tiene esos efectos secundarios de sentirse harto, culpable o deprimido. En otras palabras, es posible renunciar a la antigua manera de divertirse y remplazarla con algo mucho más satisfactorio (¡y sin calorías!). Al escoger esta nueva senda perderá peso y nunca lo recobrará.

Sé que algunos están leyendo esto y no lo creen. Puedo escucharlos pensar: «¡¿Me quiere decir que si no tengo hambre y se me antoja comer bizcochitos de chocolate, debo en cambio recurrir a la Biblia y leerla?!» Este concepto no es ilusorio. Siga leyendo. Le desafío a que me deje darle pruebas de que es así.

Miles de personas han tomado el Curso Weigh Down⁺ o han leído este libro. Ya no se «llenan» de comida, sino de concentrarse totalmente en nuestro verdadero Padre Celestial y de tratar de complacerlo a Él. Jesús dijo: «Mi comida es que haga la voluntad del que me envió, y que acabe su obra» (Juan 4.34).

Algunos se han «llenado» al hacer ejercicio físico. Esta «plenitud» no es mala, pero no es completa. Y, por lo general, el ejercicio obsesivo, tedioso, con el fin de adelgazar, tarde o temprano cansa si el ejercicio se enfoca en el yo y no en Dios. El ejercicio, como el alimento, tiene también que pasar a ocupar su justo lugar y no ser adorado, sino disfrutado.

Hacer una transferencia concentrándose en el cielo en lugar de concentrarse en el alimento, los ejercicios o cualquier otra cosa es mucho más agradable y satisfactorio. ¡Le dará tantas recompensas que nunca querrá usted volver a darle su corazón a ninguna otra cosa!

¿Cómo se rebaja de peso?

En cuanto deje de recurrir a la comida para obtener una satisfacción sensual, o para escapar, para olvidar o para lograr un efecto tranquilizador, confortante, etc. y empiece a ingerir alimentos regulares sólo cuando le hace ruido el estómago, tragará o comerá apenas la mitad a un tercio de lo que antes tragaba. El deseo de comer se va. ¡Esto significa que rebajará usted de peso! Usted podrá hacerlo; sucede con naturalidad. No tendrá que medir los alimentos ni contar los gramos. Su estómago le guiará. El volumen de la comida disminuye al

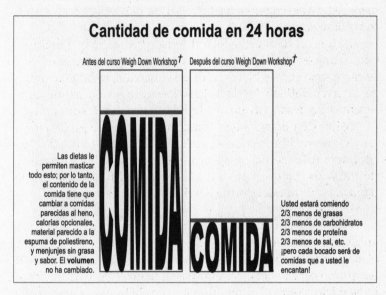

Ilustración 1-5: Tenga la seguridad de que la comida que consume disminuirá al seguir este programa --de la mitad hasta dos tercios.

concentrarse en apetito y satisfacción. Miles de personas que antes estaban en dieta hacen esto dentro de las veinticuatro horas de haber empezado con Weigh Down[t].

El programa típico para perder peso sugiere rebajar por medio de una dieta y ejercicio. Sugerimos que si usted pierde la pasión por la comida, el resultado será que comerá menos y, por lo tanto, perderá peso permanentemente. Los métodos utilizados generalmente entre 1950-1990 trataban de arreglar el cuerpo o el alimento, pero nunca se ocupaban de la pasión. El método del Curso Weigh Down[t] arregla primero el corazón, y con eso se arregla el cuerpo.

No nos estamos poniendo en contra de las indicaciones nacionales médicas actuales en el sentido de que las grasas deben disminuir; más bien, sencillamente proponemos otra manera de lograr esta meta. El Curso Weigh Down[t] le mostrará cómo Dios nos lleva a hacer las paces con la comida, para

Jeff Venable, Hot Springs, Arkansas

Virginia Schnacky, Bloomington, Minnesota

Note que las personas que siguen los principios del Curso Weigh Down[†] han aprendido a comer menos y ¡están felices comiendo menos comida! En otras palabras, son felices y están llenas de otra cosa. Exploraremos esta «otra cosa» a lo largo de este libro.

nunca volver a la pesadilla del constante sobrepeso, las dietas y los programas de ejercicios con sus incesantes altibajos, pero más bien a una actitud tranquila, desmagnetizada hacia los alimentos regulares con la habilidad de acercarse, sin descontrolarse, a alimentos como las entradas sabrosas o los postres. Ya no tiene que hacer ejercicio pensando en quemar calorías; en cambio, este puede pasar a ser una actividad agradable. ¡Será usted libre!

Qué esperar en el camino

Está usted por embarcarse en un programa singular para rebajar de peso. En lugar de enfatizar el contenido calórico de los alimentos, nuestro enfoque estará en el control de su apetito natural, interno; de más importancia, nuestra concentración será entrenada para que se centre en la voluntad de Dios y dejemos de concentrarnos en la comida.

Comparemos el camino que está usted por tomar —de la esclavitud de los programas dietéticos (contar gramos de grasas y calorías) y del sobrepeso a ser alguien que come normalmente— con el camino que tomó el pueblo de Israel de la esclavitud en Egipto, a través del Desierto de la Prueba para arribar finalmente a la Tierra Prometida.

El libro bíblico de Éxodo, en el Antiguo Testamento, es la antigua historia del éxodo del pueblo de Dios de la esclavitud en Egipto. ¿Recuerda la historia de cómo Dios separó las aguas del mar Rojo? Dios envió a Moisés para que guiara a los israelitas y para decirles que Él, el Señor, los libraría de la esclavitud. Dios mandó plagas sobre los egipcios para obligar a faraón que dejara ir a su pueblo. Después de diez horribles plagas, faraón dejó que los israelitas empacaran sus cosas y partieran. Faraón cambió de idea y trató de volver a capturarlos, pero Dios partió las aguas del mar Rojo con un fuerte viento del este. En cuanto los israelitas estuvieron a salvo en la otra orilla, los guerreros más fuertes y los mejores carros y caballos de faraón fueron cubiertos por el mar cuando Dios volvió el agua a su lugar. Los israelitas habían sido testigos de la poderosa liberación que Dios había obrado en su favor sacándolos de las garras de faraón.

 Pero antes de que Dios dejara que su pueblo heredara la Tierra Prometida que fluía leche y miel, los llevó por el camino del Desierto de la Prueba. Deuteronomio 8.2, 3 dice: «Y te acordarás de todo el camino por donde te ha traído Jehová tu Dios estos cuarenta años en el desierto, para afligirte, para probarte, para saber lo que había en tu corazón, si habías de guardar o no sus mandamientos. Y te afligió, y te hizo tener hambre, y te sustentó con maná, comida que no conocías tú, ni tus padres la habían conocido, para hacerte saber que no solo de pan vivirá el hombre, mas de todo lo que sale de la boca de Jehová vivirá el hombre».

Al igual que los israelitas, usted será liberado de las dietas y de la esclavitud de la comida y los programas dietéticos que lo tratan como a un niño. Este libro le explicará cómo miles han superado el Desierto de la Prueba. Por último, le mostraremos cómo seguir en las pisadas de los hijos de Dios que entraron en la Tierra Prometida llena de leche y miel. «Así que, si el Hijo os libertare, seréis verdaderamente libres» (Juan 8.36). La Tierra Prometida es un lugar fuera del caluroso Desierto de la Prueba donde uno ya no se siente tentado a comer cuando su estómago no tiene apetito.

No importa su edad, no importa su tamaño, no importan sus medios de control; ya sea dieta, ejercicios para no aumentar de peso, bulimia (vomitando la comida para mantener el control), anorexia (privar a su cuerpo del alimento como medio de control) o sencillamente renunciando totalmente al dominio propio, este programa es para usted.

Como lo registra la Biblia, Dios acudió a rescatar a su pueblo, los israelitas, de la esclavitud. Libró al anciano y al joven, al albañil y al que tejía canastos, a los cansados y quebrantados. Dios vino y los rescató a todos.

Está usted a punto de leer cómo miles se han acercado a Dios, quien los ha rescatado del amor a la comida y, por lo tanto, de esas libras de más. Hay esperanza para usted, porque no es por casualidad que tomó en sus manos este libro.

En definitiva, ¡descubrirá que Dios tiene *todo* que ver con el control de su peso!

La historia de Weigh Down

De niña, yo comía muy poco. Recuerdo que mi padre me decía que tenía los ojos más grandes que el estómago al seleccionar en la cafetería más platillos de los que podía comer. Esto era posiblemente más una lección de mayordomía que de buena salud por parte de mi padre, ya que tenía cuatro hijos que alimentar. En esa etapa de mi vida, el dolor de estómago cuando comía demasiado tenía más influencia sobre mi manera de comer que el placer de satisfacer los antojos de mi paladar. No obstante, mostraba las primeras señales de una semillita de gula. Si la semillita de gula se hubiera encauzado, me hubiera ahorrado años de sufrimiento.

Mi mamá era socia del club cómete-toda-la-comida-en-tu-plato, como lo eran todas las mamás que habían pasado por la escasez de la Gran Depresión. Se nos adoctrinaba perfectamente sobre alimentos sanos y alimentos malos. Las frutas y verduras eran comidas dignas en casa. Esta combinación de convicciones sobre los alimentos era apoyada ciento por ciento en las escuelas como si hubiera sido la verdad del evangelio, y los Cuatro Grupos Básicos de alimentos eran memorizados como si hubieran sido el preámbulo de la constitución. Recuerdo que en el tercer año de la primaria recibía «estrellitas» de premio si comía todo lo que tenía en el plato. Esta combinación de enseñanza, que todavía hoy se enseña, por más correcta que parezca, ha ayudado a desenchufar el hambre interior programado por Dios y la habilidad interior de seleccionar alimentos (una retroalimentación biológica natural para indicar al cuerpo sobre una variedad de alimentos).

Antes, mi padre había tenido razón al decir que mis ojos eran más grandes que mi estómago; pero para entonces, después de años de fortalecer mi estómago y de alimentar libremente el hambre cerebral, ¡mi estómago coincidía perfectamente con mis ojos!

Al llegar a la adolescencia, el dolor producido por comer demasiado disminuyó. Antes, mi padre había tenido razón al decir que mis ojos eran más grandes que mi estómago; pero para entonces, después de años de fortalecer mi estómago y de alimentar libremente el *hambre cerebral*, ¡mi estómago coincidía perfectamente con mis ojos! Además de la gula en aumento, el temor ya era parte de mi vida. Éramos cuatro hijos, y si no me ocupaba de conseguir «lo mío», quizá ya no me quedaría nada para comer. Sentía que tenía que ocuparme de conseguir lo que me correspondía. Era la mayor y tenía más libertad para seleccionar lo que quería comer, y ni siquiera se me había enseñado que tomara en consideración el apetito estomacal y el sentirme llena. Muy pronto aumenté cinco, luego, diez libras. El problema con aun cinco libras de más en el tipo de cuerpo que tengo es que se fueron a mi cintura en lugar de la parte de mi cuerpo que desesperadamente necesitaba más carnes: ¡mis piernas! Como mi cuerpo no colaboraba conmigo en distribuir uniformemente mi peso, aun cinco libras de más realmente me preocupaban, ya que la mayoría de las tiendas no tenían ropa que le quedara bien a los globos con piernas como palitos.

Por suerte me gustaba ser una de las chicas que dirigía los vítores en las competencias deportivas. El incentivo interior de hacerlo bien me mantuvo saltando durante años. Por lo visto, estaba comiendo más de la cuenta en la misma proporción que la cantidad de energía que consumía. En otras palabras, el ejercicio físico estaba disimulando o al menos compensando el hecho de que comía demasiado. Cuando ya no tenía esta actividad por haber terminado la escuela secundaria y haber empezado mis estudios universitarios, el comer de más se fue revelando en la forma de libras extra.

Además, la Universidad de Tennessee vendía lo que yo llamaba «tarjetas mágicas» que permitía a los estudiantes ir a la cafetería de la generosa universidad estatal desde las 7 de la mañana hasta las 7 de la noche. A cualquier hora del día nos podíamos servir malteadas, refrescos, helados y estantes enteros de postres. El desayuno se superponía con el almuerzo, que se superponía con la cena. La comida era fantástica, y lo único que había que hacer para entrar a esta inmensa cafetería donde se podía comer todo lo que uno quería, era la tarjeta mágica. Era mágica porque pagábamos una sola cuota al principio del semestre para tener luego el privilegio de comer ilimitadamente.

Después de las 7 p.m., cuando la megacafetería cerraba sus puertas, cobraban vida en la universidad, los puestos de comida preparada. El aroma de los sándwiches hechos frescos al vapor con queso derretido me llamaba por mi nombre cada noche. Bueno, el resultado de la combinación de no hacer ejercicio y estar expuesta a mucha más cantidad de comida (y sin mamá a mi lado para corregirme) fue que aumenté diez libras más.

Ahora pesaba entre diez y veinte libras más de mi peso pre universidad, y toda la gordura la tenía alrededor de la cintura. Ahora, en lugar de un globo con piernas como palitos, ¡parecía un globo embarazado con piernas como palitos! Me empecé a desesperar. Pero esas veinte libras de más no revelaban lo profundamente que estaba concentrada en la comida.

No había forma de llenarme, y después de comer demasiado
trataba de vomitar, pero no lograba coordinar bien el asunto.
Para entonces el círculo vicioso de dietas/ejercicio y per-
der/aumentar de peso se había arraigado totalmente. Me encantaba comer y comer y comer. Aunque era una satisfacción
hartarme de comida, me sentía esclavizada. Por más trivial o
humorístico que parezca mi descripción de esta situación fuera de mi control, en realidad, fue una época de mucha insegu-
ridad para mí.

Mis estudios universitarios eran en dietética y los de posgrado en ciencia de la nutrición. Desafortunadamente, esta carrera no hizo más que aumentar mi díscola concentración en
la comida y en mí misma. Me preguntaba si tendría cada una
de las enfermedades relacionadas con la desnutrición que los
libros describían. Probaba las dietas de intercambio de comida que los libros sobre nutrición recomendaban y, después de
varios años de fracaso, empecé a probar todo lo que al final del
libro se listaba como «métodos no recomendables para perder
peso», por ejemplo: dietas de supresión de carbohidratos que
causa cetosis (un estado diabético temporal producido por
uno mismo). En la universidad, me inscribía en las clases de
ejercicios aeróbicos que usaban técnicas nada exitosas, cuestionables, para motivar a los estudiantes a rebajar de peso. En
una de las clases, teníamos que formalizar un contrato para rebajar de peso a cambio de una buena calificación. Me sentía
muy segura de mí misma cuando hice el contrato o acordé rebajar quince libras a cambio de la calificación más alta. En esa
clase, pasé apenas, lo que significaba que ni siquiera una muy
valorada calificación podía ayudarme a rebajar de peso. ¡No
podía sacarme toda esta cosa del cuerpo!

El régimen más común que usaba era algo así: a la mañana pasar hambre; al mediodía lechuga, con aceite y vinagre y
una coca cola de dieta y, para la cena, me permitía unos pocos
intercambios de alimentos. De noche, trataba de trotar en el
campo de juego. Aguantaba este régimen hasta el jueves a la
noche, pero pensar en las diversiones del fin de semana

siempre me tentaba a «caer».
En cuanto «caía» ¡cuidado!
Preparaba masa para hacer
bizcochitos dulces y me comía
tanto la masa cruda como la
horneada. Nunca confiaba en
que las listas de intercambio
dieran resultado porque era
experta en hacer trampas. Por

Por primera vez en mi vida, comencé a sentirme fracasada, y eso empezó a afectar otros aspectos de mi vida.

ejemplo, por lo general para el martes ya había «tomado
prestado» todas las grasas y carbohidratos de toda la semana
y ¡para el jueves me había comido la mayor parte de las calorías opcionales permitidas para todo un mes!

Toda la situación parecía inútil, especialmente durante
las tentaciones nocturnas. A las 9 de la noche, cuando todos
los demás estaban comiendo emparedados de chorizo Kielba-
sa con queso ahumado, pickles, papitas fritas y una bebida
dietética, yo leía mi hoja de papel y veía que lo único que me
quedaba en el intercambio era fruta. ¡No tenía ganas de comer
fruta! Los partidarios de las listas de intercambio siempre decían: «Lo único que tienes que hacer es ir corriendo los intercambios y, al final del día, ¡ya está!» ¡No es así! Es entonces
cuando empieza el problema. Las tentaciones como estas parecían impulsarme a arrasar con todo lo que hubiera en la cocina, menos la fruta.

La balanza, eternamente vigilante, siempre me decía la
verdad sobre mis vanos esfuerzos. No había perdido un gramo. ¡No estaba avanzando! Pero me negaba a admitir mi fracaso y me valía de mi propia fuerza de voluntad para volver a
empezar el lunes con el mismo régimen, esperanzada de que
esta vez cumpliría. Todo esto me desconcertaba, porque parecía lograr bastantes éxitos en otros aspectos de mi vida. ¿Por
qué no en esto? Comencé a sentir que había algo que no andaba bien dentro de mí. Por primera vez en mi vida, comencé a
sentirme fracasada, y eso empezó a afectar otros aspectos de
mi vida.

No sé cómo, en mis estudios de posgrado, caí en la cuenta que prácticamente ninguno de los expertos se dignaba a mencionar al Creador. Esto me hizo sospechar de algunas de las teorías postuladas en dietética. No aceptaba la idea de que todo sobrepeso fuera congénito o algo heredado. Hacer que la comida se portara bien por medio de dietas tampoco tenía sentido. Nunca explicaba cómo era que mis abuelos siempre andaban bien de peso a la vez que comían tocino y huevos todos los días. De hecho, nunca habían oído hablar de crema de queso y leche descremada. Tenían lo mejor de lo mejor de tortas de coco, helados caseros y pasteles de nueces. No condenaban el pollo frito ni el pan con mantequilla. La comida se disfrutaba, y las dietas y el ejercicio físico nunca eran tema de conversación. Comíamos comidas «de verdad», deliciosas, en la casa de mi abuela y en las de mis bisabuelos, y todos ellos conservaban su peso ideal…Todos menos yo, la estudiante con estudios avanzados en dietética y la experta en estar en dietas.

Mis estudios me mantenían al día con los esfuerzos por cambiar el contenido de los alimentos y los peligros del exceso de la grasa y el azúcar. Estudiamos lo último en métodos de modificación de conducta para perder peso, y me sentía que esto estaba mucho más cerca de la respuesta que el estudio del contenido alimenticio. Pero estacionar el auto lo más lejos posible en la playa de estacionamiento a fin de verme obligada a caminar más y dejar reposar mi tenedor entre bocados no me quitaban el deseo en mi corazón de seguir masticando todo lo que había en el refrigerador y la alacena a las 10 de la noche cuando nadie me veía. ¡Las técnicas de modificación de conducta tampoco tenían la respuesta!

Una amiga, que vivía al lado, era flaca, muy flaca. Decidí entrevistarla. ¿Por qué, durante todos estos años, los flacos no han sido un recurso para los gordos?

Las razones son varias. La gente delgada ha aprendido a evitar las conversaciones amenazantes que empiezan con la pregunta: «¿Por qué estás tan flaco?» o «¿Cómo puedes comer pastel de chocolate y no aumentar de peso?» Los delgados perciben muy bien su posición nada popular. También saben que están condenados, no importa la respuesta que den. Si han aceptado las teorías de genética y herencia y contestan: «Supongo que Dios me hizo así», eso sugeriría que ¡Dios hizo gorda a la persona gorda! Eso es como firmar su propia sentencia de muerte o sino, esa respuesta les puede costar una amistad. Si contestan: «Bueno, no sé. Supongo que como menos que tú» otra vez han puesto en peligro una amistad. Así que dicen cortésmente: «No sé, y tampoco nunca te veo comer nada a ti». Y cambian de conversación.

Como sabía que no llegaría a ninguna parte haciendo preguntas, le pregunté a mi amiga flaca si podía sencillamente observarla y escribir lo que comía las próximas cuarenta y ocho horas. (Y ya que hablamos del tema, esta es su primera tarea: observar a alguien que no está en dieta ni hace ejercicio para adelgazar y ha sido delgado toda la vida.) La primera ocasión para comer

Mi amiga de poco comer nunca pudo explicarme por qué podía detenerse a la mitad de la hamburguesa.

El secreto escondido resultaría ser la clave que faltaba para revelar el gran misterio de rebajar de peso para siempre.

ese día fue al mediodía en McDonald's. Yo ya me había comido un Big Mac (la hamburguesa más grande que venden), una orden grande de papas fritas y un batido de leche y, ahora, de a sorbidos, tomaba una bebida dietética. ¡Ella recién andaba por la primera mitad de su hamburguesa grande, pero no tan grande como la mía! En ese momento empezó a hacer algo raro: comenzó a volver a envolver la segunda mitad de su hamburguesa. No podía creerlo. Traté de preguntarle qué estaba haciendo. Ella contestó: «No quiero más». Así que hice las próximas preguntas lógicas: «¿Estás enferma?» y «¿Estás segura que eres de este planeta?» Me contestó que no estaba enferma y que era de Tennessee.

Le pedí que por favor me dijera qué estaba pensando. ¿Cómo podía desperdiciar comida de McDonald's? Porque yo, no sólo podía comerme mi Bic Mac, una orden grande de papas fritas y un batido de leche, también me hubiera podido comer la hamburguesa de ella. Y quería la comida de los que estaban en la mesa de al lado pero, por cortesía, no se las pedía. Como dijera antes, no había forma de llenarme. Nunca me sentía satisfecha; había perdido toda habilidad de sentir dolor cuando estaba demasiado llena. Mi corazón y alma clamaban pidiendo más. Efesios 4.19 describe mi situación: «Después que perdieron toda sensibilidad, se entregaron a la lascivia para cometer con avidez toda clase de impureza».

Mi amiga de poco comer nunca pudo explicarme por qué podía detenerse a la mitad de la hamburguesa. El secreto escondido resultaría ser la clave que faltaba para revelar el gran misterio de rebajar de peso para siempre. En ese período de cuarenta y ocho horas, mi amiga flaca no comió tanto como yo. Puede haber comido mucho en una comida pero luego se saltó la siguiente. En todo ese lapso de tiempo, comió menos cantidad de alimentos.

Sencillamente empecé a imitar la fascinante conducta de ella, sin siquiera saber cómo lo estaba haciendo. Perdí las libras de más en 1977 y al año siguiente me casé. Para 1980 tuve mi primer hijo. Había comido todo lo que me apetecía, pero *únicamente* cuando sentía hambre. Aumenté por lo menos cincuenta libras y tuve un varoncito, Michael, que pesaba diez libras, y media veintitrés pulgadas, y era perfecto y hermoso. Seguí comiendo sólo cuando tenía apetito y rebajé durante los próximos meses, recobrando mi peso normal de 105-110 libras. No podía creerlo. Aumenté cuarenta y cinco libras con mi segundo embarazo y tuve a Michelle, una bebita de ocho libras. En el octavo mes de mi tercer embarazo perdí a Mateo, un varoncito, por causas desconocidas. Aun en mi profunda tristeza sabía que Mateo estaba siendo criado por el Padre. Recurrí a Dios para que me consolara, no a la comida. Por lo tanto, volví a recobrar mi peso normal. Realmente había encontrado algo que daba resultado, pero no estaba segura realmente de qué se trataba.

En medio de los embarazos, en 1982, decidí brindar mi casa a las primeras doce damas de la iglesia que quisieran rebajar de peso. Habiéndome concentrado tanto en la dietética, probé una combinación de dieta, ejercicio, modificación de conducta y una introducción al concepto del apetito y la satisfacción. Estaba dispuesta a recibir cualquier sugerencia. Este fue el principio de muchos errores y fracasos y algunos éxitos, si es que definimos éxito como lo hacía yo: éxito es no tener ningún deseo de volver a comer demasiado. De hecho, éxito vendría a ser el sentido de que comer demasiado es repulsivo.

Para 1986, había eliminado lo que me parecía no daba resultado y tenía un conocimiento fidedigno sobre lo que creía sí daba resultado. Yo podía educar a las personas en cómo librarse de las libras de más, pero el problema era poder ayudarles a conservar su peso ideal. Me dí cuenta que podía parar a la mitad de una hamburguesa y yo, como mi amiga de la universidad, no sabía cómo lo hacía. También sabía que nunca volvería a pesar más de lo debido. ¿Cómo podían los demás sentir lo mismo? Así que oré a Dios pidiendo sabiduría. Poco a poco se me fueron presentando los pasajes bíblicos y fui recibiendo el entendimiento, y empecé a incorporar esto en el primer centro de asesoramiento del Curso Weigh Down[t].

Lo que sucedió como resultado de un curso más centrado en Dios fue fenomenal. Sabíamos que la información no debía estar en manos de sólo unos pocos privilegiados; muchos opinaban que el curso podría enseñarse en iglesias o grupos pequeños. Oré a Dios pidiendo su dirección, y Dios verdaderamente bendijo esta idea. En menos de cinco años, el Curso Weigh Down[t] ya estaba en miles de iglesias y pequeños grupos a lo largo y ancho de los Estados Unidos, Canadá y Europa. Las estadísticas de la pérdida de peso son casi imposibles de medir porque ha crecido con tanta rapidez. Pero sabemos que el Curso Weigh Down[t] ha crecido rápidamente porque los resultados en términos de pérdida de peso son

fenomenales. En otras palabras, ¡las estadísticas son admira-
bles! Las cartas y llamadas telefónicas incluyen testimonios
de cómo centrarse en Dios puede dar un giro de 180 grados a
las vidas de las personas. Estos testimonios son maravillosos,
y nuestra oficina los ve y oye diariamente. Compartiremos
algunos de ellos más adelante en este libro.

Después de orar a Dios pidiéndole sabiduría, la respuesta
de cómo fue que pude rebajar de peso permanentemente se
fue haciendo más y más clara. Así que ahora tenemos una
nueva definición del éxito en lo que a rebajar de peso se trata.
No se define como quitarse libras de encima, porque cualquiera lo puede hacer. Más bien el éxito en rebajar de peso significa
tanto perder el peso como el deseo de comer demasiado. En
cuanto uno pierde el deseo de hartarse de comida o de comer
demasiado, nunca vuelve a ponerse libras de más.

Lo que me llevó años aprender irá apareciendo en los próximos capítulos. Tiene que saber usted que rebajé de peso,
para nunca volver a concentrarme en la comida o al deseo de
comer la segunda mitad de una barra de chocolate si mi estómago está lleno. Y esta es una gran estadística.

EL EXPERTO EN ESTAR EN DIETA EN LA ACTUALIDAD

Si observamos los archivos de la historia, vemos que el ser humano ha estado alterando el contenido de los alimentos y tomando píldoras para rebajar de peso desde hace tiempo. La gordura no es un problema nuevo. La Biblia registra que Elí, uno de los sumo sacerdotes de Israel, pesaba mucho. Vivió allá por 1100 a.C. A lo largo del tiempo, el estudio de los alimentos, su contenido y beneficios para la salud han sido temas de gran interés.

En mis años de trabajar con personas que tienen problemas de peso, nadie jamás me ha pedido que le ayude a ser gordo, pero personas de toda raza y credo, aun con apenas cinco libras de más, me han pedido que les ayude a rebajar de peso. Llegué a la conclusión de que Dios creó a todos con el anhelo de pesar lo correcto y que esto no es ambición ni vanidad, sino más bien un impulso sano, innato, que Dios programó en nosotros.

La nutrición, como la conocemos en la actualidad, es una ciencia muy joven. El primer especialista en dietética que se registra aparece a principios del siglo XX. Para 1945, la ciencia había podido identificar, aislar y duplicar la estructura química de las vitaminas. Para la década de 1950, nuestros botiquines empezaban a contener vitaminas fabricadas, algo que nuestros abuelos no consumían y, aún así, vivieron para ser abuelos. Los primeros descubrimientos sobre la nutrición humana eran maravillosos, pero quizá iniciaron una pequeña chispa de confiar más en la ciencia que en el Creador de la ciencia: Dios. Algunos opinaban que la Biblia era obsoleta. Muchos nos comportábamos como si creyéramos, al leer Marcos 7.14-23, que Jesús no sabía cuál sería el perfil de nuestros lípidos y nuestras fichas médicas en el siglo XX:

> Y llamando así a toda la multitud, les dijo: Oídme todos, y entended: Nada hay fuera del hombre que entre en él, que le pueda contaminar; pero lo que sale de él, eso es lo que contamina al hombre... Cuando se alejó de la multitud y entró en casa, le preguntaron sus discípulos sobre la parábola. Él les dijo: ¿También vosotros estáis así sin entendimiento? ¿No entendéis que todo lo de fuera que entra en el hombre, no le puede contaminar, porque no entra en su corazón, sino en el vientre, y sale a la letrina? Esto decía, haciendo limpios todos los alimentos. Pero decía, que lo que del hombre sale, eso contamina al hombre. Porque de dentro, del corazón de los hombres, salen los malos pensamientos, los adulterios, las fornicaciones, los homicidios, los hurtos, las avaricias, las maldades, el engaño, la lascivia, la envidia, la maledicencia, la soberbia, la insensatez. Todas estas maldades de dentro salen, y contaminan al hombre.

¿Ya no hacía falta Dios ahora que teníamos hombres educados y honorables instituciones educativas? ¿Había Dios dotado a los médicos, científicos, dietistas, para que los consultáramos a ellos en lugar de molestarlo a Él? Ni había que tener en cuenta el pasaje que dice: «En el año treinta y nueve de su reinado, Asa enfermó gravemente de los pies, y en su enfermedad no buscó a Jehová sino a los médicos. Y durmió Asa con sus padres, y murió en el año cuarenta y uno de su reinado» (2 Crónicas 16.12,13).

A mediados del siglo XX empezó a prevalecer la actitud de que es inútil buscar el consejo de Dios sobre la buena salud. Algunos empezaron a dudar de que Dios hubiera dispuesto ya los procesos para tener un cuerpo sano y los procesos para una curación natural. Estas actitudes iban mano a mano con la creencia que el individuo es responsable de analizar el contenido calórico y alimenticio de todo lo que fuera comestible, y de relacionar este conocimiento con las complicadas necesidades del cuerpo humano.

Empezamos a desconfiar de cada tienda de alimentos y todo alimento «procesado» (sea lo que fuere que esto significa, ya que todo lo que comemos tiene que ser procesado de alguna manera antes de poder entrar en nuestra casa). Esta nueva opinión se convirtió en un fuego rugiente de desconfianza en comer alimentos comunes comprados en la tienda. Para entonces, teníamos cajas enteras de vitaminas en píldoras.

Así que pasajes como «No os afanéis por vuestra vida, qué habéis de comer o qué habéis de beber» fueron relegados al olvido y reemplazados con una preocupación obsesiva por los componentes nutritivos de los alimentos y por nuestro cuerpo humano y sus necesidades. A medida que la población se concentraba más en la comida y en el cuerpo físico, el pueblo (especialmente en los Estados Unidos) siguió aumentando de peso. Parecía haber una relación entre ambos.

Por todas partes empezaron a surgir los grupos de apoyo para rebajar de peso. Mientras tanto, la población aumentaba aun más de peso.

Para la década de 1970, el movimiento en pro de la buena salud llegó a su máximo apogeo, al igual que nuestra preocupación por contar con una nutrición máxima y cumplir con el ciento por ciento del U.S. RDA (Alimentación diaria recomendada por los Estados Unidos). Tratábamos de comer menos, pero teníamos tanto miedo de no ingerir comidas nutritivas o de olvidar un alimento clave que terminábamos por comer demasiado y pesar de más. Por todas partes empezaron a surgir los grupos de apoyo para rebajar de peso. Mientras tanto, la población aumentaba aun más de peso.

Las Tablas de Altura y Peso de Metropolitan Life (compañía de seguro de vida), que no son más que estadísticas actualizadas de los últimos datos de mortandad, seguían agregando algunas libras más al promedio de peso por altura, así que aunque aumentábamos cinco libras extra cada cinco años, seguíamos dentro de la categoría «normal».

Para la década de 1980, la mayoría de los que estábamos en dieta nos habíamos convertido en «expertos en dietas», dado que utilizábamos las listas de intercambio y asistíamos a grupos de apoyo en un promedio de tres a diez veces por año. Muchos sabían el contenido de carbohidratos, proteínas y grasas, al igual que el total de calorías, de cada alimento a la venta. Los expertos en dietas podían decir cuánta energía se empleaba para subir las escaleras, limpiar la casa y cortar el césped, y conocíamos cada alimento que se podía comer sin restricciones o calorías opcionales a disposición del consumidor. En cada esquina había una clase de ejercicios aeróbicos. Si era lunes, y se nos antojaba, podíamos pagar otra cuota de inscripción y llevarnos a casa la hoja con la lista de alimentos que podíamos comer y los que no podíamos comer. Volvíamos a empezar porque quizá esta vez sí daría resultado. Era casi como las maquinitas tragamonedas de Las Vegas. Si ponemos otra moneda, ¡quizá esta vez ganaríamos!

La búsqueda en pro de «alimentos sanos» seguía, con el resultado de que millones de personas se concentraban en su salud, casi como si creyeran que podían agregar una sola hora a la vida que Dios les había asignado. Job 14.5 dice: «Ciertamente sus días están determinados, y el número de sus meses está cerca de ti; le pusiste límites, de los cuales no pasará». Y Mateo 6.27 (DHH) dice: «En todo caso, por mucho que uno se preocupe, ¿cómo podrá prolongar su vida ni siquiera una hora?»

En las primeras épocas bíblicas, la gente vivía más tiempo que el promedio actual de setenta y dos a setenta y cinco años. Y vivían más sin la ayuda de dietistas o indicaciones actuales sobre nutrición. Observe este pasaje que se refiere a la gente de hace miles de años. Y dijo Jehová: «No contenderá mi espíritu con el hombre para siempre, porque ciertamente él es carne; mas serán sus días como ciento veinte años» (Génesis 6.3). Dios acortó el promedio de vida a 120 años. Por favor tenga en cuenta que sabemos muy bien que uno puede hacer cosas que le acortan la vida. Por ejemplo, si uno trata de suicidarse o se excede en el uso del tabaco, comida, alcohol o drogas. Pero el intento de quitarse la vida puede fracasar. Y, como sabemos, el sobrepeso es el factor singular que más incide en la muerte prematura, aunque también hemos de reconocer casos excepcionales de gente obesa, como el sumo sacerdote Elí, que han llegado a los noventa años. *Dios* está al mando.

Para la década de 1980, muchos de los que estaban en dieta probaban cada píldora dietética, ya fuera de venta libre, recetada o desafortunadamente del mercado negro. Al seguir aumentando de peso la población, la cantidad de métodos para rebajar de peso se multiplicaron, y el precio para perder peso aumentó. Era posible gastar tres mil dólares en una dieta supervisada de proteínas líquidas con la esperanza de que cuanto más gastáramos, más le podíamos cargar con la responsabilidad de nuestro éxito a los profesionales de sacos blancos. Seguramente, pagando más, podíamos depender de esa fuerza externa para obligar al experto en estar en dieta cada vez menos motivado, a ser fiel al programa. El sueño secreto del experto en estar en dieta era retirarse a un campamento de tratamientos para obesos y volver transformado. El personal del campamento se hacía cargo de todo: planificaba, cocinaba, limpiaba. Nosotros sencillamente les pagábamos para que lo hicieran por nosotros. Muchos terminábamos en el hospital para que nos graparan el estómago o nos hicieran una lipectomía . Aun así, la población en general seguía aumentando de peso.

A pesar de que recurríamos a más profesionales especialistas en el cuidado de la salud y de que gastábamos más dinero, los resultados eran desastrosos. Ibamos perdiendo las esperanzas al ver que pesábamos más que nunca. Ni los gurús más carismáticos y motivadores dedicados a hacernos bajar de peso nos podían convencer de que probáramos ni una dieta más, y fue así que nos vaciamos los bolsillos recurriendo a los dolorosos (y cuestionables) procedimientos quirúrgicos o de dietas líquidas. El ejercicio físico llegó a ser más popular que nunca como medio para mantener bajo el peso, pero como el bizcochito con menos grasa que se ofrecía al público, se hablaba de él y se le consideraba pero, realísticamente, no era adoptado por la mayor parte de la población. Por lógica, no podíamos hacer tiempo para el ejercicio físico en nuestros horarios, ni podíamos hacer suficientes ejercicios como para contrarrestar los efectos de comer en exceso.

La mayoría de los que trataban de adoptar el ejercicio físico pasó de ser esclavos de los gramos de grasa al sentimiento obsesivo de *tener que* hacer ejercicio o volver a aumentar quince libras el instante que no lo hacía. ¡Otra esclavitud!

Y la población perdió quince libras, pero aumentó otras veinte.

Al principio de la década de 1990, sin una nueva solución en el mercado, la población desesperada, gorda, empezó a hacer cosas que expresaban su fracaso. Se levantó la bandera blanca. El experto en estar de dieta que ya había tratado de que el contenido del alimento cambiara, procuraba ahora que el mundo cambiara: hagan más grandes los asientos en los aviones; hagan la ropa grande más hermosa y aceptable; hagan más anchos los pasillos de los ómnibus; hagan la comida aun más baja en calorías. Y el sutil, pero más indicativo y fundamental cambio que el experto en estar de dieta buscaba era la actitud de los demás: «Ahora, los que me rodean tendrán que quererme ¡gorda y todo, porque así es como voy a seguir siendo!» «No podemos rebajar de peso así que, para poder sobrellevar el dolor de esta situación, trataremos de que los demás nos acepten tal cual somos.» Pero en su interior, sabían que esta tampoco era la respuesta, porque Dios ha programado el corazón del ser humano para que quiera que su cuerpo pese lo correcto, y los problemas de salud que son la secuela del sobrepeso y la obesidad, siguen subrayando este anhelo. Uno puede conseguir que su cónyuge no diga más nada del asunto pero para sus adentros, seguirá prefiriendo que uno fuera delgado.

Así que aquí estamos ahora. Hemos perdido la esperanza y nos domina una rebeldía contra la vida, nuestros prójimos (especialmente esa antipática gente flaca) y aun contra Dios. Si esto describe dónde está usted en su carrera profesional de dietas, créalo o no, no está solo. En lugar de sentirse fracasado y sin esperanza, puede tener muchas esperanzas. Estos años de dietas no han sido en vano. Más bien, han cimentado en lo profundo de su corazón el hecho de que las dietas no dan resultados permanentes. Todo lo que le ha sucedido ha sido usado para arar la tierra y acercarlo a la etapa en su vida de plantar y cosechar.

Los que leen este libro ahora están «arados», que es el estado del corazón y de la mente que *aprovecha al máximo* el Curso Weigh Down[†]. Puede esperar grandes resultados y convertirse en alguien que come «delgadamente». No me sorprende que hemos tenido que probar todos los métodos disponibles creados por el hombre antes de finalmente recurrir a Dios para que nos ayude.

Repitámoslo, Dios es el genio en cuanto a modificación de conducta. Nos programa para que anhelemos este peso correcto y las buenas coyunturas de las rodillas y la buena circulación que lo acompañan, y no recompensa los métodos que apenas son paliativos para estos problemas.

El Curso Weigh Down dará pruebas de ser un método no-
vedoso para hacer frente al dilema de rebajar de peso, pues es
un camino que se aleja del estar siempre en dieta y la preocupación por alguna vitamina que falta. Volverá a tener energías
como un pez cuando lo vuelven a poner en el agua. Este método difiere mucho de la batalla de forzarnos a tragar otra ensalada o pedazo de pollo sin pellejo, que nos quitan todas las
energías.

Recurrir a Dios será la principal clave que falta a fin de rebajar de peso para siempre. Pero, ¿qué quiere decir recurrir a
Dios, y cómo nos valemos de sus recursos? ¿No hemos clamado ya a Dios para que nos quite la gordura? No se dé por vencido. Aquí viene la respuesta...

POR QUÉ LAS DIETAS
NO DAN RESULTADO

y por qué usted no es un fracaso

Antes de empezar a aprender el nuevo método, quiero que sepa por qué las dietas no dan resultado. Esto ayudará a explicar por qué no ha tenido éxito y le dará más esperanzas de que *usted* no es un fracaso y que sí puede cumplir este programa.

Las dietas no dan resultado porque básicamente están haciendo que los alimentos se porten bien. Cuando hemos quitado el azúcar y lo hemos remplazado con azúcar artificial, descartado las grasas remplazándolas con grasa artificial, descartado las calorías remplazándolas con

Pan regular
80 calorías por rebanada

Pan de dieta
35 calorías por rebanada

Ilustración 4-1

esponjosidad sin calorías o paja indigesta, hemos hecho que los
alimentos se porten bien o cambien. No hemos cambiado nuestra propia conducta. No tenemos que cambiar cuánto alimento
masticamos o tragamos, porque el alimento mismo ha cambiado y ahora tiene un volumen mayor de bajo contenido de calorías. Una porción de comida que antes contenía 115 calorías

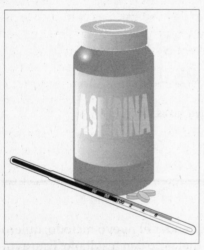

ahora contiene solo 70.
Como ese alimento aho-
ra contiene menos calo-
rías, podemos comer
una cantidad mayor. No
importa que no tenga
sabor o sea de un sabor
desagradable. No tiene
usted que servirse me-
nos bocados para reba-
jar de peso; hasta puede
servirse más bocados
estando en dieta. Pero,
tarde o temprano, vol-
verá a los alimentos re-
gulares. Esto es inevita-
ble porque se cansa de
la comida dietética, y su
cuerpo le pide comida

*Ilustración 4-2: La aspirina no ataca la raíz de la
infección bacterial. De igual forma, las dietas no
atacan la raíz de comer en exceso.*

regular. Como resultado, ¡vuelve rápidamente al peso de antes
porque se había programado para masticar aun más comida
mientras estaba en dieta!

Las píldoras, los ayunos líquidos, los supresores de apetito y el contar gramos de grasa cambian su ambiente temporalmente, pero no lo cambian a usted. Es como tomar aspirina
cuando tiene temperatura. Sí, la temperatura baja temporaral-
mente, pero en cuanto pasa el efecto de la aspirina, la temperatura vuelve a subir. ¿Por qué? Porque la aspirina no ataca la
raíz del problema: la infección bacterial. Lo que usted necesita
es un antibiótico.

Creemos que el método del Curso Weigh Down es el antibiótico o sea, lo que se necesita para llegar a la raíz del verdadero problema. El verdadero problema puede definirse como un deseo de hacer bajar más comida por el esófago que lo que el cuerpo quiere o, dicho de otra manera, querer masticar más comida de lo que el cuerpo puede manejar. Hacer que la comida cambie su contenido (pocas grasas, bajas calorías) no le ayudará a cambiar ese deseo de masticar más comida. De hecho, estar en dieta crea el ambiente perfecto para cultivar un amor más profundo por los alimentos. Con el método del Curso Weigh Down*, no le pediremos a los alimentos que se porten bien. Más bien, le enseñaremos a usted cómo portarse bien. Y, más importante todavía, le enseñaremos cómo Dios le puede quitar el deseo de excederse en la comida.

Así como las dietas no ayudan a que su corazón desee menos alimento, tampoco lo hace el ejercicio. El ejercicio tiene sus virtudes como entrenamiento físico. No hay sustituto para el ejercicio cuando se trata de mantener el tono muscular, el condicionamiento cardiovascular y el fortalecimiento de los huesos. También puede ayudar con la digestión y con el funcionamiento sano de los órganos. «Pues aunque el ejercicio del cuerpo sirve para algo, la devoción a Dios es útil para todo, porque nos trae provecho para esta vida y también para la vida futura» (1 Timoteo 4.8 DHH). *Creemos que el ejercicio es buenísimo para el entrenamiento físico, pero no reentrena su exceso de masticación*. El ejercicio hasta puede ser contraproducente en relación con bajar de peso. Nuestra meta es conseguir que mastique menos comida. Pero es muy tentador seguir comiendo demasiado y luego compensar caminando alrededor de la manzana. No me interprete mal: todos estamos a favor del ejercicio físico. Pero nuestra meta es que usted

> *Los únicos ejercicios en los cuales insistimos es ponerse de rodillas y conseguir que el músculo de su fuerza de voluntad entregue algo de la comida extra que ha estado comiendo.*

concentre todo su corazón, alma, mente y *fuerzas* en comer menos comida. Los únicos ejercicios en los cuales insistimos es ponerse de rodillas y conseguir que el músculo de su fuerza de voluntad entregue algo de la comida extra que ha estado comiendo. Ese es un ejercicio totalmente nuevo. (Muchos quizá estén demasiado «grandes» para ponerse de rodillas ahora. Está bien —sencillamente póngase de rodillas en su corazón.)

Pero sepa que todos los que han viajado por este camino y perdido peso permanentemente no tuvieron que desembolsar más energía por medio del ejercicio. No todos pueden hacer ejercicio. ¿Qué, por ejemplo, del físicamente incapacitado? ¿Qué de la persona a quien le encanta el ejercicio pero se ha lastimado? ¿Están estas personas condenadas a aumentar de peso? No. Permítame explicar esto.

El ejercicio no aumentará la velocidad de su pérdida de peso, porque ahora estará usando el apetito y la satisfacción como señales para comer. En el ejercicio, su cuerpo necesita más oxígeno, así que inmediata y automáticamente, usted respira más hondo. El ejercicio también le dará sed. Necesitará más agua para satisfacer las necesidades de su cuerpo, así que automáticamente tomará más agua hasta que esas necesidades sean suplidas. De la misma manera, aunque el apetito puede ser aplazado temporariamente, dentro de veinticuatro horas, el apetito corporal aumenta automáticamente para cubrir las necesidades calóricas adicionales de su cuerpo. Si quiere hacer ejercicio, muy bien; pero el ejercicio no le ayudará a rebajar de peso. Le permitirá comer más, igual como le permite tomar más agua. La meta del Curso Weigh Down† es disminuir el deseo de comer un gran volumen de comida. Si es usted menos activo porque no puede hacer ejercicio, su apetito *disminuirá* para suplir sus necesidades de combustible. Nunca más tema perderse una clase de ejercicios aeróbicos o físicos.

El cuerpo fue hecho a la perfección. Usted irá aprendiendo a escucharlo y a confiar en las señales de la programación de Dios.

Un pasaje del libro de Colosenses es uno de los primeros que encontré que se aplica al problema. Estos pocos versículos fueron el principio de algunos versículos fundamentales que cimentaron al Curso Weigh Down†, y que serían usados para develar el misterio. Veamos Colosenses 2.16 y 20-23.

> Por tanto, nadie os juzgue en comida o en bebida... Pues si habéis muerto con Cristo en cuanto a los rudimentos del mundo, ¿por qué, como si vivieseis en el mundo, os sometéis a preceptos tales como: No manejes, no gustes, ni aun toques (en conformidad a mandamientos y doctrinas de hombres), cosas que todas se destruyen con el uso? Tales cosas tienen a la verdad cierta reputación de sabiduría en culto voluntario, en humildad y en duro trato del cuerpo; pero no tienen valor alguno contra los apetitos de la carne.

Este pasaje es principalmente una disertación sobre reglas hechas por los hombres en oposición a las reglas de Dios. ¿Qué espera realmente Dios de la humanidad? Cuando Dios había sacado a sus hijos queridos de Egipto, apartándolos para que se distinguieran de otras naciones por ser puros, santos, ricos y bendecidos, les dio reglas separadas sobre el alimento. Estas reglas no solo los hacían singulares, sino que simbolizaban que, para estar en la presencia de Dios, debían ser limpios. La limpieza externa simbolizaba que el corazón debía ser limpio.

Cuando Jesús vino a la tierra, explicó que antes de su venida lo exterior tenía que ser limpio. Pero ahora el uso de la limpieza externa para simbolizar la limpieza del corazón se deja de enfatizar porque Jesús ha hecho posible que realmente seamos limpios por dentro. Ahora Dios puede estar cerca nuestro sin las reglas alimenticias. Jesús nos liberó de esas reglas tediosas. Aun sin ellas, podemos entrar al Lugar Santísimo: la presencia de Dios.

Examinemos el pasaje en Colosenses 2, empezando con el versículo 16: «Por tanto, nadie os juzgue en comida o en bebida».

Dicho sencillamente, usted es libre. Ya no se juzgue a sí mismo por querer y comer un postre en público. De la misma manera, ¡deje de juzgar a otros que comen ricas salsas y carne llena de grasa! Dios nos ha liberado de las reglas alimenticias. Recuerde: ¡Jesús describió a Dios como un padre que mataría un becerro gordo para celebrar el regreso de un hijo pródigo (Lucas 15.11-32)! Así que, ¿quiénes somos nosotros para juzgar? ¡Dios no dejó accidentalmente fuera de la Biblia los cuatro grupos básicos de alimentos!

¡Dios no dejó accidentalmente fuera de la Biblia los cuatro grupos básicos de alimentos!

Recuerde las palabras de Jesús en Marcos 7.14b-20: «Oídme todos, y entended: Nada hay fuera del hombre que entre en él, que le pueda contaminar; pero lo que sale de él, eso es lo que contamina al hombre... Cuando se alejó la multitud y entró en casa, le preguntaron sus discípulos sobre la parábola. Él les dijo: ¿También vosotros estáis así sin entendimiento? ¿No entendéis que todo lo de fuera que entra en el hombre, no le puede contaminar, porque no entra en su corazón, sino en el vientre, y sale a la letrina? Esto decía, haciendo limpios todos los alimentos. Pero decía, que lo que del hombre sale, eso contamina al hombre».

No es lo que está fuera del hombre lo que lo hace bueno o malo, limpio o sucio, justificado ante Dios o pecador, sino lo que está en el corazón del hombre. Siguiendo con Colosenses 2, volvamos a nuestro examen considerando el versículo 20: «Pues si habéis muerto con Cristo en cuanto a los rudimentos del mundo, ¿por qué, como si vivieseis en el mundo, os sometéis a preceptos tales como: No manejes, ni gustes, ni aun toques (en conformidad a mandamientos y doctrinas de hombres), cosas que todas se destruyen con el uso?» (Colosenses 2.20-22.)

Esto es meramente una continuación del versículo 16, una continuación de la liberación de las reglas dietéticas por parte de Jesús y una exhortación a buscar la voluntad de Dios en lugar de las reglas de los hombres. Así que anda usted por buen camino si no deja que los demás lo juzguen, sino más bien busca el juicio de Dios y lo que Él quiere. Va por buen camino si sigue a Jesucristo, que acababa de venir del Padre y sabía exactamente lo que Dios considera importante o sin importancia. Está haciendo algo bueno si está examinando las reglas que sigue en su vida. Es bueno considerar cuáles de ellas son simplemente reglas hechas por los hombres y no ideas de Dios. Las dietas no dan resultado porque son reglas del hombre. Las reglas del hombre pueden cambiar el ambiente a su alrededor (como pueden cambiar el contenido de los alimentos), pero las reglas de Dios cambian el corazón de la humanidad. Dios desbaratará las reglas del hombre para que no adoremos al hombre, y hará que sus reglas den un resultado maravilloso para que nos sintamos atraídos por su genio y poder.

¡Parece tan correcto contar gramos de grasa, pero hacerlo nunca evita que el corazón desee comer más!

Ahora observemos el versículo 23: «Tales cosas tienen a la verdad cierta reputación de sabiduría en culto voluntario, en humildad y en duro trato del cuerpo».

Mientras se sienta usted beato comiendo alimentos dietéticos, sigue en el error. Es una humildad falsa y una adoración impuesta por usted mismo, por lo que, errando, se pierde la adoración auténtica. Es engañoso porque las reglas hechas por el hombre aparentan ser sabias. ¡Parece tan correcto contar gramos de grasa, pero hacerlo nunca evita que el corazón desee comer más!

La referencia al duro trato del cuerpo, al final del versículo, es válida. Cuando usted sigue las reglas hechas por el hombre, como las reglas dietéticas, puede desarrollar colon espástico, indigestión, diarrea y otros trastornos que irritan el cuerpo y le hacen sentir incómodo.

El versículo 23 contiene la primera clave para develar el misterio: «...pero no tienen valor alguno contra los *apetitos* de la carne». ¿Algunas de estas reglas hechas por el hombre le han ayudado a que sienta menos gravitación hacia la atracción magnética del refrigerador? ¿No coincidiría en que sucede todo lo contrario? Después de estar en dieta por un par de décadas, ¿no se concentra en la comida más que antes y le resulta más difícil seguir una dieta o moderarse al comer?

Llegamos a la conclusión de que mientras más seguimos una dieta, más nos concentramos en nosotros mismos. Esto puede llegar a ser un enfoque malo, ya que no nos lleva a ninguna parte sino a sentirnos lástima, lo cual por lo general nos arrastra a una depresión más profunda. Además de hacernos concentrar en nosotros mismos, las reglas dietéticas también nos hacen concentrar en la comida. Nos levantamos en la mañana pensando en lo que vamos a comer y lo que no vamos a comer. Nos permitimos consentir, por así decir, nuestra gula. Si lo hemos hecho durante muchos años, sabemos que podemos realmente convertirnos en esclavos de esta gula que, volvemos a decirlo, trata de alimentar a ese corazón anhelante.

Resumiendo los versículos: A Dios no le importa lo *que* comemos. No dejemos que los demás nos juzguen, y no seamos farisaicos en seguir las reglas hechas por el hombre. Lo que a Dios sí le importa es *cuánto* comemos. A Dios le importa y le desagrada la indulgencia excesiva.

Estos versículos preparan el escenario para las premisas fundamentales del Curso Weigh Down[t], que son:

- *Deje las dietas* por dos razones principales. Primero, le obligan a concentrarse en usted mismo y en su cuerpo. Segundo, le hacen concentrarse en la comida. Mientras más se concentra en planear, comprar, preparar, cocinar, servir y comer la comida, más fuerte es la atracción magnética del refrigerador. En otras palabras, ponerse en dieta brinda la situación perfecta para aumentar su amor por la comida.

- *No se concentre en lo que piensan los demás*. No deje que la gente lo juzgue cuando come un pastel de chocolate o comidas regulares de la clase que sean. Cada vez que se da cuenta que se está preguntando qué pensará la gente, dirija su atención directamente para arriba, hacia Dios, y busque la aprobación de Él únicamente. También, deje de sentirse farisaico cuando ha quitado la grasa de una receta o ha hecho que la comida se porte bien. Es hora de volver a aprender a cómo ser recto y justo (hacer las cosas como Dios quiere) haciendo que su boca se porte bien.

- *Deje de sentirse como un fracaso.* No ha vencido el comer en exceso porque ha tomado el medicamento equivocado para esta condición. Es hora de empezar de nuevo con nuevas esperanzas. Usted puede cambiar el enfoque de su corazón.

- *Comprenda que esta conducta que se dispone a atacar es el desenfreno excesivo,* lo cual lleva a la persona a desear algo en esta tierra para hacerle sentir bien. Nuestro Dios amante le dará a usted ese bienestar a fin de que ya no tenga que buscarlo en otras cosas terrenales.

Es hora de dirigir ese deseo hacia arriba, hacia Dios, para dejar que Él lo llene, porque el hambre y la sed que usted tiene es hambre y sed de Dios. Otra clave para develar el misterio de controlar permanentemente su peso: hacer que la comida se porte bien no da resultado. Admitir que nosotros tenemos que portarnos bien, con la ayuda de Dios, ¡es el principio del fin del sobrepeso!

No es cuestión de genética ni la culpa de su madre

Con razón no podemos llegar a la raíz de algunos de los problemas en nuestra vida. En las últimas décadas algunos profesionales han catalogado nuestras conductas como condiciones crónicas. Lo admitimos, algunos de los problemas en nuestra vida de veras son enfermedades. Los procedimientos y protocolos médicos maravillosamente avanzados pueden aliviar los problemas auténticamente físicos. Alabamos a Dios por haber dado discernimiento a grandes pensadores que han logrado avances en la práctica de la medicina en relación con condiciones que escapan a nuestro control.

Pero tenemos que cuestionar a las personas que catalogan algunas de nuestras conductas con términos complicados, técnicos. Cuando catalogan una conducta obstinada como una enfermedad (o peor, como una condición crónica o que suena mortal) muchos de nosotros estamos programados para creer que necesitamos hospitales, profesionales médicos con sus sacos blancos, drogas recetadas y brebajes especiales. Cuando se nos ha catalogado como bulímico, anoréxico u obeso, y luego leemos las teorías actuales de que el sobrepeso es algo congénito, nos sentimos realmente atrapados. ¿Quién puede juntar la energía que se necesita para combatir una obesidad crónica, bulimia o anorexia nerviosa que es congénita o heredada?

Otra cosa que nos puede hacer perder la esperanza son los asesores que nos informan que venimos de una familia «disfuncional». Bueno, ¡quién no viene de una familia disfuncional! Recuerde la primera familiar: Adán, Eva, Caín y Abel. Caín mató a Abel asestándole un golpe en la cabeza con una piedra. Toda familia o persona tiene problemas, y el pecado mora en todas las vidas y en todas las familias. Usted no está solo, y su situación no es desesperante. Yo creo a Dios cuando habla por intermedio del apóstol Pablo: «No os ha sobrevenido ninguna tentación que no sea humana; pero fiel es Dios, que no os dejará ser tentados más de lo que podéis resistir, sino que dará también juntamente con la tentación la salida, para que podáis soportar» (1 Corintios 10.13).

Hay esperanza, mi amigo. Hay grandes esperanzas para usted. Usted no es un fracaso. Su familia no es un fracaso ni sus genes han sido saboteados. Su problema no es fisiológico, sicológico, congénito ni heredado.

¡Hay una salida, amigo! Y no trate de escandalizarme con la historia de sus antecedentes familiares o su horrible situación matrimonial actual o su condición física.

He visto a mujeres casadas de cuarenta y cinco años perder cien libras.

Mujeres diagnosticadas con lupus o enfermedades de los riñones han bajado de peso mientras tomaban fuertes dosis de cortisona.

Lo mismo hombres que dicen que su situación matrimonial es terrible o que tienen hijos enfermos de muerte que cuidar.

Gente al borde de la bancarrota, que hace doce meses que no pueden encontrar trabajo, rebajan de peso.

También diabéticos que dependen de la insulina y personas confinadas a una silla de ruedas.

Lo mismo mujeres que han perdido a un padre o hijo, o que están profundamente deprimidas porque se han mudado lejos de todos sus conocidos. Y también mujeres y hombres diagnosticados de cáncer.

Aun adolescentes solitarios que han tenido que vivir con el dolor de las burlas cotidianas han perdido más de cien libras.

Por otro lado, he visto personas diagnosticadas de anorexia y bulimia que ya no han vuelto a tener episodios de estos trastornos.

La vida es agridulce para todos. Yo bajaba de peso después de cada embarazo. Perdí un hijo en el octavo mes de mi tercer embarazo, y aun en mi profundo sufrimiento, perdí el exceso de peso con la ayuda de Dios.

¿Por qué buscamos teorías que sugieren que la genética o nuestros problemas familiares accionaron nuestros hábitos alimenticios de comer demasiado o excéntricamente? Bueno, dichas teorías sí nos ayudan a sentirnos mejor temporariamente sobre el sobrepeso que cargamos, pero, después que ese bienestar va pasando, quedamos deprimidos y sin esperanza.

Hay esperanza, mi amigo. Hay grandes esperanzas para usted. Usted no es un fracaso. Su familia no es un fracaso ni sus genes han sido saboteados. Su problema no es fisiológico, sicológico, congénito ni heredado. Tiene usted la maravillosa oportunidad de tomar la decisión de comer menos alimentos y, en el próximo capítulo, le mostraremos cómo hacerlo.

Dios tiene grandes planes para darle prosperidad y devolverle todos los años que las langostas se comieron.

Y os restituiré los años que comió la oruga, el saltón, el revoltón y la langosta, mi gran ejército que envié contra vosotros. Comeréis hasta saciaros, y alabaréis el nombre de

Jehová vuestro Dios, el cual hizo maravillas con vosotros; y nunca jamás será mi pueblo avergonzado. Y conoceréis que en medio de Israel estoy yo, y que yo soy Jehová vuestro Dios, y no hay otro; y mi pueblo nunca jamás será avergonzado (Joel 2.25-27).

Tómese de la mano del Señor y salga de Egipto para ir al Desierto de la Prueba, un lugar para usted y Dios solos. Allí encontrará que Él es su todo, que ya nada más importa.

CÓMO ALIMENTAR
SU ESTÓMAGO

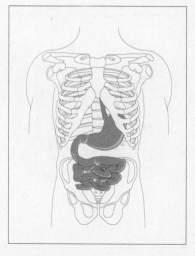

Para volver a aprender cómo alimentar su estómago, primero tiene que esperar el verdadero apetito estomacal. El estómago es una bolsa hecha de tres capas de músculos, y está ubicado debajo del esternón, el hueso que se quiebra en las operaciones de «bypass» del corazón.

Este sentido de tener un verdadero apetito estomacal que estamos buscando es una sensación de un poco de ardor, de vacío, que ocurre varias horas después de la última comida

Ilustración 6-1: Posición del estómago debajo de la caja torácica.

(¡o *muchas* horas después de la última «comilona»!). Es una sensación pequeñita, cortés, y he conocido a novatos del Curso Weigh Down* que le han hecho caso omiso o dado antiácidos, ¡creyendo que era indigestión!

Usted puede orar pidiéndole a Dios que le ayude a reconocer el verdadero apetito fisiológico. Descubrirá que su impulso es normalmente suave. Él trata de alertarnos para que sigamos su dirección y no para obligarnos. Dios proyecta muchas imágenes de sí mismo; yo lo veo como un pastor amable y un hombre gentil. «Venid a mí todos los que estáis trabajados y cargados, y yo os haré descansar. Llevad mi yugo sobre vosotros, y aprended de mí, que soy manso y humilde de corazón; y hallaréis descanso para vuestras almas; porque mi yugo es fácil, y ligera mi carga» (Mateo 11.28-30). Por esto, el apetito es apenas un empujoncito cortés y por esto usted necesita estar un poco más silencioso, quieto y calmado para percibir este ruido del ácido debajo de sus costillas. Algunos sienten este ardor en la cintura; algunos hasta arriba en el esófago.

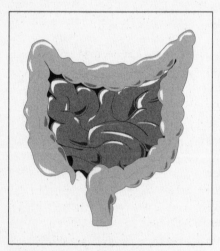

Ilustración 6-2: No confunda los ruidos de la parte intestino grueso con los del estómago.

Sea como sea, si usted no está seguro de que este sentir es apetito, espere un poco más. Recuerde: ¡siempre se sentirá de maravillas mientras espera! Muchos participantes del Curso Weigh Down* esperan este ruido o borborigmo en esta bolsa. No le haga caso a los extraños borborigmos o ruidos que se originan debajo de la cintura, o donde tenía antes la cintura. Ese es solo el ruido que se produce al tratar de digerir «la última cena». Estos ruidos de la parte inferior de los intestinos son los sonidos de la digestión de lo que comió unas horas antes.

Antes de terminar este capítulo, sabrá cómo discernir si tiene un apetito verdaderamente fisiológico. Para empezar, no tenga miedo esperar varias horas hasta sentir hambre; se

Ilustración 6-3: Hambre: El medidor de combustible del cuerpo.

sentirá de maravillas. Jesús se fue al desierto y ayunó cuarenta días. No estamos sugiriendo que haga esto pero, a través de las épocas, se ha reconocido que ayunar unos días es bueno. Existen muchos ejemplos de personas que ayunan (desviando el hambre), pero lo que le pedimos es solo que espere, no que evite, su primera señal de hambre. Esto no es ayuno. Esto'' es conducta normal.

Nota: Vea las notas especiales para diabéticos e hipoglucémicos que empiezan en la página 71.

Cómo comer

Esperar que llegue el apetito estomacal será como esperar la señal de «vacío» en el medidor de combustible del automóvil. Su azúcar normal en la sangre después de una comida varía entre 80 y 120 miligramos por cien decilitros de sangre. Cuando el nivel del azúcar en la sangre baja a 80 miligramos por cien decilitros de sangre, el hipotálamo (una parte del cerebro) siente este bajón. El cerebro entonces envía un mensaje por medio de hormonas e impulsos nerviosos al estómago para producir ácido clorhídrico que, a su vez, produce una

Ilustración 6-4.

sensación de vacío, ardor, hambre. Su estómago ha sido diseñado para producir y manejar esta producción ácida. La producción de ácido, la digestión y absorción de los alimentos la controla sus nervios (sistema nervioso central) y las hormonas.

La diferencia entre usted y su auto es que su cuerpo ha almacenado combustible (su almacén de grasas) para que realmente no se quede sin combustible.

No debe asustarle el andar en «V»: vacío; más bien debe aceptarlo contento, porque es así como se quitará el exceso de peso.

Su cuerpo, percibiendo que cuenta con un exceso de combustible almacenado, usará ese combustible almacenado (almacenado como gordura corporal) si come la cantidad que el cuerpo pide. Tarde o temprano, recobrará su peso corporal ideal. Si llega a este estado de hambre y no come, dentro de diez a veinte minutos su cuerpo se tomará una comida de sus caderas o vientre y enviará esas grasas almacenadas a la sangre. El resultado: el ruido de protesta por el hambre desaparece y tiene usted combustible para andar.

Pero no debe usted ignorar ese ruido característico. Eso sería tan equivocado como ignorar la señal de que está lleno y ya no debe echar más combustible. Deje de ser usted el que controla, y obedezca al cuerpo, con excepciones razonables para situaciones especiales que trataremos más adelante.

No vuelva a cargar combustible hasta no tener hambre. Tendrá usted más energía y tiempo que nunca mientras espera al apetito. Cuando el azúcar de la sangre baja (esto es normal) las paredes del estómago producen ácido clorhídrico, que hace quejarse al estómago o sentirse vacío. Esta es su señal para que coma. Es saludable vaciarse o no comer hasta tener hambre.

Sugerimos que tome únicamente bebidas sin calorías (como agua, refrescos dietéticos y té endulzado artificialmente) mientras va aprendiendo cómo percibir las necesidades del cuerpo. Si toma té azucarado, leche, jugo de frutas, bebidas para deportistas o refrescos comunes durante el día, la glucosa (azúcar) que contienen mantendrá elevado el azúcar de su sangre, siendo el efecto algo como el de la bolsa de suero en el hospital. Los niveles de azúcar en la sangre siguen altos, entonces el estómago no hace ruido ni siente hambre.

Percibirá usted una señal más clara del estómago mientras toma únicamente bebidas sin calorías. Mordisquear continuamente pastillas de menta o caramelos, mascar chicles que contienen azúcar y ponerle crema al café tendrá el mismo efecto sobre el azúcar en su sangre. Todas estas cosas mantendrán elevado el nivel del azúcar en la sangre y probablemente le impidan sentir apetito. Pero siéntase en libertad de comer o beber lo que quiera dentro del contexto del apetito. Si está comiendo una comida y quiere tomar té azucarado para acompañarla, no hay problema.

Tomar bebidas azucaradas o endulzadas naturalmente (jugos) es la razón principal por la cual los niños no quieren comer o no quieren comer alimentos sólidos y a veces sufren de anemia. Limite las bebidas dulces y empiece a usar bebidas sin calorías o agua. Agua es el elemento que la gente usa para darse un baño, pero en la mayoría de los lugares se *puede* tomar el agua de la llave; no requiere un filtro especial en la llave, ni ser embotellada.

Según nuestra experiencia, sería mejor para usted dejar de tomar bebidas azucaradas y pasar a tomar bebidas sin calorías. Lleva aproximadamente tres semanas para que sus papilas gustativas se acostumbren a dejar las bebidas dulces y a tomar bebidas sin calorías. Volver a las bebidas de antes le da un gusto raro después de tres o cuatro semanas. Es fácil acostumbrase después del tercer día si no fluctúa continuamente ¡Puede entrenar a sus papilas gustativas para que gusten de cualquier cosa! Dios nos programa para que nos guste aquello a lo cual nos acostumbramos. Hasta cierto punto quizá la variedad en la alimentación es buena para el cuerpo.

Ilustración 6-5: Entre períodos de hambre o comida, seleccione bebidas sin calorías en vez de tomar bebidas azucaradas o bebidas para deportistas.

Otra sugerencia: no sienta que está *obligado* a tomar ocho vasos de agua por día. Esa es una vieja regla dietética que hasta puede enfermarle. Tomar demasiada agua causa *hipernatremia*, palabra que significa «demasiada agua en la sangre». Los síntomas incluyen mareos y nauseas. Es posible que haya visto usted la hipernatremia en infantes a quienes se les hace nadar; se enferman de tragar demasiada agua. Recuerde, cualquier exceso es malo, incluyendo el agua. Use su sed como un mecanismo; lo mantiene en perfecto equilibrio. Trate de dejar

de beber gigantescas botellas de refresco. Confíe en su mecanismo respiratorio, su mecanismo que rige el sueño, su mecanismo de sed y su mecanismo de apetito. Dios los hizo para
que funcionaran a la perfección.

Cómo encarar los alimentos

Una vez que siente este apetito, seleccione los alimentos regulares que desee. Los alimentos que usted quiere no son malos.
Estos incluyen pizza, papas fritas, crema agria, postres y helados. Dios lo ha programado para que desee una variedad de
alimentos. Si come los mismos alimentos repetidamente, se
hartará de ellos. Muchos de ustedes están hartos del pollo sin
pellejo o ensaladas con aderezos bajos en calorías. Pruebe un
aderezo de queso azul. ¡Es fantástico! Dios es el cocinero genial detrás de la lasaña y la torta de crema y chocolate. ¡No
puso el pan dulce y el queso crema sobre esta tierra para torturarnos! Si está harto de ciertas comidas, tiene la libertad de no
comerlas hasta que quiera volver a probarlas. Esa es una práctica alimenticia muy saludable. Su cuerpo tiene un mecanismo biológico de retroalimentación que le indica que varíe.
Tiene que confiar en cómo fue hecho su cuerpo. En próximos
capítulos enfocaré cómo este volumen bajo de comidas regulares es un método alimenticio superior, y es el régimen dietético que casi todos los nonagenarios siempre han seguido. En
otras palabras, tiene conexión con la buena salud.

Pero por ahora, créame, sepa que nadie que haya seguido
los principios del Curso Weigh Down[†] ha muerto de escorbuto, ni beriberi, ni pelagra ni ninguna otra enfermedad asociada con deficiencias alimenticias.

Cuando sienta apetito, piense en qué comida le gustaría.
Sea razonable. Si lo que se le antoja es lo que sirven en un restaurante al otro lado de la ciudad, a veces Dios le ha dotado de
tiempo y dinero para que pueda darse ese lujo; en caso contrario, por favor confórmese con otra opción lo más parecida posible a la primera.

Le daré un ejemplo: Tengo hambre ahora mismo: me
siento vacía. Hay varias cosas de comer en casa, pero las so-

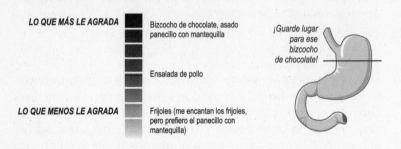

Ilustración 6-6: Calificación de la comida

bras de asado parecen lo mejor. Me serví asado, ensalada de
repollo, frijoles, pancito con mantequilla, una bebida dietética
y un bizcocho de chocolate. Lo que hago es probar y clasificar
cada alimento en el plato. Personalmente daría la mejor calificación al asado y al pan con mantequilla; la ensalada de repollo y los frijoles recibirán la peor. El bizcocho de chocolate (con
abundantes nueces) tiene una calificación tan alta en mi lista
como los trozos más jugosos de asado y el pancito, por lo que
quiero guardar lugar en mi estómago para comérmelo también. Dicho sea de paso, algunas veces quiero algo dulce al final de la comida, pero otras veces no.

Calificar los alimentos le resultará fácil. Siempre ha calificado los alimentos en su plato; pero en el pasado se comía primero lo que menos le gustaba y se guardaba lo mejor para el
final. Ahora tendrá que revertir esa vieja costumbre. Ahora
querrá usted comer sus alimentos favoritos primero, excepto
el postre (a menos que quiera comerlo primero). ¿Por qué?
Porque no puede estar seguro cuándo va a estar lleno, y en
cuanto se sienta satisfecho, dejar en su plato los alimentos que
menos le gustan le resultará más fácil que dejar los favoritos.

Aun califico los bocados dentro de cada categoría. Por ejemplo, busqué en el trozo de asado para encontrar los bocados más jugosos. Como ya me estaba llenando cuando llegué al bizcocho, me comí los bocados que más nueces tenían. Dejé en el plato algo de cada categoría de alimentos, pero los bocados más jugosos, más sabrosos, estaban en mi estómago. ¡Mi plato parecía como si lo hubieran disecado! Y, lo que quedaba, no daba ganas de comerlo. Las personas delgadas comen así. Usando estas indicaciones, rebajará usted de peso inmediatamente. Cuando haya calificado los alimentos durante varias semanas, su memoria se hará cargo para que no tenga usted que calificar literalmente cada comida.

Sobras

De alguna manera la generación que pasó por la Gran Depresión dio origen a una nueva regla hecha por el hombre. Pero le dijeron a todo el mundo que era una regla de Dios. Me refiero a la regla que dice que «es pecado dejar comida en tu plato porque hay niños en otras partes del mundo que se mueren de hambre». En otras palabras, es la comida a la cual usted obedece y ante quien se postra, aunque el cuerpo le esté diciendo: «¡Basta!» La comida tiene un valor más alto que su propio cuerpo, ¡y usted tiene que obedecer aunque literalmente lo esté matando!

Bueno, por cierto que ese no es el orden jerárquico dispuesto por Dios. El alimento fue hecho para ser una herramienta al servicio de la humanidad, no el hombre para ser esclavo de la comida. Si se pudre o se malgasta, ¡qué tiene de malo! El Señor tiene más para usted.

Observe este pasaje en Éxodo 16.1-5,20:

Partió luego de Elim toda la congregación de los hijos de Israel, y vino al desierto de Sin, que está entre Elim y Sinaí, a los quince días del segundo mes después que salieron de la tierra de Egipto. Y toda la congregación de los hijos de Israel murmuró contra Moisés y Aarón en el desierto; y les decían los hijos de Israel: Ojalá hubiéramos muerto por mano de Jehová en la tierra de Egipto, cuando nos sentábamos a las ollas de carne, cuando comíamos pan hasta saciarnos; pues nos habéis sacado a este desierto para matar de hambre a toda esta multitud.

Y Jehová dijo a Moisés: «He aquí yo os haré llover pan del cielo; y el pueblo saldrá, y recogerá diariamente la porción de un día, para que yo lo pruebe si anda en mi ley, o no. Mas en el sexto día prepararán para guardar el doble de lo que suelen recoger cada día».

Mas ellos no obedecieron a Moisés, sino que algunos dejaron de ello para otro día, y crió gusanos, y hedió; y se enojó contra ellos Moisés.

Cuando los israelitas trataban de guardar la comida, se convertía en gusanos. Podemos aprender varias lecciones de este pasaje: obedezca a Dios, crea que Dios suplirá sus necesidades y confíe que Dios le dará su pan cotidiano. (¡Y también postre!) No muestre una falta de fe en su cuidado totalmente competente siendo goloso o sirviéndose comida extra como si mañana ya no hubiera qué comer. Coma lo que necesita y luego deje a un lado el resto de la comida. No deje que usted o sus hijos sean esclavos de las sobras. Envuelva las sobras y guárdelas. O, si quiere, descártelas. Dios le da permiso. Se interesa por usted y su felicidad, no por la comida. Pero tampoco es justo desperdiciar a sabiendas grandes cantidades de alimentos. Con el correr del tiempo, aprenderá a cocinar, tomar o pedir cantidades más apropiadas. Sus ojos se irán adaptando de modo que pondrá menos en su plato, y llegará el momento cuando habrá menos sobras.

Al salir a comer

¡Salir a comer será muy divertido! Espere hasta saber que de veras tiene apetito. Escoja el restaurante y elija y ordene los alimentos que más le gustan. Si en el restaurante que eligió sirven platos muy llenos, corte cada ítem por la mitad. Nuestra experiencia es que probablemente se sienta lleno antes de terminar la primera mitad. Pida al mozo que le dé algo en qué envolver lo que quedó para llevárselo a casa. Asegúrele que todo estaba delicioso, de lo contrario se preocupará de que no le gustó y que no le dejará propina. Si puede, coma las sobras la próxima vez que sienta apetito. No se avergüence de llevarse las sobras. En la actualidad, está bien hacerlo aun en los restaurantes franceses más finos. Muchos dividen en dos la entrada o el postre y lo comparten con otro, lo cual no solo ahorra dinero, sino que se evita dejar sobras cuando es inconveniente hacerlo.

Acuérdese siempre que la comida no va a desaparecer y que volverá a tener hambre dentro de poco.

Su cuerpo sabe que pesa demasiado y, por lo tanto, le pedirá una pequeña cantidad de comida. A veces, en el transcurso de un día, lo comerá todo en una sola comida. A veces comerá cantidades tan pequeñas que volverá a tener apetito hasta cinco veces al día. Básicamente, cuanto menos es la cantidad de comida que come cada vez que tiene hambre, más

Ilustración 6-7: Los restaurantes sirven porciones tremendamente grandes, así que procure cortar las porciones de comida en dos.

veces su cuerpo le pedirá alimento en el transcurso del día. Pero si come más allá de sentirse satisfecho, es posible que no vuelva a sentir hambre hasta el día siguiente. No se preocupe ahora por los detalles. Sencillamente disfrute de volver a aprender a comer. ¡A su cuerpo le encanta la disminución en el volumen de comida que ha logrado ya! Tampoco se preocupe de cometer algún error. Siempre puede volver a empezar simplemente esperando la próxima vez que tiene hambre. Le sugerimos que guarde un Diario de Viaje (vea una muestra en el Apéndice D) para registrar su camino desde Egipto (la esclavitud de las dietas) al Desierto de la Prueba, a un lugar donde aprende a confiar en Dios y se entera de lo que tiene en el corazón.

¿Cómo puede adaptarse la familia?

En primer lugar, a su familia le va a encantar esto. ¡Comidas regulares para siempre! Quizá se preocupe usted que si cada uno en la familia come cuando su estómago se lo pide, usted estará constantemente cocinando. Y lo que es más, tiene miedo de que ya no volverán a comer todos juntos. ¡No se preocupe, sí lo harán!

Una verdad que necesita saber para manejar esto es que puede, simplemente, brincar una señal de apetito y esperar la próxima. A diferencia de lo que el mundo piensa, esto no duele. La sensación de vacío durará apenas diez minutos y volverá a los cuarenta y cinco a sesenta minutos. Su cuerpo se da cuenta que no puede conseguir comida, ¡así que moviliza un refrigerio de sus caderas y alimenta sus células corporales con su grasa almacenada! Sabiendo esto, miremos algunas situaciones sociales.

Situación social No. 1: Siente apetito a las 6 p.m., pero su familia por lo general come a las 7 p.m. Deje que ese primer apetito pase, lo que lleva unos cinco a diez minutos. Yo por lo general tomo una bebida dietética para ayudar que el hambre pase de largo. El líquido en el estómago parece ayudar. Ahora

espere y coma con la familia aunque hayan vuelto o no los síntomas del hambre (ruidos del estómago o una sensación de ardor). Le aseguro que está usted lo suficientemente vacío. Disfrute de la comida sin sentirse culpable.

Situación social No. 2: Es hora de desayunar y siempre le
han dicho que el desayuno es la comida más importante, que
no tomarlo le causará ansiedad por comer y que lo llevará a estar más fuera de control y le restará inteligencia. No es cierto.
¡Otra regla hecha por el hombre! Si usted no tiene apetito, no
coma. Andará muy bien y no perderá su inteligencia. (Vea el
Apéndice B que da pautas para el niño en la edad del crecimiento.)

Situación social No. 3: ¿Y qué si es maestra y puede comer
únicamente a las 11 a.m. todos los días, pero no tiene hambre?
Si siente apetito entre las 11 y las 3, puede esperar hasta la salida, a las tres, o puede eliminar y comer menos para el desayuno de manera que *sí* tenga hambre para las 11 a.m. Tarde o
temprano, aprenderá a cumplir su horario de enseñanza o trabajo.

Situación social No. 4: Comió una comida abundante a
media tarde durante una reunión con amigos. Todavía está
lleno. Sabe que no tiene hambre, pero es hora de comer con la
familia. Simplemente siéntese a la mesa con la familia y tómese un té con azúcar artificial. ¡Le aseguro que nadie notará que
usted no está comiendo! Puede pasar más tiempo disfrutando
de su familia.

Situación social No. 5: Está apurado y apenas tiene diez
minutos para comer. La solución es comer en esos diez minutos.

Para resumir, que no cunda el pánico. Tiene usted bastantes comidas almacenadas o de emergencia en sus caderas o barriga. Se irá acostumbrando a menores cantidades de comida
y a esta nueva manera de comer (o, en algunos casos, de no comer) mientras come la familia. Todavía recuerdo cuando apenas había empezado a poner a prueba los principios de sacrificio de Dios. Recuerdo cómo cocinaba la comida y la servía y

disfrutaba de ver comerla a los demás en lugar de comerla yo misma. Era y sigue siendo un placer. Porque, ¡es mejor dar que recibir! ¡Las verdades de Dios son asombrosas!

No sea legalista en cuanto a sus nuevas reglas para comer. Hay mucha flexibilidad, porque la única regla importante será entregar a Dios este corazón de amor por la comida. El resultado será menor cantidad de alimentos consumidos y menor peso para usted.

Qué puede esperar en cuanto a su primer apetito

En resumen, empiece ahora, no el lunes, a esperar el apetito estomacal. Se sentirá mejor de lo que se ha sentido en mucho tiempo. Al cuerpo le encanta cuando no le fuerza comida por el esófago.

Espere ese pequeño sentido de vaciedad o ruido. Algunos han tenido que esperar tres horas; algunos han tenido que esperar un día y medio. Cuanto más peso tiene que rebajar, o más grande fue la última comilona, más tiempo para esperar su primer apetito. Después de su primer apetito, este volverá quizá entre una y cuatro veces al día, dependiendo en lo pronto que deja de comer o lo pequeña que sea la cantidad que come cada vez.

Si le viene un dolor de cabeza, probablemente sea por la tensión de una nueva concentración en resistir la tentación de comer. Simplemente tome algo para el dolor de cabeza, y ore pidiendo fuerzas. La tensión pasará. Pídale a Dios que le dé una clara señal de apetito. Mientras espera, asegúrese de beber únicamente agua o bebidas endulzadas artificialmente. No se habitúe a mascar chicles que contienen azúcar, caramelos duros ni a morderse las uñas o a estar tomando constantemente cantidades exageradas de café, bebidas dietéticas o agua.

Sugerimos que siga adelante y coma una pequeña cantidad de comida al final de treinta y seis horas si ha sentido o no hambre, y luego empiece de nuevo el proceso. El apetito ha de venir pronto después. Si no exagera, es posible que el dolor de cabeza sea señal de apetito. Siga orando a Dios para que se lo revele. La cuestión no es el legalismo de apetito y satisfacción; la cuestión es pedirle a Dios que le ayude a ser menos goloso y a apoyarse en Él. No lo dude. Aprenderá a hacerlo.

Cuando aparece el apetito, ¡*aleluya*! Diviértase seleccionando lo que su corazón desea. Después de todo, Dios ha programado sus papilas gustativas para que gusten de lo que gustan, y Él no comete errores. Acérquese a la comida como el que come normalmente, como alguien que ni es goloso ni tiene miedo. Empiece por servirse la mitad de lo que antes solía comer y cortando los alimentos en dos. Pruebe cada ítem. Coma bocados más pequeños y saboree cada uno. Tome un traguito de líquido entre bocados a fin de lavar el paladar y poder volver a empezar y saborear el próximo bocado. Al ir llenándose, coma primero los bocados más sabrosos. Deje los bocados que menos le gustan, los secos y feos. Deténgase cuando su bolsita (estómago) se sienta cortésmente llena. Envuelva las sobras y guárdelas para la próxima vez o pida que se las preparen para llevárselas del restaurante. Dígase una y otra vez que puede comer la próxima vez que sienta apetito. Hay alimentos por todas partes y, después de todo, si usted tiene alrededor de treinta años, ¡tendrá entre 70.000 y 90.000 ocasiones más para comer! Recuerde, cuanto antes deja de comer durante la comida, cuanto antes volverá a sentir apetito.

Por último, pero no por ello menos importante, *dé gracias* a Dios por haberlo sacado de Egipto y la esclavitud de las dietas, los gramos de grasa y los regímenes de ejercicios obligados. ¡Nunca tendrá que *volver* a estar en dieta! Agradézcale sus ingeniosas combinaciones y creaciones alimènticias. ¡Qué delicia! ¡Los alimentos tendrán un sabor mucho más rico cuando de veras tiene hambre!

¿Sabe una cosa? Hemos iniciado a miles de personas en el Curso Weigh Down[†], y todos empiezan por buscar este apetito. Para su sorpresa y alegría, ¡encuentran las señales del verdadero apetito fisiológico!

Así que, ¿qué puede *usted* esperar en las próximas horas? Un corazón feliz, satisfecho y su señal de apetito dada por Dios diciéndole que ahora es el momento de comer.

Situación especial: ¿Qué si no me da apetito?

En cualquier momento dentro de una a treinta y seis horas, el 99 por ciento de los que inician el Curso Weigh Down^t llegan a tener apetito, Aunque al principio algunos no. Está bien, no se preocupe. Ya le hemos dicho que si no le ha dado apetito a las treinta y seis horas, debe comer una comida ligera. Después, vuelva a probar. Es muy posible que tenga los síntomas o señales de que hay apetito, pero no los reconoce como tales. Las diversas señales que indican el apetito pueden ser diferentes. Pero, al final de cuentas, cualquiera de los síntomas que puede sentir son el resultado del bajón en el azúcar en la sangre. Este bajón es normal. Le señala al cerebro que su cuerpo necesita más combustible (o comida).

Si está rebajando de peso, tarde o temprano sabrá que está llegando a la «V» para su cuerpo.

Observe nuevamente la ilustración del azúcar en la sangre comparándola con el indicador de nivel del combustible de su automóvil (página 51). La persona cuyo azúcar en la sangre ha bajado lo suficiente como para que el estómago haga ruido, está en la «V» o sea, básicamente vacío. Por lo general, no se detendría a llenar el tanque del auto si está lleno, así que proceda de la misma manera con su cuerpo.

Si su cuerpo necesita combustible (alimento) por la boca, su cuerpo se lo pedirá. La necesidad de cargar combustible (este bajón normal del azúcar en la sangre) será percibida por el cerebro. El cerebro enviará otras señales a distintas partes del cuerpo para hacerle sentir la necesidad. Hay una variedad de síntomas que puede sentir. Por ejemplo, puede sentir debilitamiento, un leve temblor, o mareo o un poco de dolor de cabeza. Algunos pueden tener una sensación de ardor o de vaciedad arriba en el esófago o abajo de la cintura si la bolsa estomacal se ha estirado. Es perfectamente correcto comer cuando siente estos síntomas porque le pueden estar indicando que el azúcar de la sangre ha bajado. Quizá usted estaba tan ocupado que no percibió la señal del estómago. Si está rebajando de peso, tarde o temprano sabrá que está llegando a la «V» para su cuerpo.

Si su estómago no ha tenido ardor ni ha hecho ruido, y come usted cada vez que le duele la cabeza (y sube de peso), necesita seguir buscando las señales del *auténtico* apetito fisiológico y tratar los dolores de cabeza con analgésicos.

Una segunda razón por la cual algunos no pueden encontrar el apetito es que no se dan la oportunidad de tener hambre. Esperan parte del día para tener hambre, pero finalmente ceden y comen antes de que el estómago señale que tiene apetito. Muchas veces cuando esto sucede, comen demasiado y se pasan de llenos. Si comen con suficiente exceso, volver a vaciarse les puede muy bien llevar otras veinticuatro horas. Al día siguiente vuelven a repetir esto y nunca sienten un hambre estomacal auténtico. Para remediar este problema, se debe conseguir que lo que comen sea lo suficientemente pequeño como para que el nivel de azúcar en la sangre no le lleve un día entero para volver a bajar. De más importancia, uno sencillamente tiene que aprender a *esperar*. El capítulo «Permanezca despierto» le ayudará a hacerlo. Simplemente agregue un poquito más de tiempo entre cada ocasión de comer. Tarde o temprano logrará esperar que el hambre llegue. No se dé por vencido.

Otra razón por la falta de las señales de apetito puede atribuirse a la cantidad de peso que, por empezar, la persona necesita perder. Las personas que pesan cien o más libras de más a veces reportan al principio que pasan tres y cuatro días tratando de sentir hambre. Hay una razón fisiológica por la cual algunos con exceso de peso no sienten hambre en los primeros días de este programa. Tan desesperadamente quiere el cuerpo quitarse el exceso de gordura que cada vez que baja el azúcar en la sangre, el cuerpo descarga en la sangre el combustible de las reservas de energía. El azúcar de la sangre vuelve a aumentar, y el cerebro no necesita enviar ninguna señal o mensaje para hacer que el estómago haga ruido. Increíblemente, como lo hemos dicho antes, el cuerpo está obteniendo su desayuno de una cadera y su almuerzo de la otra, por así decirlo. Esto confirma lo bien diseñado que es el cuerpo y ¡cuán desesperadamente quiere quemar el combustible almacenado! ¡Alégrese! Esta demora no durará; llegará a sentir hambre regularmente.

La industria de las dietas le dirá que ayunar no es bueno para usted y que perderse una comida dificultará el que rebaje de peso más adelante, pero no es así. Se sentirá mejor de lo que se ha sentido desde hace tiempo. Tenga paciencia y tranquilícese en cuanto a la cantidad de comida que alcanza a comer. Es obvio que a las personas que son muy gordas les interesa mucho la comida. De otra manera, nunca hubieran podido aumentar tanto de peso.

Así que, ¿cómo se aguanta usted los lapsos de tiempo entre las ocasiones de comer? La respuesta incluye oración y ayuda de Dios. Algo práctico que podría probar es comer de una a tres pequeñas comidas en el transcurso de un día. Limite su volumen para poder acostumbrarse a las comidas pequeñas. Puede probar comer lo que cabe en un plato para ensalada no más de una a tres veces por día. No haga trampas. La comida no debe estar resbalándose por los costados del plato. Y tampoco la amontone —que sean porciones pequeñas en un plato pequeño. Ore pidiendo que desaparezca su deseo de comer mucho. Algo así:

Señor, tú hiciste mi cuerpo y has dispuesto dentro de mí las cantidades de combustible que se requieren para vivir. Te pido que me ayudes hoy a ser sensible a esas cantidades y no pasarme de lo que necesito. Señor, ayúdame a dejar de concentrarme en la comida para no ansiarla más. Llena, en cambio, mis pensamientos con tu amor y compasión para no sentir antojos o gula, sino contentamiento.

Pronto empezará a sentir las señales del apetito y podrá pasar a comer solo según su apetito y satisfacción. Asegúrese de que no está «comiendo» antiácidos. ¡Esto impedirá que su estómago haga ruido!

Si puede aguantar períodos más largos de tiempo para esperar al apetito, adelante. Dedique tiempo a una comilona (lectura) de la Palabra de Dios. Se sentirá lleno, y su pérdida de peso podría ser sorprendentemente rápida. Esto será tratado en más detalle en la Fase II de este libro y en algunos de los testimonios en el Apéndice A. Usted se ha pasado años haciendo caso omiso a las señales de su cuerpo. Necesita ver a otros que se sienten bien porque siguen dichas señales. Ore pidiendo fortaleza para concentrarse en Dios y no en sus temores. *Logrará superarse.*

Situación especial: ¡Siento como si mi estómago tuviera siempre un ardor!

Al iniciar esta manera nueva de comer menos comida, recuerde que su cuerpo ha hecho todo lo posible por adaptarse y ajustarse a los extremos de grandes comidas o comilonas y la hambruna o carencia que usted le ha dado a través de los años. Una de las maneras en que el cuerpo se ha adaptado es produciendo bastante ácido estomacal como para acomodar o digerir las enormes cantidades de comida que ha estado comiendo. La cantidad de ácido estomacal que se produce es una especie de «oferta y demanda». Cuanto más se necesita, más será producido. Al necesitar menos, la oferta irá disminuyendo para adaptarse a la necesidad. Antes del Curso Weigh Down[†], su estómago no sabía si iba a tragar 10.000 calorías o solamente un vaso de dieta líquida porque su cabeza o una hoja de papel, no su estómago, decidía qué y cuánto comer.

Llevará algo de tiempo adaptarse. A la mayoría de los participantes les lleva entre una y tres semanas, pero tenga por seguro que la hiperacidez desaparecerá.

La condición de hiperacidez puede jugar un papel en la indigestión posterior a la comida. Ocasionalmente, puede sentir un ardor justo después de comer. Si sabe que no comió demasiado, el ardor es meramente una de las sensaciones de hiperacidez o demasiados jugos estomacales.

Si ha comido demasiado durante años, el esfínter (un aro circular, muscular, en la base del esófago que mantiene a los alimentos dentro del estómago) puede haberse debilitado. La posición normal del esfínter es bien cerrado. Si está relajado o el estómago está demasiado lleno, sucede un reflujo de alimento y líquidos ácidos. El ácido entonces entra en contacto con el sensible revestimiento del esófago y causa una sensación de ardor. Si la siente, evite acostarse después de comer.

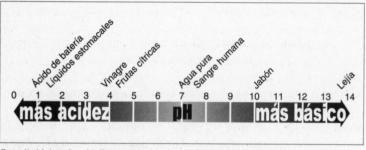

Ilustración 6-8: Antes de que los alimentos puedan dejar el estómago, tienen que pasar a ser muy ácidos. Los antiácidos trabajan en contra del proceso digestivo natural del cuerpo.

¿Qué de los antiácidos? A veces, tomar una pequeña cantidad puede ayudar, pero por favor no coma antiácidos como si fueran caramelos. Los antiácidos reducen la acidez de los líquidos estomacales, haciéndolos más básicos. La acidez se mide en una escala pH de uno al catorce, siendo siete lo neutral. La acidez aumenta a medida que el número de pH baja. Un líquido con un pH de 4 es diez veces más ácido que uno con un pH de 5 (véase la ilustración 6-8). Antes de que los alimentos puedan dejar el estómago, la acidez tiene que aumentar a 1,5 en la escala de pH. Esto es muy ácido. Tomar un antiácido demorará el desplazamiento de la comida del estómago al intestino delgado. Sea moderado en todas las cosas. Deje que su cuerpo se adapte con naturalidad.

Situación especial: Efectos de las enfermedades sobre el apetito

Cuanto más sepa usted acerca del cuerpo humano, más tiene que creer que Dios es todo un genio. Uno de los sistemas que Él creó que funciona en formas sorprendentes es el sistema circulatorio, que incluye el corazón y vasos sanguíneos. Su cuerpo puede contener una cierta cantidad máxima de sangre, así que hay una manera en que su cuerpo puede encauzar mayor o menor cantidad de sangre para suministrar oxígeno y abastecer de combustible a su cerebro. Los vasos sanguíneos en su cerebro se dilatan o agrandan, y algunos de los demás vasos sanguíneos en su cuerpo se estrechan o achican. Esto permite que la sangre vaya al área que más la necesita. Cuando usted hace ejercicios, la sangre va a sus músculos. Cuando come, va al estómago para digerir la comida. Es por eso que tiene sueño después de comer: ¡tiene menos sangre en el cerebro! Cuanto más coma, más sueño tendrá.

Cuando se enferma o se lastima, la sangre va al área afectada por el virus que la atacó o a la lastimadura. Es por eso que las heridas se hinchan y se ponen coloradas. Como resultado de los intentos del cuerpo por enviar sangre al área enferma, no enviará mucha sangre a su estómago. De la misma manera, su cuerpo equilibra las necesidades de energía que compiten entre sí. Combatir un virus lleva energía, al igual que digerir alimentos. Por lo tanto, su cuerpo no pedirá mucha comida durante el tiempo de enfermedad o lesiones. No quiere privar de sangre o energía preciosa al área que más la necesita. Así que, naturalmente, puede esperar no tener tanto apetito como lo tiene normalmente. Al comprender eso, puede quedarse tranquilo y no tratar de «alimentar» su fiebre, enfermedad o lesiones. Las mamás y abuelas quieren que uno coma cuando está enfermo;

pero, necesitamos seguir las indicaciones del cuerpo. Sencillamente preste atención a la ingestión de líquidos (sed), y sanará
más pronto. Por lo general no es bueno alimentar el cuerpo
cuando no pide ser alimentado. No obstante, para algunos trastornos, comer a pesar de no tener apetito puede ser lo indicado.
Por ejemplo, los productos químicos administrados durante
ciertos tratamientos para el cáncer pueden desequilibrar el
cuerpo. Consulte con su médico o dietista.

Situación especial: Al tomar medicamentos

Son muy pocos los medicamentos que tienen un impacto sig-
nificativo sobre el apetito y la digestión. Aun los esteroides o
la cortisona, a los que se les acusa mucho de esto, no bastan
para prevenirle que rebaje de peso en este programa. El auténtico apetito fisiológico se puede seguir sintiendo y distin-
guiendo de los efectos secundarios de los medicamentos. Por
lo general, decirle a alguien: «Esto le puede dar más apetito o
hacerle aumentar de peso» los incita a la gula. Lo que hubiera
sido un aumento justificable de media libra debido al medicamento se convierte en un aumento de quince libras por la concentración desmedida en la comida, a la vez que se le echa la
culpa a los medicamentos.

Además, algunos se valen de la comida como fuente de
consuelo durante la etapa frustrante de enfermedad. Cuando
se aplican los principios de apetito y satisfacción, terminarán
las excusas y el comer excesivamente.

Si el medicamento debe tomarse con la comida, hay un
par de cosas que puede hacer. Espere y tome el medicamento
cuando tiene hambre, o si es un medicamento que debe tomar
a cierta hora, a las 10 de la mañana por ejemplo, simplemente
tómelo acompañado de una o dos galletitas saladas. Por lo general, la razón de tener que comer al tomar una píldora es ayudar a aliviar la posibilidad de irritación a la pared estomacal.
Con frecuencia, un poquito de comida basta; no necesita un
banquete. Consulte con su médico.

Situación especial: Hipoglucémicos y diabéticos

Todo diabético que decide aplicar los principios de Weigh Down[†] a su alimentación debe consultar con su médico. La forma más común de diabetes en la actualidad es la diabetes contraída de adulto, por lo general como resultado directo de comer demasiado. En esta condición, el cuerpo está sobrecargado por la ingestión de demasiada comida. El páncreas simplemente no puede producir suficiente insulina como para manejar el exceso de comida. La insulina actúa como el «guardia de la entrada» a las células; permite al alimento entrar en las células. Cuando se produce poca insulina para lograr este proceso, la comida permanece en la sangre en forma de glucosa (azúcar en la sangre o alimento sanguíneo), y el resultado es un nivel elevado de azúcar en la sangre. Y cuando está elevado, puede irse a la orina, cosa que sucede únicamente cuando los riñones están estresados.

Es lógico que sencillamente reducir la ingestión de alimentos ayuda a que la proporción de insulina en relación con la ingestión de alimentos sea más pareja. La clave es comer solo la cantidad que el cuerpo pide y no comer demasiada comida ¡antes de que la sangre esté lista para recibir más! Algunas buenas reglas lógicas para los que contrajeron la diabetes de adultos y que recién inician este programa son:

1. No empiece ayunando.
2. Empiece cada día siguiendo la modalidad de comer acostumbrada, recomendada por su doctor. Luego, al caer la tarde o temprano en la noche, después que sabe que ha estabilizado su azúcar en la sangre, empiece a buscar el apetito. Luche contra el *deseo de comer* en las horas de la noche, cuando ocurren la mayor parte de los excesos en comer. No le perjudicará para nada comer menos; le será de ayuda. Por supuesto, al disminuir su ingestión de alimentos, tiene que disminuir proporcionalmente su ingestión de insulina. Consulte con su doctor.

Testimonio de un diabético que contrajo la diabetes de niño

Por la gracia de Dios el Curso ha sido responsable de muchos cambios en mi vida. El más importante es mi crecimiento espiritual. Leo la Palabra de Dios más que nunca. Oro y busco su voluntad con mucha más frecuencia. No solo oro y busco su voluntad sino que también le pido su ayuda para controlar mis sensaciones de hambre al igual que los problemas en mi vida cotidiana. Aun si no hubiera rebajado ni una sola onza mientras tomaba el Curso Weigh Down †, este crecimiento en mi vida espiritual ha valido el precio del programa. Por favor no mal interpreten mis pensamientos, todos nosotros como cristianos sabemos que la gracia de Dios y nuestra salvación son un don gratuito y no se puede comprar a ningún precio.

Los cambios físicos que han sucedido para mí son simplemente el glaceado del pastel en comparación con el crecimiento espiritual que he tenido. Ahora, permítame contarle un poquito de ese glaceado.

Por 33 años, desde que tenía nueve años, he sido diabético, de la Clase 1, totalmente dependiente de la insulina, con dos inyecciones diarias. Por lo general, mi diabetes ha estado bajo control, pero mi peso en los últimos años ha aumentado lentamente. Unas pocas libras por año, nada de qué preocuparse, ¿no es así? No, *no es así*.

En enero de 1993, mi médico me dijo que tenía que rebajar 30 libras. Bueno, después de un par de intentos de ponerme a dieta había aumentado cuatro libras. Luego empecé a notar que unos buenos amigos en mi iglesia, Cheryl y Troy, estaban desapareciendo ante mis propios ojos, es decir, en cuanto a su peso. Cuando les pregunté cómo habían podido rebajar, me contaron del programa de Weigh Down . Troy me dijo que iba a empezar una clase. Viendo los buenos resultados, decidí inscribirme. Después de compartir una buena comida final con mi familia, empecé mi primera clase de Weigh Down, y comencé mi camino a través del desierto para llegar a la «Tierra Prometida».

Una palabra de precaución a cualquiera que sea diabético como yo o que tenga problemas físicos: obtengan el consejo de su médico antes de empezar este programa. Deben ponerse de rodillas y buscar el consejo de Dios antes de empezar. Personalmente, tuve muy buenos resultados con el programa y, exceptuando algunos ajustes con las inyecciones de insulina, no tuve ningún problema en adaptarme a los nuevos hábitos de comer. Pero como todos lo sabemos, cada uno es distinto.

Lo que el Señor hizo por mí aquella primera noche y que ha continuado haciendo por mí muchas veces desde entonces, es algo que nunca olvidaré. Había prometido esperar al apetito estomacal auténtico para comer. Hasta logré pasar las 10 p.m., hora de merienda, sin comer. A las 2.30 de la mañana me desperté de un profundo sueño. Debo haber estado soñando con mi sandwich favorito. Al despertar, lo primero que pensé fue en lo que había en el refrigerador. Luego me acordé de lo que nos había dicho Gwen sobre pedir la ayuda del Señor cuando lo nuestro era comer por el deseo de comer. No tenía hambre, así que en lugar de ir al refrigerador, me arrodillé junto a mi cama y oré. Le pedí al Señor que me llenara de su Espíritu y que me quitara la sensación de hambre que tenía.

La sensación falsa de hambre se me fue inmediatamente. Volví a dormirme y no probé bocado durante horas. ¡Alabado sea Dios por lo que la llenura de su Espíritu puede hacer! Desde esa primera noche, si la tentación de comer se me acerca cuando no tengo realmente apetito, simplemente le pido a Dios que me llene de su Espíritu. Créame, da resultado.

En resumidas cuentas, en cinco meses pude rebajar cuarenta y cuatro libras. Desde entonces, no he aumentado ni perdido ni una sola libra. Mi doctor estaba impresionado. Ahora puedo tomar la mitad de la insulina que antes y me siento de maravillas (y ahorro dinero). Ya no tengo ardor en el estómago ni indigestión todos los días, como antes. Todo eso ha desparecido, lo cual es bueno porque en realidad no me gustaban los antiácidos. Duermo mejor y tengo mucha más energía. Algo que puedo hacer ahora que antes no podía es agacharme, atarme los zapatos y hablar al mismo tiempo. No recuerdo todas las medidas que me tomé, pero en total he podido perder 10½ pulgadas del abdomen y 4½ pulgadas de la cintura.

Hay más cosas buenas que podría decirle, pero creo que debo contarle algunas de las cosas que lamentablemente le sucederán si tiene éxito en rebajar de peso. Primero, habrá gente que le pregunta si ha estado enfermo. Probablemente ofenda a su mamá si no se sirve una segunda porción de la comida que ella preparará con esmero el domingo. Lo siento, pero esto sí le dolerá: tendrá que salir y comprar ropa nueva ¡porque la de antes ya no le queda bien!

Wayne R. Russell, Mississippi

3. Disfrute de una variedad de comidas cada vez que come. Puede incluir una pequeña cantidad de dulces (cinco o diez chocolatitos) si lo desea. La mayoría de los que contrajeron la diabetes de adultos pueden tolerar pequeñas cantidades de dulces durante o inmediatamente después de una comida.

Los que sufren de diabetes y que la contrajeron de niños o adolescentes también pueden adoptar el método del Curso Weigh Down[t] y andar bien. Todo diabético tiene que asegurarse de que permanece bajo el cuidado de su médico.

Los que sufren de hipoglucemia responden maravillosamente a esta manera de comer. Les recomendamos que respondan con sensibilidad al hambre y la satisfacción. Al hacerlo, ya no se pasarán de hambre arriesgándose a grandes bajones en los niveles de azúcar que han sufrido en el pasado. Los niveles del azúcar en la sangre se regulan y deja de haber extremos.

Situación especial: Metabolismo

A algunos se les ha dicho que si han estado en muchas dietas (píldoras dietéticas o ayunos líquidos) su metabolismo puede haberse alterado y sus cuerpos tendrán una resistencia contra perder peso. Al contrario, hemos visto que en el momento que alguien empieza a comer menos, rebaja de peso.

Piénselo: ¿cómo puede ser que los fabricantes de alimentos estipulen el contenido de calorías en el costado del paquete si a todos se les ha arruinado el metabolismo? Metabolismo se refiere a la cantidad de energía (calorías) que su cuerpo atrapa de la comida. Todos atrapan 80 calorías de una rebanada de pan, aunque algunos de ustedes sienten como que atraparan 160 por solo olerla, ¡mientras que sus amigos flacos pueden comer cinco rebanadas de pan y atrapar solo diez calorías! Nuestro metabolismo anda bien (aunque, en algunos casos muy excepcionales, algunos pueden tener trastornos como hipotiroidismo). Cada persona necesita distintas

Cómo alimentar su estómago

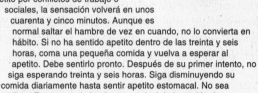

1. Espere de una a treinta y seis horas para sentir su primer apetito, y luego lo sentirá aproximadamente de una a tres veces por día. No tema, le encantará la energía que esto le produce y el placer de poder esperar.

2. El apetito es una sensación de un ardor cortés, sentir un nudo en el estómago. Si tiene que dejar a un lado el apetito por conflictos de trabajo o sociales, la sensación volverá en unos cuarenta y cinco minutos. Aunque es normal saltar el hambre de vez en cuando, no lo convierta en hábito. Si no ha sentido apetito dentro de las treinta y seis horas, coma una pequeña comida y vuelva a esperar al apetito. Debe sentirlo pronto. Después de su primer intento, no siga esperando treinta y seis horas. Siga disminuyendo su comida diariamente hasta sentir apetito estomacal. No sea legalista. Estamos trabajando para reducir la ingestión de alimentos a cantidades normales para su cuerpo.

3. Horas de comer de la familia. Si tiene apetito antes de cenar, no le haga caso. Si está lleno a la hora normal de comer debido a un horario irregular de comidas o si ha probado varias veces la comida mientras la preparaba, tómese un vaso de té sin calorías y converse con la familia.

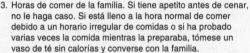

4. Tome bebidas sin calorías para ayudar a bajar normalmente sus niveles de azúcar para poder percibir la señal del apetito. Ingerir continuamente azúcar por medio de las bebidas le impide sentir apetito.

5. Tome traguitos entre bocados. Deje de comer cuando está satisfecho.

6. Califique los alimentos. Decida cuáles alimentos le gustan más y coma esos primero, guardando lo que menos le gusta para el final. Por lo general, deje los postres para el final.

7. Envuelva las sobras. Puede comerlas la próxima vez que tiene apetito.

8. Guarde la comida que le sobra cuando come afuera. Los restaurantes sirven porciones generosas. Algunos alimentos, especialmente las pastas, tienen mejor sabor al día siguiente. Algunos se echan a perder: ¡puede descartarlos!

9. No se sirva una comida de cinco platillos simplemente porque un medicamento debe ser tomado con comida. La comida que se necesita con las píldoras pueden ser de pequeña cantidad, como de una a tres galletitas saladas. No necesita un banquete a menos que el médico lo ordene.

10. En el Curso Weigh Down[†], espere que su consumo de alimento disminuya de una 1/2 a 2/3 de lo que ingería como comilón. Al progresar, puede esperar que su deseo de comer o deseo de alimentos disminuya con el tiempo.

Antes del curso Weigh Down[†]

Después del curso Weigh Down[†]

COMIDA

COMIDA

cantidades de alimentos para mantener vivo su cuerpo, pero esto en realidad se relaciona a cuánta masa muscular tiene. Los músculos son los tejidos más metabólicamente activos. En otras palabras, se requieren más calorías para mantener activas a las células musculares que a las células cerebrales. Su cuerpo exigirá exactamente las cantidades de oxígeno y calorías que necesita. Mi cuerpo tiene muy poca masa muscular y lo poco que tengo no se ejercita mucho, así que necesito menos comida que la mayoría de los adultos que conozco. Me contento con una pequeña cantidad de comida.

Situación especial: Irregularidad intestinal

Espere tener menos deposiciones. No confunda esto con estreñimiento. Al bajar el volumen de alimento, bajará también el nivel de excrementos. Es normal ir al baño con menos frecuencia. Pequeñas cantidades de salvado con abundancia de líquidos ayuda a aliviar el estreñimiento auténtico (deposiciones duras, secas). Contrariamente a lo que dicen, no hay pruebas de que las fibras vegetales ayuden el estreñimiento, y se sabe que pueden causar molestias.

¡Socorro!
Siempre tengo hambre

En cuanto empieza a esperar el verdadero apetito fisiológico, descubre usted que existe otra sensación de hambre. Es su propia voluntad que le dice: «No tengo hambre, pero igual lo quiero». Llamaremos a esto *comer por el deseo de comer* o hambre cerebral. Para ayudarle a entender esta idea, imagínese a un niño testarudo de dos años, propenso a berrinches, que ve un juguete y lo quiere, pega el suelo con las manos para que se lo den, agarra el juguete y lo acapara.

Cuanto más vacía está nuestra alma, más fuerte es el impulso de *comer por el deseo de comer*. Este *comer por el deseo de comer* ha aumentado tanto a través de los años que puede haberse convertido en un monstruo. Es voraz, terco, caprichoso y egocéntrico. Se siente como una fuerza magnética hacia el refrigerador que nos controla en lugar de nosotros controlarla a ella.

Pensamos que nos encanta la comida, nos encanta el gusto, nos encanta el sentido de control. Nos encantan los encuentros secretos con la comida. Nos encanta poner a nuestros

hijos a dormir y no tener a nadie presente para decirnos qué
hacer o para juzgarnos. Nos encanta *comer por el deseo de comer*
excediéndonos a las 10 de la noche con comida que hemos estado soñando secretamente todo el día.

¿Por qué lo hacemos? Nos encanta el *sentido* confortable
de comer todo lo que queremos. De hecho, nos encanta tanto
comer por el deseo de comer que hemos hecho caso omiso al dolor
físico por comer demasiado, como la bolsa estomacal demasiado estirada, el dolor del síndrome de vaciarse causado por
la diarrea o el dolor del reflujo gástrico en el esófago. También
hemos hecho caso omiso a las molestias crónicas causadas por
nuestro sobrepeso: la ropa demasiado estrecha, las coyunturas que duelen y la fatiga. Pero, al final de la comilona nos sentimos avergonzados de nosotros mismos y nuestra culpabilidad nos lleva a sentirnos deprimidos.

*Ilustración 7-1: Conforme
el amor de Dios llena su
corazón, el deseo de
«alimentar» el alma con
comida física desaparece.*

Cuando comemos demasiado sin
tener apetito fisiológico, es que buscamos un sentimiento. *Buscar un sentimiento* no es malo. Dios es nuestro
Creador y el Creador de los sentimientos; por lo tanto, está bien buscar
un sentimiento. Pero si recurrimos al
mundo físico o cualquier cosa en este
mundo para obtener un sentimiento
de consuelo, satisfacción, amor o control, solo lo logramos *temporalmente*.
Al desaparecer nos dejará con una necesidad más insistente, anhelante y
sensual que antes.

El mundo no puede satisfacer. Esto se aplica si usted persigue el sentimiento de intoxicación, el sentimiento
antidepresivo, el sentimiento de lascivia sexual, el sentimiento del trabajo,
el sentimiento de amor al dinero o el
sentimiento que produce el que a uno

lo alaben. Después que haya gustado usted del mundo y sus placeres, se queda vacío y con su necesidad de siempre. Se descontrola y desespera aun más.

Pero cuando alimenta su alma anhelante con la búsqueda de Dios, su voluntad y su personalidad, y cuando experimenta con hablar con Él, hacer las cosas a la manera de Él, viendo las oraciones contestadas porque hizo las cosas a la manera de Él, confiando en Él y gustando de Él, finalmente usted se enamora de Él. El amor a Dios llena su corazón, y la antigua sensación de vacío lo deja *para siempre*.

Empieza a sentirse lleno, satisfecho, ya no tan «hambriento». Los trastornos causados por el pánico desaparecen y la ira se disipa. Sus metas para lograr que «algo suceda» ya no son necesarias al simplemente apoyarse en Dios para que Él permita que «suceda». Él contesta las oraciones.

Lo que se lleva a cabo en esta transferencia es que ese *comer con voracidad por el deseo de comer* empieza a desaparecer y el verdadero apetito estomacal comienza a aparecer. El verdadero apetito estomacal es mucho más fácil de encontrar al ir desapareciendo ese «deseo de simplemente alimentarse a sí mismo».

Una de las cosas más prácticas que puede hacer con ese sentimiento de *comer por el deseo de comer* es darle la espalda y entrar en una habitación privada para hablar con Dios. (Es claro, puede hablarle en su auto o en una habitación llena de gente —el lugar no interrumpe la comunicación.) He enseñado a muchos a sencillamente abrir la Palabra y empezar a leerla donde cae la vista. Dios puede coordinar la comunicación personal con nosotros. Una persona siguió mi consejo y simplemente clamó a Dios y le preguntó si acaso ella le importaba. Abrió su Biblia y su vista cayó en este pasaje de Salmos 81.4-10:

> Porque estatuto es de Israel,
>   Ordenanza del Dios de Jacob.
> Lo constituyó como testimonio en José
>   cuando salió por la tierra de Egipto...

> Aparté su hombro de debajo de la carga;
>   sus manos fueron descargadas de los cestos.
> En la calamidad clamaste, y yo te libré;
>   Te respondí en lo secreto del trueno;
>   Te probé junto a las aguas de Meriba.
> Oye, pueblo mío, y te amonestaré.
>   Israel, si me oyeres,
> No habrá en ti dios ajeno;
>   Ni te inclinarás a dios extraño.
> Yo soy Jehová tu Dios,
>   Que te hice subir de la tierra de Egipto;
>   Abre tu boca, y yo la llenaré.

¡«Abre tu boca y yo la llenaré», dice el Señor! Se largó a llorar porque Dios se estaba comunicando personalmente con ella. En ese instante comenzó una relación que se ha ido estrechando más y más.

«Dios habla de muchas maneras, pero no nos damos cuenta» (Job 33.14 DHH). En mi vida personal, ¡me aferro a la Biblia como antes me aferraba a mi chocolate! Mantengo abiertos mis ojos, buscando la dirección de Dios en todas partes.

Otra cosa práctica para hacer con el *comer por el deseo de comer* es hablarle a la comida y decirle que ya no va a responder más a *ella*. ¡No le obedecerá cuando llama su nombre desde los gabinetes de la cocina o el refrigerador!

No tenga miedo de correr hacia Dios. ¡Él es su Padre! Y Él tiene la mejor de las personalidades. No puedo describirle un ser más rico, más poderoso, justo y moral.

¡Estoy realmente entusiasmada por lo que tiene usted por delante! Un día, después de la hora normal del almuerzo, de pronto se percatará que ni siquiera pensó en la comida porque su estómago no le había dado la señal para que comiera. ¡Felicitaciones! *El apetito estomacal*, en lugar del *apetito cerebral* (o *comer por el deseo de comer*), ¡comienza a controlar su manera de comer! Y también descubrirá que empieza a sentirse más cerca de Dios. ¡La transferencia está en camino!

No era tan desquiciado tratar de llenar su vacío espiritual con comida. Simplemente había cometido un error: escogió alimento físico, terrenal cuando lo que realmente necesitaba

Ilustración 7-2: Podrá distinguir mejor entre el hambre cerebral y el hambre del estómago.

era alimento espiritual, una relación mutua con Dios. Créame, Él le estará dando mucho y usted estará tomando mucho. «Yo soy Jehová tu Dios, que te hice subir de la tierra de Egipto; abre tu boca, y yo la llenaré.»

Esté dispuesto a recibir ahora mismo lo que Dios tiene para usted, y Él llenará su corazón. *Comer por el deseo de comer* pronto desaparecerá si corre a la Biblia y ora cada vez que siente el impulso de comer cuando su estómago *no* le está pidiendo alimento.

EL BRÓCOLI, ¿ES DIGNO?
Y LOS HELADOS, ¿SON INDIGNOS?

Quiero que sepa que amo a Dios con todo mi corazón y que he llegado a conocerlo mucho mejor a lo largo de los años. También he leído muchas de sus ideas registradas en la Biblia. He contemplado el mundo que Él creó y observado a sus animales comer. Me he fijado cómo comen los niños. El plan de Dios sobre comer está por todas partes y no lo hemos notado. Él ha puesto el alimento sobre la tierra para que lo disfrutemos, y no es por accidente que no menciona en la Biblia los cuatro grupos básicos de alimentos. No puso aquí los alimentos para torturarnos.

Además, es idea de Él que *no* nos preocupemos por lo que hemos de comer o beber. Si Dios se preocupa por alimentar los pajaritos o si se preocupa por vestir las flores del campo, que viven apenas un par de semanas y desaparecen, ¿no nos alimentará y vestirá a nosotros seres humanos, hechos a su imagen y poseedores de una vida que trasciende a la eternidad? Mateo 6.25 registra así las palabras de Jesús: «Por tanto os digo: No os afanéis por vuestra vida, qué habéis de comer o

qué habéis de beber; ni por vuestro cuerpo, qué habéis de vestir. ¿No es la vida más que el alimento, y el cuerpo más que el
vestido?»

Así que Dios no quiere que nos preocupemos excesivamente por conseguir suficiente para comer. No quiere que nos
preocupemos por el contenido de los alimentos, como lo hemos aprendido anteriormente de Marcos 7.14-23.

En este pasaje, recordará usted que Jesús declaró limpios
a todos los alimentos. Dios dio reglas sobre los alimentos a los
israelitas, pero en medio de todo quería que el corazón o centro mismo del carácter del hombre fuera puro y amante y consagrado solo a Él. Envió a Jesús, la representación exacta del
ser de Dios, el resplandor de la gloria de Dios (Hebreos 1.3),
para mostrarnos que Dios quiere que nos ocupemos de que el
corazón sea puro, más bien que ocuparnos de hacer que el ambiente sea puro.

Es así que podemos llegar a la conclusión de que el alimento físico no debe ser lo central, sino que el alimento espiritual debe ser el alimento para el corazón. Y, de la misma manera, debemos estar orando por nuestras preocupaciones
espirituales y arterias espirituales obstruidas en lugar de orar
únicamente por las personas con dolencias físicas.

Sucede que a la mayoría nos gusta estar cerca de personalidades que nos aman, que creen que somos especiales. Cuando
buscamos conocer a Dios, pronto descubrimos su profundo
afecto por nosotros, lo muy especial que somos para Él. Entonces se nos hace muy fácil, y más fácil con el correr del tiempo,
hacer que Dios sea el objeto de nuestro afecto. Personalmente,
estoy enloquecida con Él, no me lo puedo sacar de la mente. Al
ir cambiando su corazón de un amor por la comida a un amor
por Dios, se encontrará con que le está sucediendo otra maravillosa transformación. No se obsesionará con el *contenido* de la
comida, su valor alimenticio o si es bueno o malo para usted.
El color verde ya no parecerá virtuoso, y su preocupación obsesiva-compulsiva por saber si algo es «orgánico», «natural» o
«libre de agregados químicos» se evaporará. Una pequeña

cantidad de comida le satisfará muy bien. Y, lo mejor de todo, su apetito, todo su apetito, será satisfecho.

La explicación científica

Después de obtener un título universitario en dietética y una maestría en ciencias alimenticias, llegué a la conclusión exactamente opuesta a la que me habían enseñado en mis clases en la universidad. Llegué a la conclusión de que uno no tiene que preocuparse de lo que come si usa las pautas dadas por Dios para guiarle. El cuerpo se ocupa del noventa y nueve por

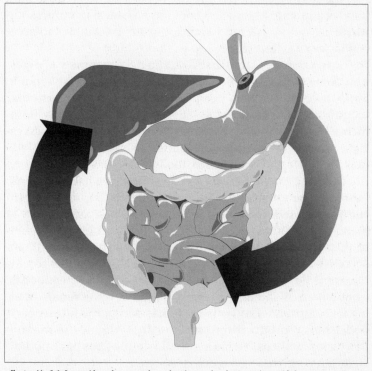

Ilustración 8-1: La comida es desmenuzada en el estómago, desecha aun más a unidades muy pequeñas en el intestino delgado, llevada al hígado para ser convertida en sustancias utilizables que luego son enviadas al torrente sanguíneo vía la vena porta al corazón.

ciento de sus preocupaciones (trabajo). Comprender esto probablemente fue el resultado de mi confianza en un Padre Celestial muy coordinado e ingenioso.

La dietética es mayormente bioquímica, ya que todo lo que comemos es un componente químico, y cada célula del cuerpo y de la sangre es meramente producto químico, principalmente carbono, hidrógeno, oxígeno y nitrógeno. Nutrición y dietética son el estudio de las sustancias químicas que su cuerpo fabrica para usted. Por ejemplo, ¡usted no tiene que comer células cerebrales para tener más células cerebrales! Su cuerpo las fabrica. (Qué lástima, ¡yo podría usar algunas más!)

Es interesante notar que los negocios que se dedican a vender alimentos sanos le venderán sustancias químicas alimenticias que su cuerpo ya fabrica, como la lecitina. No necesita ingerir lecitina: ¡el hígado ya la produce!

La dietética es también el estudio del consumo y la digestión de sustancias químicas que el cuerpo no produce y, por lo tanto, necesita recibirlo por boca. Lo que aprendí al estudiar bioquímica es que nuestros cuerpos han sido maravillosamente hechos y que la mayor parte de su funcionamiento escapa a nuestro intelecto. Sí sabemos mucho de lo que los sistemas del cuerpo hacen, pero todavía sabemos apenas una fracción de cómo lo hacen y qué los impulsa a hacerlo. Cómo nosotros, de apenas dos células, podemos reproducir otro cuerpo humano que tiene todas las funciones corporales y la increíble habilidad de vivir es maravillosamente sorprendente. ¡El estudio de apenas las dos funciones de la digestión y absorción es algo imposible de entender! Pasarme horas con los libros me llevó a una gran conclusión: existe un Creador que es mucho más inteligente que yo. Aun si pudiéramos finalmente comprender todos los sistemas del cuerpo humano, no podríamos reproducir otro ser humano. Algunos se maravillan de los mellizos. Yo me maravillo de que Dios haya podido crear tanta variedad en todos nosotros.

Al estudiar química y bioquímica, podemos ver que nuestro cuerpo puede tomar lo que comemos y desmenuzarlo en pequeñas moléculas o unidades. Una porción de lo que entonces son pequeñas unidades de alimento pueden cruzar la pared intestinal yendo a un sistema circulatorio especial que lleva el desayuno, almuerzo y cena directamente al hígado. El hígado es un órgano grande (silencioso, gracias a Dios) que convierte las papitas fritas, el asado y las golosinas en sustancias usables que entonces son enviadas a nuestro sistema circulatorio regular. ¿Cómo entonces, es que el ser humano tiene vida?

Buena pregunta. El alimento que usted come se compone de sustancias químicas (principalmente moléculas de carbohidratos, grasas y proteínas) que a su vez se componen de carbonos, hidrógenos, oxígeno y nitrógeno (véase la Ilustración 8-2). Después de que traga la comida, esta es triturada y desmenuzada por el ácido en el estómago. Se desplaza en pequeñas cantidades al intestino delgado, donde los jugos digestivos son usados para desmenuzar los carbohidratos, grasas y proteínas en unidades aun más pequeñas. Estas unidades son llevadas a través de la pared intestinal rumbo al hígado, proceso que lleva entre cinco y veinte minutos. Las grasas dietéticas (también llamadas triglicéridos) no van directamente al hígado. Después de pasar por la pared intestinal, toman una ruta más larga, desplazándose lentamente entre las células corporales en un espacio llamado sistema linfático. Los triglicéridos gotean, entrando al sistema circulatorio regular a través de diversos conductos y luego por fin circulan hasta el hígado. Esta ruta puede llevar hasta trece horas. La lentitud de su entrada mantiene el azúcar estabilizada en la sangre. Si come usted una comida que es principalmente de carbohidratos, tendrá apetito más pronto. Si agrega grasas, le ayudará a que pase más tiempo antes de que vuelva a tener hambre.

El hígado ha sido maravillosamente diseñado para tomar las unidades de alimento desmenuzadas (proteínas, carbohidratos y grasas) y convertir un alto porcentaje de ellas en glucosa (el combustible del cuerpo u origen de energía). Así que usted no es exactamente lo que come. El hígado toma lo que ha comido y, vía reacción química, vuelve a formar las unidades convirtiéndolas en sustancias que el cuerpo humano necesita. Estas sustancias recién fabricadas se desplazan a la vena porta que va al corazón. En cuanto llegan al corazón entran al sistema circulatorio principal y son bombeadas a todo el cuerpo, dándole a cada célula lo que necesita.

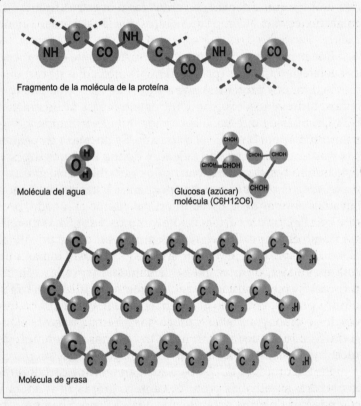

Ilustración 8-2: *Su cuerpo puede convertir grasa en carbohidrato, proteína en grasa o cualquier otra combinación de los tres. En otras palabras, puede tomar un carbohidrato, una grasa o proteína y convertir la una en la otra. La mayor parte de lo que come es desmenuzada en unidades pequeñas y en moléculas de glucosa para alimentar a cada célula. Estas reacciones químicas se llevan a cabo en el hígado. Fíjese en el carbono (C), hidrógeno (H) y algunas veces nitrógeno (N) en todas estas estructuras. Si come demasiados carbohidratos, grasas o proteínas, se convierten en grasa que es despachada a los lugares de almacenaje favoritos de su cuerpo: la barriga y las caderas.*

Todos los alimentos están compuestos meramente de agua, proteínas, carbohidratos, grasas y pequeñísimas cantidades de vitaminas y minerales. Las proteínas, los carbohidratos (CHO) y grasas están compuestos de carbono, hidrógeno y oxígeno. Las proteínas agregan nitrógeno a sus estructuras químicas.

Estas son moléculas orgánicas; *orgánico* significa que la molécula contiene carbono. No tiene que ir a tiendas de alimentos naturales para conseguir buenos alimentos orgánicos. Son los que están en venta en todos los almacenes y mercaditos del vecindario.

Si para usted orgánico significa *libre de sustancias químicas* le tengo malas noticias. Todos los alimentos son sustancias químicas. Dios hizo su cuerpo (¡sin que usted se tuviera que preocupar!) para detectar y librarse de las sustancias químicas nocivas que son parte del proceso alimenticio normal. Digamos que su hijo accidentalmente tragó barro o tierra. Su estómago sería el primer lugar que podría detectar las bacterias o sustancias químicas dañinas. El estómago podría mandarlas de vuelta y lanzarlas del cuerpo. Las bacterias más dañinas serían destruidas por los fluidos estomacales muy ácidos (pH 1,5). Si las sustancias dañinas logran pasar del estómago al intestino, el cuerpo puede provocar una diarrea (aumento del movimiento peristáltico) para deshacerse de ellos. Si logran pasar por la pared del intestino delgado (es muy difícil que objetos extraños o sustancias dañinas puedan pasar esta barrera) yendo al hígado, el hígado los atrapará y romperá de modo que ya no puedan dañar a su hijo o su hígado.

Piénselo: su hijo puede haber estado mirando una película mientras sucedía todo esto, inconsciente de esta fábrica química dentro de él. El punto es este: los «alimentos orgánicos» y los alimentos comunes son, en *ambos* casos, orgánicos en el sentido de que contienen carbono (que, como lo dijéramos antes, significa que son orgánicos). No importa cómo se produzcan, ambos se habrán apropiado de vestigios normales de sustancias dañinas. Así que si a usted le gustan los alimentos promocionados como «orgánicos», no hay problema. Simplemente no cuente con que sean más saludables... sino simplemente más caros.

Otro punto: no tiene que contar intercambios o grupos de alimentos para tener una comida equilibrada. Mayormente, todos los grupos de alimentos contienen los seis nutritivos.

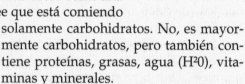

Por ejemplo, cuando usted come una rebanada de pan cree que está comiendo solamente carbohidratos. No, es mayormente carbohidratos, pero también contiene proteínas, grasas, agua (H_2O), vitaminas y minerales.

¿Qué de la papa? Está compuesta de carbohidratos, vestigios de proteínas y grasas, vitaminas, minerales y agua.

¿Qué de la carne? Tiene proteínas, grasas y vestigios de carbohidratos, vitaminas, minerales y agua.

¿Qué de la leche? Bueno, también es proteínas, carbohidratos, grasas, vitaminas, minerales y agua.

¿Qué del chocolate, galletitas, tortas o caramelos? Estos también son grasas, proteínas, carbohidratos, vestigios de vitaminas, minerales y agua.

Los carbohidratos simples están compuestos de cadenas cortas de glucosa (básicamente $C_6H_{12}O_6$). El pan está compuesto de largas cadenas de glucosa. Fructosa (otra combinación de $C_6H_{12}O_6$) es un carbohidrato simple que Dios hizo para caber exactamente en una papila gustativa la cual, a su vez, envía una señal que el cerebro interpreta como «deliciosamente dulce». Si examinara su sangre, no podría distinguir si había comido cadenas largas o cadenas cortas. Glucosa es la forma de azúcar que cada una de sus células usa para dar energía. No tenemos que comerla: los alimentos que comemos se transforman en glucosa. De la misma manera, su cuerpo no sabe si comió miel, azúcar sin refinar del plantío de caña de azúcar, azúcar refinada o pan porque todas las unidades se convierten en glucosa en el hígado que luego es largada a la sangre para ser usada por las células del cuerpo. Preocuparse demasiado por el origen del azúcar es parte de la esclavitud de los alimentos.

El azúcar de mesa viene de la caña de azúcar y se extrae en forma de melaza. La melaza puede cristalizarse, y esto es lo que llamamos azúcar negra. Si se lava el almíbar, quitándole los cristales, se obtiene el azúcar más clara o de mesa, dependiendo de cuánto se la ha lavado. Si el azúcar de mesa se aplasta en trocitos más pequeños, se obtiene el azúcar en polvo. Todas son maravillosos regalos del Padre.

Ya que hablamos de carbohidratos y pan, quiero destacar que es muy triste ver a tantas personas que son «expertos en estar en dieta» ir en contra de la necesidad que el cuerpo tiene de pan. Muchos de los países del Tercer Mundo donde la gente no se pone en dieta, obtienen del pan el ochenta por ciento de sus calorías. Jesús dijo: «Yo soy el pan de vida». Eso era de especial significado en la época de Jesús y en la mayor parte del mundo en la actualidad. El pan era y sigue siendo el alimento básico. Lo que queremos puntualizar es que no tenemos que tener miedo de volver a incluir bastante pan. Usted se va a sentir de maravillas cuando vuelva a darle a su cuerpo lo que le pide.

Todos los alimentos tienen variadas combinaciones de estas seis unidades: carbono, hidrógeno, nitrógeno, vitaminas, minerales y agua. Su necesidad principal es tener energía o combustible para hacer andar su cuerpo. Hemos transformado el comer (algo que debía ser un deleite) en algo complicado y pesado. La industria alimenticia ha respondido a nuestros

temores y los tienen muy en cuenta. Si las asociaciones que
promueven un corazón sano le han advertido que tenga cuidado de tomar leche entera por los trastornos cardíacos que
puede promover, las asociaciones lecheras le advierten que se
asegure de tomar leche porque posiblemente prevenga la os-
teoporosis. La industria avícola ha avanzado tremendamente
mientras que la pobre industria de la carne sigue luchando.
Personalmente, me gusta la carne roja. Disfruto de todos los
alimentos con moderación. Creo que esta moderación no
acorta nuestra vida. Irónicamente, sé que el mundo me dice
que debiera estar muriéndome por comer carne vacuna y
agregarle crema de verdad al café pero ¡estoy v-i-v-a! A su
vez, algunos obsesionados con los valores alimenticios, que
compran en tiendas de alimentos naturales o que las operan,
¡parecen que se estuvieran muriendo! ¿Por qué? Me da la im-
presión de que cuanto más tratamos de controlar nuestra salud, menos saludables somos. Tranquilícese y preste atención
a lo que su cuerpo le pide. Todos los animales usan el mismo
sistema para comer. Ser sensibles al volumen es el hábito dietético de la mayoría de los nonagenarios. Quizá conozca a gor-
ditos de seis años. Pero, ¿cuántos gordos de noventa años conoce?

Algunos de los alimentos que come ya vienen en la forma
que su cuerpo pide. El cuerpo simplemente tiene que desme-
nuzarlos en unidades más pequeñas. Parte de lo que usted
come, por ejemplo: fibra de harina integral o de apio, nunca
traspasa la pared del intestino delgado y por lo tanto es eva-
cuada con las deposiciones.

Otras sustancias alimenticias que necesita, como las vitaminas y minerales, son muy comunes en diversos alimentos y
se necesitan apenas en cantidades muy, muy pequeñitas. He
trabajado en el departamento de salud de un Estado que, según las estadísticas, es uno de los más pobres en los Estados
Unidos, y raramente tuve que documentar desnutrición (deficiencia vitamínica), con excepción de algún caso de negligencia por parte de los padres en dar de comer a un hijo. Pero sí,

cotidianamente documentaba y le hacía un seguimiento a gente obesa.

Estoy convencida de que se enfatiza demasiado la carencia de componentes nutritivos. Algunos de los casos más claramente documentados de una auténtica desnutrición (escorbuto, beriberi o pelagra) ocurren cuando las personas no pueden ellas mismas elegir porque no disponen de una variedad de alimentos. Un ejemplo de esto sucedía en el pasado cuando los marineros pasaban meses en alta mar en barcos a vela. Los primeros barcos a vela almacenaban todos los alimentos disponibles, pero con el correr de los meses, la variedad se acababa y comían panceta y galletas para el desayuno, galletas para el almuerzo, galletas para la cena y galletas antes de ir a dormir. En consecuencia, los marineros se enfermaban debido a una falta de variedad, sufriendo generalmente de una deficiencia de vitamina C (escorbuto).

No hay que ser un genio para entender que esta no era una situación alimenticia normal. Todos sabemos que solo aquellos marineros, o prisioneros de guerra o niños víctimas de la negligencia tendrían que comer siempre lo mismo. Es imposible forzar a poblaciones que tienen la posibilidad de comer de todo a observar una dieta monótona porque el cuerpo les indicará que deseen y consuman una variedad de alimentos. Los pobres marineros estaban hartos de galletas y ansiaban comer cualquier cosa que no fuera galleta. Cuando llegaban a puerto y volvían a comer alimentos normales se recobraban, si llegaban a tiempo. La Marina Real Británica finalmente aprendió a suplir una variedad de alimentos y, para prevenir el escorbuto, tener a bordo una buena cantidad de limas (por lo que a los marineros se les apodaba «limeys»).

Le proponemos a usted que *no* somos lo que comemos, pero que la salud se perjudica cuando le negamos al cuerpo los tipos y cantidades de comida que *quiere*. El cuerpo humano, a la larga, quiere una variedad de alimentos.

Otro punto: las especies han sido programadas por Dios para ansiar específicamente los alimentos para los cuales *sus*

sistemas digestivos fueron diseñados, ¡y no somos lo que comemos! Dios ha programado a las vacas para que deseen pasto. ¿Significa esto que las vacas se convierten en pasto? ¡No!
No solo siguen siendo vacas, también producen más vacas y
producen leche rica en calcio. ¿Acaso las ballenitas recién na-
cidas comen plancton y se convierten en plancton? ¡Por supuesto que no! Se convierten en ballenas gigantes, hacen más
ballenas y las mamás ballenas producen leche. Los cardenales
han sido programados para comer semillas de girasol, pero se
reproducen como cardenales. Los petirrojos comen gusanos;
los sinsontes comen langosta, y todos viven para cantarlo.

Los gatos no son realmente melindrosos para comer. Simplemente necesitan una variedad y se niegan a comer cuando
la comida es monótona. Esto es retroalimentación biológica.
Darle de comer a sus animales domésticos las sobras de la
mesa les brinda una variedad perfecta y hasta se puede considerar bíblico: «aun los perrrillos comen de las migajas que
caen de la mesa de sus amos» (Mateo 15.27).

Tenemos que volver a examinar los «cuentos de viejas» y
las nuevas reglas científicas hechas por el hombre. Por ejemplo, como lo hemos dicho, le decimos a nuestros hijos que si
no comen el desayuno, serán menos inteligentes (no importa
que se hayan comido dos platos de cereal antes de ir a dormir
y sencillamente *no* tienen hambre). La ironía es que comer demasiado da sueño, ¡y es entonces cuando realmente disminu-
yen las reacciones intelectuales!

«Si no comes zanahorias sufrirás de ceguera nocturna.
¡Morirás si no tomas jugo de naranja todas las mañanas!»
Hace dieciocho años tuve la valentía de desafiar este dicho y
¡sigo viva! Hay vitamina C por todos los gabinetes y el refrigerador ¡y aun en las papas fritas y la salsa de tomates! Dios diseñó las sustancias nutritivas para que estuvieran ampliamente
distribuidas en los alimentos a fin de que no tengamos que
preocuparnos. A veces, me tomo un jugo de naranja.

¿Por qué vivimos con el temor de que nosotros o nuestros hijos se van a perder algún vestigio mineral o el último

cúralo-todo anticarcinógeno o que promete longevidad? Buscamos la vida desesperadamente donde no tenemos que buscarla y parecemos convencidos de que cuando se escribió la Biblia, Dios no sabía nada del colesterol que el hombre descubrió en el siglo XX. Creemos que Dios no quiso decir que 1 Timoteo 4.1-5 fuera útil para los que comen alimentos no nutritivos en la actualidad: «Pero el espíritu dice claramente que en los postreros tiempos algunos apostarán de la fe, escuchando a espíritus engañadores y a doctrinas de demonios; por la hipocresía de mentirosos que, teniendo cauterizada la conciencia, prohibirán casarse, y mandarán abstenerse de alimentos que Dios creó para que con acción de gracias participasen de ellos los creyentes y los que han conocido la verdad. Porque todo lo que Dios creó es bueno, y nada es de desecharse, si se toma con acción de gracias».

Pensamos: «En aquellos tiempos no tenían alimentos grasos y procesados. Entonces, la Biblia debe ser obsoleta». Pero piénselo mejor. Veáse Levítico 2.4-6,11-13 y las ofrendas que eran comidas en la antigüedad y que eran ordenadas por Dios:

Cuando ofrecieres ofrenda cocida en horno, será de tortas de flor de harina sin levadura amasadas con aceite, y hojaldres sin levadura untadas con aceite. Mas si ofrecieres ofrenda de sartén, será de flor de harina sin levadura, amasada con aceite, la cual partirás en piezas, y echarás sobre ella aceite; es ofrenda...

Ninguna ofrenda que ofreciereis a Jehová será con levadura; porque de ninguna cosa leuda, ni de ninguna miel, se ha de quemar ofrenda para Jehová. Como ofrenda de primicias las ofreceréis a Jehová; mas no subirán sobre el altar en olor grato. Y sazonarás con sal toda ofrenda que presentes, y no harás que falte jamás de tu ofrenda la sal del pacto de tu Dios; en toda ofrenda tuya ofrecerás sal.

Harina finamente procesada, con el agregado de una capa de aceite y sal. ¡Asombroso! Aquellas ofrendas de las primicias se parecen mucho a nuestras tortas fritas y a los buñuelos de la actualidad

No hay nada nuevo bajo el sol. Juan el Bautista comía langostas y miel, y así vivió en el desierto durante meses. Este menú no tiene prácticamente nada de los cuatro grupos básicos de alimentos ni de los nuevos grupos pirámides de comida que se ven hoy día. Todo esto es para decir que tiene usted más libertad con la comida de lo que quizá crea.

Las grasas no son malignas. Dios hizo las grasas para «almacenar» el sabor de los alimentos. Al respirar, las células olfativas de su nariz captan las moléculas de grasa. ¡Ese es el aroma! Es por eso que fríe usted el pimiento y la cebolla. Las moléculas de grasa atrapan el sabor, y usted toma la mezcla grasosa y transfiere el sabor a los fideos o a lo que sea. Es por eso que huele el tocino al cocinarlo, pero no la avena; a menos que, por supuesto, le ponga mantequilla, que es grasa. Las grasas hacen que los alimentos sean más sabrosos y fáciles de tragar.

Dicho sea de paso... Yo le pongo mantequilla de verdad y azúcar a la avena para comerla y le pongo ¡mantequilla, sal y pimienta a los «grits».[1] ¡Delicioso!

Ahora bien, ¿por qué habría Dios de poner las grasas sobre esta tierra para torturarnos? ¿Por qué requeriría Él que le guardaran las porciones de grasas como *aroma agradable* si no fuera algo intrínsecamente deseable? Fíjese en este pasaje: «Después ofrecerá de ella su ofrenda encendida a Jehová; la grosura que cubre los intestinos, y toda la grosura que está sobre las entrañas, los dos riñones, la grosura que está sobre ellos, y la que está sobre los ijares; y con los riñones quitará la grosura de sobre el hígado. Y el sacerdote hará arder esto sobre el altar; vianda es de ofrenda que se quema en olor grato a Jehová; toda la grosura es de Jehová» (Levítico 3.14-16).

Las grasas son usadas para muchas funciones corporales y para la salud de su cabello. Sí, demasiada grasa es malo para usted; de la misma manera, comer demasiadas zanahorias de

---

[1] Nota de la traductora: gacha de maíz blanco que, típicamente se come para el desayuno en el Sur de los Estados Unidos.

una vez puede causar la muerte porque la vitamina A es tóxica en grandes cantidades. Pero la moderación sin el abuso nos permite disfrutar de *todas* las categorías de alimentos, incluyendo lo grasoso y lo dulce. Yo los como todos los días.

No tomo vitaminas, mis abuelos no las tomaban, ni tampoco mis bisabuelos. Si anda usted en busca de una buena salud, sepa que el factor más relacionado con las enfermedades y aun la muerte prematura es el comer demasiado. Comer demasiado agrega estrés y cargas a cada órgano y sistema de nuestro cuerpo. Nos duelen las coyunturas, nos duele el estómago (esofagitis por reflujo, ardor, diarrea, hernias hiatal, diverticulitis, etc.). Nuestra presión arterial es más alta y el riesgo de contraer cáncer o una enfermedad cardíaca es mayor, sin mencionar el estado mental y emocional a que nos lleva. Si usted ha comido demasiado, su cuerpo no necesita enseguida el exceso de alimentos. El exceso de comida, aun si es una virtuosa ensalada, tiene que ser llevada al hígado, convertida en grasa y despachada a los tanques de almacenamiento: las caderas y la barriga. Ningún alimento es bueno cuando se come demasiado, pero todos son «limpios» en moderación.

Comer únicamente *cuando* su cuerpo le pide alimento es algo de lo cual puede depender para moderar la cantidad que ingiere cotidianamente. Comer lo *que* su cuerpo le pide le asegurará un equilibrio alimenticio. Cuando ha tenido demasiado de una categoría de alimentos, será natural que desee comer algo de otra categoría.

Retroalimentación biológica

Las técnicas de consumo de alimentos del Curso Weigh Down[†] involucran un proceso de aprendizaje triple. Primero, tiene que comprender al apetito.

Segundo, llega a reconocer cuándo está satisfecho para empezar a detenerse allí mismo.

Tercero, desarrolla usted esta habilidad de percibir lo que su cuerpo realmente le pide.

Para empezar a desarrollar esta habilidad de percibir lo que su cuerpo le pide, pregúntese: «¿Qué quiero comer realmente?» Los delgados tratan de comer lo que quieren, dentro de lo que es razonable. Otros no se dan una idea. Al principio, esta reacción no es rara.

Tenga en cuenta que a lo mejor ha estado en dieta durante años, quizá aun desde su infancia. Piénselo. De niño, comía lo que su mamá le cocinaba. Luego fue a la escuela y comía lo que le preparaban. Más adelante, se puso en dieta y comía lo que la «última novedad» escrita en un papel le indicaba que comiera.

¿En algún momento en toda su vida pudo realmente escoger lo que quería comer? Bueno, ¡con razón no sabe cómo hacerlo! Permítame ayudarle a decidir. Simplemente pregúntese: «¿Qué cosa me apetece ahora mismo?» Está bien, así que no puede creer que realmente quiere un emparedado de queso a la plancha siendo apenas las 8:30 de la mañana. No se preocupe. Si es lo que realmente quiere, tómelo y disfrútelo y no se sienta culpable. Pero preste atención. A lo mejor su cuerpo solo quiere la *mitad* de un emparedado. Recuerde que es la tendencia de todo nuevo participante del Curso Weigh Down[t] sentirse atraído por los alimentos y categorías de alimentos de los cuales se ha privado durante años. Una vez más: ¿qué alimentos son los que más prohiben las dietas? Dulces y grasas, ¿no es cierto? Así que no tenga miedo si esa es la categoría que le atrae en este momento. Las grasas son la nutrición alimenticia que se necesita para la integridad de sus células y tejido epitelial y la salud de su cabello, etc. Quizá esté usted necesitando grasa. Dese el gusto de comer esos alimentos para que no se sienta privado de ellos. Pronto querrá una variedad más amplia.

¿Pero qué si sé que tengo hambre y nada se me apetece o si todavía no puedo determinar qué comer? Si nada le apetece, puede esperar un poco más hasta que algo le apetezca. Quizá en realidad no tenga realmente hambre en este momento. O puede tratar de limitar un poco las opciones. Al principio, hágase preguntas sobre algunas categorías en general. «¿Quiero algo caliente o frío? ¿Quiero algo salado o dulce? ¿Quiero algo crujiente o cremoso?» Estas preguntas lo guiarán en una forma general sobre las categorías de alimento a elegir. Habrá días cuando sus antojos serán muy específicos. Por ejemplo, ¡qué bien me suena una hamburguesa en este momento! Dentro de lo razonable, sea obediente a lo que su cuerpo le pide.

Por ejemplo, supongamos que ya me decidí por la lasagna. Voy a la cocina, pero la lasagna está en el congelador y llevaría demasiado tiempo descongelarla y cocinarla. Así que empiezo a buscar otra cosa. En esta etapa, cualquier clase de carne o queso suena bien, pero básicamente me da pereza molestarme a prepararlo. Es entonces que veo la bolsa de papitas en la alacena. No es carne, pero el Curso Weigh Down[t] sí decía que podía comer cualquier cosa que quisiera, ¿no es cierto? Así que tomo la bolsa de papitas y empiezo a comer. Por alguna razón, no saben tan bien como creí que sabrían, pero no importa. Empiezo a sentirme llena, así que guardo la bolsa. Sé que he comido lo suficiente porque siento el volumen de la comida en el estómago y noto que el azúcar en la sangre ha vuelto a subir, pero todavía «quiero» algo más. ¿Ve lo que ha sucedido aquí? No obedecí lo que mi cuerpo me pedía así que, en cuanto terminé de comer, ¡mi cuerpo seguía clamando por la proteína en la carne que yo no le había dado! Por eso es que ponerse en dieta no da resultado.

¿Notó el detalle de que las papitas no eran tan sabrosas como siempre? Ese punto es importante, porque es la clave de que tiene o no tiene realmente hambre o las papitas no son el alimento que su cuerpo quiere en este momento. Confíe en sus papilas gustativas para guiarle en sus elecciones. Cuando tiene enfrente un plato de comida y ha probado todo, las cosas que se le hacen más sabrosas son las que su cuerpo necesita. En la próxima comida, quiere alimentos distintos. ¿Por qué? Porque su cuerpo no quiere lo que ya comió para el desayuno. Variedad es lo que su cuerpo necesita. En realidad variedad es lo que pide aun dentro de una misma comida, cuanto más en un lapso de tres días.

Dios lo hizo a usted para que prefiera algo nuevo en lugar de sobras durante tres días corridos.

Entre más años pasan, más fuerte es mi convicción de que difícilmente puede cometer un gran error al seleccionar sus alimentos. No sea legalista al hacerlo. La buena salud se relaciona más con *cuándo* come y *cuánto* come que lo *que* come, ya que las selecciones de comida son tan similares en su contenido químico y nutritivo. Simplifique.

Alimentos problemáticos y tiempos problemáticos

Dios hizo sus papilas gustativas. Lo hizo a usted y lo diseñó para que tuviera gustos y disgustos. Él sabe cuales son sus preferencias, así que no tema tener sus favoritos, aunque suenen que engordan. ¿Tiene un alimento particularmente favorito con el cual parece haber luchado más que con otros? ¿Cuál es? ¿Chocolate, pancitos dulces, pan casero? No es raro que un alimento en particular sea el que le haya producido años de conflictos. Quizá se trata de un alimento que lo apasiona más, quizá sea uno con el cual antes se ha dado un atracón. Hasta puede usted encontrarse con que puede esperar al apetito antes de comer el chocolate, pero después, detenerse es más difícil. ¡Quiere comerlo todo!

Quiero asegurarle que puede superar también esta pasión por la comida. En realidad tiene dos opciones en cuanto a cómo conquistar esta «comida accionadora».

En primer lugar, tranquilícese porque no hay «comidas accionadoras» en el sentido de que algunas comidas pueden accionar algo dentro de usted haciéndole perder el control. El control está todo en el corazón de la persona, y usted sí tiene una opción. No tenga miedo.

Usemos las barritas de chocolate como ejemplo. Un método para tranquilizarse sería comprar una bolsa de barritas de chocolate y guardarlas en su alacena, llevar algunas al trabajo y comer una cada vez que tiene hambre. Su cuerpo, como sabe, empezará a buscar la variedad y dará pronto fin a su afecto por las barritas.

El único problema de este método es que cuando algunos se comen una barrita de chocolate, se comen otra... luego otra... luego otra... hasta que han comido demasiado. No es que no puedan detenerse, sino que no quieren. Créame, inventan cualquier mentira imaginable para seguir comiendo. «Oh, serán una tentación así que será mejor que las termine de una vez... Tendré que convidar a los que se acercan así que mejor que me los coma antes de que desaparezcan todas». (¡Como si ya no vendieran más golosinas como estas en los negocios!)

Considere la ruta seleccionada por una participante del Curso Weigh Down para vencer su alimento «accionador» o pedestal. Dado que no se tenía confianza como para comprar una bolsa de barritas de chocolate, se compraba solo una a la vez. Ahora bien, entienda que nunca se privó de una barrita de chocolate si realmente esa barrita era lo que quería cuando tenía apetito; pero no las tenía todo el tiempo a mano para tentarla. Iba al negocio, compraba su barrita favorita, daba media vuelta y luego realmente disfrutaba de esa única barrita de chocolate. La próxima vez que quería otra, se compraba otra y también la disfrutaba. Después de un tiempo, se armó de valentía para comprarse media docena. Descubrió que si las ponía en el congelador hasta el momento de querer otra, se guardaban bien, y estaban sabrosas. Como ve, empezaba a confiar. No pasó mucho tiempo antes de que pudiera comprarse una bolsa entera y no comérselas todas. Aun en el trabajo (tenían una máquina automática de golosinas), empezó a notar que a veces simplemente no le apetecía ninguna. Ahora, son como cualquier otra comida para ella. Todavía le gustan, pero ya no las pone sobre un pedestal, por así decir. Si quiere una, se la sirve pero, para ser sincera, ni se acuerda cuándo fue la última vez que comió una.

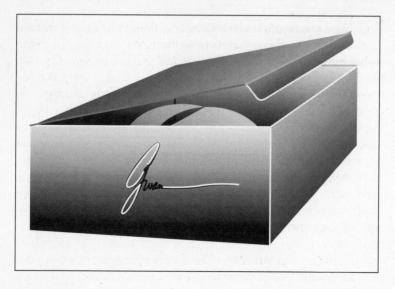

Ilustración 8-3: Confeccione una caja en la cual guardar su propia provisión.

Otro consejo práctico es tener una caja en la cual guardar su comida. Esta es una idea muy elemental, pero puede ser un descubrimiento sicológico. Consiga tres cajas y escríbales su nombre. Ponga una en la alacena, una en el refrigerador y una en el congelador. Son propiedad suya, y nadie más en la casa puede tocar la comida en sus cajas. Algunas participantes realmente abren el paquete de bizcochitos dulces al estar guardando los mandados y ponen algunos en una bolsita plástica para ellas solas. La familia puede comer el resto que quedó en el paquete en la alacena. Esto da resultado para el que vive temiendo que «si no lo como ahora, después no habrá más». Para algunos, es falta de confianza de que Dios proveerá y, para otros, esta falta de confianza viene de criarse en una casa donde este fenómeno de «o te lo comes o desaparece» realmente sucedía. Si el temor de que la comida desaparecerá le está impulsando a comer cuando no tiene apetito, elimine el origen del temor hasta tener la confianza de que realmente tiene a su disposición una abundancia de comida y, más importante aún, que a Dios le encanta darle de comer y nunca le dejará pasar hambre. No tenga miedo de quedarse sin comida. Llévela consigo. Guárdela en su auto, su cartera o su escritorio en el trabajo. Así podrá sentarse tranquilo, sabiendo que dispone de algo delicioso en caso de necesitarlo. ¡Hay comida por todas partes!

¿Qué de las comidas en fechas especiales? Es el Día de Acción de Gracias y ¡usted tiene miedo de que no volverá a probar platillos como estos hasta dentro de un año! Esto simplemente no es así. ¿Quién dice que no puede comprar un pavo y cocinarlo en otra ocasión que no sea el Día de Acción de Gracias? ¡Hasta puedo cocinarlo en julio! O, mejor aún, vaya a un restaurante tipo cafetería y ordénelo. ¡Sirven pollo con sus complementos o pavo con sus complementos todo el año! ¡Qué ley declara que tiene que comer pastel de boda en una recepción porque a lo mejor pasará mucho tiempo antes de que tenga ocasión de probar otro? ¡En la panadería estarán contentos de cocerle un pastel similar que se puede llevar a casa y comer un trozo cada vez que tiene hambre! Seguramente va a estar harto del pastel antes de terminarlo. ¿Qué de la ensalada de guindas que hizo tía Tily para Navidad? Sabe que no volverá a probarlo hasta la Navidad que viene. Pues... pídale la receta. Es probable que la tía se sentirá elogiada, y entonces usted lo puede preparar las veces que quiera. ¡No debe haber comida ni ocasión que le obligue a comer fuera del contexto del apetito! Dios sabe sus preferencias. Tenga un poquito más de paciencia y deje que lo consienta con ellas bajo las reglas de Él: apetito y satisfacción. Y no tenga miedo de que al Señor se le haya roto el reloj o que se haya olvidado de usted. ¡Él permanece muy atento!

Alergias a comidas

Las verdaderas alergias a los alimentos deben ser respetadas. Por ejemplo, si es usted alérgico a ciertos mariscos o pescados, por favor, no los coma. Si sabe que es sensitivo a la leche, escuche a su cuerpo y limítese en la cantidad de leche que toma. Usted reconoce sus propias sensibilidades, apetitos y necesidades de nutrición. Use su sentido común. Pero hay muchos incidentes más de simple sensibilidad a alimentos que no son auténticas alergias. Puede usted probar pequeñas porciones de estos alimentos para ver cómo reacciona su cuerpo. Deje que su cuerpo le diga lo que quiere o necesita o que no quiere ciertos alimentos. También, dado que sus porciones se han reducido ahora tanto, puede descubrir que no tendrá ninguna reacción cuando come algo a lo que antes era sensitivo. Es muy difícil distinguir si una diarrea es por una reacción alérgica a un alimento o por un virus. Es difícil determinar si la causa de un eczema en la piel es por una comida o por un nuevo detergente para la ropa. No se apresure a llegar a conclusiones. Cualquier condición seria que persista tiene que ser tratada por un médico.

Vitaminas

Personalmente, no tomo vitaminas ni suplementos dietéticos de ninguna clase. Cuando uno deja que su cuerpo pida exactamente lo que necesita, no precisa que le alimenten con las formas artificiales de esos complementos nutritivos. Básicamente, no hay por qué preocuparse de conseguir vitaminas. Están en todas partes diseminadas por todos los productos alimenticios. Muchos comen cereal, tostada y jugo de naranja para el desayuno y, para estar más seguros, toman una píldora de multivitaminas. Observemos este desayuno.

Un cereal típico en estos tiempos reúne los requisitos establecidos por el gobierno para vitaminas y minerales. Estos requisitos constituyen una estimación generosa de las necesidades de proteínas, carbohidratos, grasa y minerales de un chico grande, en la edad de crecimiento, adolescente, que posiblemente necesita entre 3.000 y 4.000 calorías por día. En otras palabras estas necesidades estimadas serían mucho más de lo que necesita una mujer adulta, de estatura mediana. Así que el contenido de 100 por ciento de lo que el gobierno estima más que sobra para la mayoría de nuestra población.

Dios hizo a la leche de vaca muy nutritiva. Además, el gobierno requiere que se fortifique con vitaminas A y D, y quizá algo más de calcio, aunque la leche abunda en elementos nutritivos sin los agregados. La tostada se enriquece con niacina, tiamina, riboflavina e hierro. (Al pan se lo ha enriquecido de esta manera desde la década de 1930.) Estas sustancias nutritivas se encuentran también en los cereales y la leche. El jugo de naranja contiene mucha vitamina C, al igual que el cereal y, en la actualidad, puede tener agregado más calcio. Ahora nos tragamos una vitamina que tiene el ciento por ciento de lo que el gobierno estima se necesita por día (es decir, lo que necesita un muchacho adolescente en la edad del crecimiento) ¡y eso es al *desayuno*! La mujer mediana probablemente haya ingerido toda la nutrición necesaria antes de las 8 a.m., excediéndose en un 500 por ciento en algunos valores nutritivos.

Algunos argumentan que las vitaminas (naturales o sintéticas) o los productos herbáceos son necesarios para la buena salud porque el suelo está agotado. Esto no es verdad. Cuando el suelo está agotado, produce una zanahoria más chica que si fuera fértil. Si tiene usted dos zanahorias, una del suelo agotado y la otra de suelo fértil, las dos son iguales químicamente y, por lo tanto, tienen los mismos componentes nutritivos. El suelo fértil produce más zanahorias y más grandes. Si el suelo estuviera totalmente agotado, no produciría ninguna zanahoria. La vaca que pasta en un campo menos fértil producirá menos leche. Pero la leche es leche en todas partes. Principalmente, fertilizar incide sobre el volumen.

Algunos toman vitaminas recetadas porque sufren de trastornos especiales, por lo general el síndrome de mala absorción. Por favor, consulte con su médico. No obstante, tenga en cuenta que es necesario cuidarse de no tomar demasiadas vitaminas. Tomar dosis frecuentes, grandes de vitaminas *no* es natural, y como somos la primera generación en hacerlo, todavía no se conocen todos los efectos secundarios. He conocido a personas a quienes he asesorado que sufren de entumecimiento periférico (de sus manos y pies). Los médicos las han diagnosticado como teniendo diez veces la cantidad normal de vitamina B_{12} en la sangre por haber tomado vitaminas para el embarazo durante años. «Si un poquito es bueno, mucho es mejor». ¡No es cierto! Las sobredosis en pequeñas cantidades a lo largo del tiempo pueden ser *muy* contraproducentes.

Otros me han traído bolsas de píldoras de vitaminas que se superponen; por ejemplo: vitaminas C y E, multivitaminas (más C y E) y vitamina E. Mi sugerencia es ir bajando lentamente de esta sobredosis bajo cuidado médico. Se sentirá *mucho* mejor y tendrá más dinero en su bolsillo.

Edulcorantes artificiales

Como habrá notado, sugerimos refrescos dietéticos y té endulzado artificialmente. Estas bebidas no calóricas pueden ser usadas en lugar de bebidas azucaradas para ayudar a los niveles del azúcar en la sangre que bajen normalmente a fin de poder detectar el apetito. El edulcorante artificial llamado «aspartame» ha sido atacado en el pasado porque supuestamente causa efectos secundarios en algunas personas.

«Aspartame» se cuenta en la actualidad entre los productos alimenticios sometidos a más pruebas minuciosas. El departamento nacional pertinente (Federal Food and Drug Administration) ha dado su aprobación al aspartame veintiséis veces. El Concilio Americano sobre Ciencia y Salud lo avala como totalmente seguro.

El aspartame está compuesto de dos aminoácidos. Aminoácido es simplemente una de las unidades más pequeñas de la molécula de proteína. Muchos distintos aminoácidos en diferentes combinaciones componen las proteínas que usted come. Los aminoácidos que contiene el «aspartame» (ácido fenilalanino y aspártico) se encuentran en su forma natural en muchos alimentos. Por ejemplo, al comer la carne de una hamburguesa, se ingiere mucho más aspartame que si se tomara dos litros de bebida endulzada con él. Si cree que las bebidas dietéticas le dan dolor de cabeza, y si la teoría aspartame/dolor de cabeza es correcta, ¡tendría que tener un ataque de migraña cada vez que se come una hamburguesa! Pero las investigaciones no han demostrado tal efecto adverso, aun después de repetidas y sofisticadas pruebas clínicas. Una prueba realizada en la Universidad Duke con personas que decían haber tenido dolores de cabeza inducidos por el aspartame en realidad tenían menos dolores de cabeza que el grupo de control que tomaba placebos.

El dolor de cabeza puede ser por muchas causas, incluyendo estrés y sinusitis. (Aun si no siente tapada la nariz, las cavidades de los senos frontales pueden tener una pequeña infección que causa los dolores de cabeza.) O puede ser que tenga hambre. Una bebida dietética no debe darle dolor de cabeza por la molécula común de proteína que contiene. Pero, si se traga demasiado rápido la bebida fría, le puede dar dolor de cabeza. Las investigaciones que se están realizando en la actualidad están tratando de comprobar otras posibles causas de estas quejas.

La sacarina, en cambio, es diferente porque es un sustituto hecho por el hombre. No se encuentra en su forma natural en ningún alimento, y ha causado cáncer en animales de laboratorio a los cuales se les había dado dosis muy grandes. Esta unidad de cinco carbonos es químicamente similar al azúcar común, pero a la lengua y el cerebro no se los engaña fácilmente con este sustituto hecho por el hombre. Es por eso que deja un gusto más fuerte en la boca. La sacarina ha sido prohibida durante años en Europa. En los Estados Unidos, lleva una advertencia del gobierno desde la década de 1970: «El uso de este producto puede ser perjudicial para su salud. Este producto contiene sacarina que, según se ha determinado, causa cáncer en animales de laboratorio». (Es traducción para esta obra.)

Sea lento en confiar en las declaraciones sobre alimentos que supuestamente curan o perjudican. Existen muchas evidencias conflictivas.

Los efectos de placebos son poderosos. Una persona que cree que una píldora le hará más fuerte o más saludable —o viceversa, que la sustancia le dañará— se verá afectado por esa creencia.

Un ejemplo que recuerdo del pasado fue cuando se hizo un estudio muy extenso sobre la pretensión de que la vitamina C curaba el resfrío común. Se puso a mil personas a tomar vitamina C y otras mil una píldora color naranja (un placebo). Ni la persona ni el que la entrevistaba sabía quién estaba tomando qué a fin de que no hubiera parcialidad en el informe. ¡Los que habían tenido menos resfríos eran los que habían tomado placebos!

Es bueno aprender a discernir los méritos que pretenden adjudicarse a ciertos alimentos específicos en la actualidad. Por ejemplo, las investigaciones del estado pueden ser un gran recurso para contar con información sobre alimentos, mientras que los fabricantes de comidas pueden exagerar los beneficios de sus productos para ciertos trastornos o para la salud. El doctor que vende píldoras o miel en la mesa de entrada de su consultorio puede tender a exagerar sus beneficios medicinales. Las afirmaciones de que ciertas mezclas de comidas pueden curar el cáncer, artritis o dolores de cabeza deben ser analizadas con cuidado. Así como uno no se puede tragar tabletas de gelatina (polvo hecho de pezuñas de caballo) y hacer que esta proteína muy incompleta llegue a sus uñas y las fortalezca, no puede hacer que ciertas comidas que usted come afecten directamente unas aisladas células cancerosas. Ponga su esperanza en Dios, no en mezcolanzas de comidas. Créame, si hubiera algún alimento que curara alguna enfermedad, ya lo sabríamos. No se podría frenar esta clase de noticia.

En consecuencia, no se crea de todo lo que oye por allí. Un mes oímos que la avena es beneficiosa para bajar el colesterol y al mes siguiente nos enteramos que una investigación de mucho tiempo contradice este descubrimiento momentáneo. Los investigadores pueden tener acciones en las industrias alimenticias y todos los productores de farmacéuticos tienen

Día uno

Desayuno . . . . . Pancito con mantequilla y jalea, 1-3 rebanadas de tocino, café con crema (dependiendo del nivel de hambre, puede sobrar algo)

Almuerzo . . . . . Sándwich (pan blanco, jamón, mayonesa, lechuga), unas cuantas papitas fritas, una barra pequeña de chocolate, soda dietética (sobró algo)

Tarde . . . . Soda dietética

Cena . . . . Lasagna, ensalada con aderezo de queso azul, panecillo, pastel de limón, té sin endulzar (dejé un poco de cada cosa)

Noche . . . . Rebanada que quedó del pastel de limón, café descafeinado

Día dos

Desayuno . . . . . Rosquilla de canela, café con crema

Almuerzo . . . . . . Sándwich (Pan francés, carne fría, lechuga, tomate, mayonesa), bolsita de papitas a la barbacoa, galletitas de mantequilla (cinco en total, partidas en varios pedacitos y saboreadas), soda dietética (como siempre, la comida que quedó en el plato parecía como que había sido disecada).

Cena . . . . Guiso al horno de brócoli con pollo, calabacitas, panecillo, unos cuantos bocados de pastel de pecanas, té sin endulzar (escogí y me comí lo mejor)

Noche . . . . Pequeño plato de cereal o bebida con gusto a fruta

Día tres

Desayuno . . . . . Cereal con leche, café con crema

Almuerzo . . . . . Hamburguesa con todo, unas cuantas papas fritas con salsa ketchup, bizcocho de chocolate, soda dietética

Cena . . . . Asado, la porción más deliciosa de una papa asada con mantequilla y crema agria, ensalada con aderezo de queso azul, pan, pastel de pecana, leche (2 por ciento)

Noche . . . . no tenía hambre—no pensé en la comida

Ilustración 8-4: Muestra del menú de Gwen, para tres días. Las cantidades que usa varían según el hambre que tiene. No la use como guía para su propia alimentación. Los miles en Weigh Down[†] han comido algo diferente y han rebajado de peso. Use su propio apetito y preferencias para seleccionar sus cantidades y menús.

intereses financieros creados al afirmar ciertos descubrimientos, así que sea exacto con su volumen de alimento y no sea demasiado optimista cuando escucha alguna afirmación relacionada con algún alimento.

En conclusión, su cuerpo fue hecho con inmensa sabiduría. Principalmente necesita saber *cuánta* comida necesita. Esa es la principal sensibilidad que lleva a la buena salud. Lo que usted necesita se superpone tanto en cada grupo de alimentos que lo que come no es complicado ni algo de lo cual *preocuparse*. Es algo universalmente aceptado que la comida para el desayuno sea distinta de las comidas para el almuerzo y cena en el curso de un día. Esta aceptación popular de la variedad demuestra que Dios ha programado nuestros sistemas para recibir retroalimentación biológica que nos indica que variemos, aun dentro de un período de veinticuatro horas.

No hay «alimentos accionadores» ni comidas capaces de controlarlo a usted. Tiene la libertad de comer comida regular por el resto de su vida. Usted estará al mando y comerá una variedad de cosas. Si no está convencido, haga este pequeño experimento.

Trate de comer chocolate para el desayuno, almuerzo y cena durante varios días corridos. Coma chocolate para el desayuno mientras los demás comen pan con mantequilla, huevos y tocino. Ahora, la próxima vez que tiene hambre usted puede comer chocolate mientras todos los demás a la mesa comen hamburguesas y papas fritas bien saladitas. Para la cena, vuelva a comer chocolate mientras todos están comiendo ensalada con un rico aderezo y salmón a la plancha. En mis años de asesoramiento, no he conocido a nadie que pueda comer únicamente chocolate durante tres días corridos. En esas circunstancias, hasta pensar en chocolate le dará nauseas (retroalimentación biológica), tendrá diarrea (la manera como el cuerpo trata de protegerle), y lo más probable es que pasen semanas antes de que quiera volver a probar chocolate (retroalimentación biológica para protegerle). ¡Despiértese y use su nuevo control interno! ¡Usted puede hacerlo!

Para darle una mejor idea sobre la variedad de alimentos que tenemos la libertad de disfrutar, he incluido un menú mío típico para tres días. Veáse la ilustración 8-4.

Recuerde, está usted libre de las reglas hechas por el hombre. Así que no tiene que seguir este menú que es solo un ejemplo. Dios puede haberlo creado para que desee algo totalmente diferente. Piénselo: si nos hubiera creado a todos con los mismos gustos en comida, nuestra comida favorita pronto se acabaría. ¿No es Él un genio?

Dios tuvo la intención de que disfrutáramos de todos los alimentos. A mí me encanta tanto el brócoli como los helados, y no me siento culpable por lo que sea que mi cuerpo desea. He estado comiendo de esta manera desde 1978 y gozo de perfecta salud, con uñas duras y cabello sano, y todo por seguir el ingenioso plan de Dios.

Existe mucha confusión en cuanto a lo que nos brinda una salud y longevidad óptimas. No muchos pueden poner en tela de juicio el hecho que el factor que incide más sobre la muerte prematura o el envejecimiento acelerado es comer demasiado. La medicina ha avanzado en muchas áreas de tratamiento de ciertas enfermedades y, no obstante, se ha quedado atrás en otras. Hemos de usar cautela ante las nuevas afirmaciones sin fundamento sobre los alimentos y su relación con la curación de enfermedades. Una cosa es segura: ir a Dios siempre es bueno.

Es interesante notar que cuando las personas acudían para ser sanadas de ciertas enfermedades en el Antiguo y Nuevo Testamento, nunca había un común denominador de lo *que* se hacía (bañarse siete veces en el río Jordán, una pasta de barro y saliva puesta en los ojos, tocar el borde de la ropa de Jesús, etc.), más bien, el común denominador era siempre que todos acudían al Padre. Tenemos que hacer lo mismo.

Cómo detenerse
cuando está lleno

Para empezar, ¿cuál es la definición de *lleno*? Antes, nunca terminaba de llenarme. Parecía que podía comer todo el día y no llenarme. Sé que un poco llena quería decir que tenía que quitarme el cinturón, moderadamente llena significaba que tenía que quitarme toda la ropa y ponerme la bata, y dolorosamente llena significaba que la única posición en que podía estar era la horizontal. Esas son las sensaciones de estar lleno, ¿no es cierto? Bueno, ya no. Estar lleno o satisfecho es una sensación sutil. De hecho, cuando se está llenando y todavía puede doblarse y levantar la servilleta del suelo sin perder toda la comida, ¡puede estar seguro de que no está demasiado lleno! También es una buena señal cuando se puede dejar la ropa puesta, ¡especialmente el cinturón! Si le parece que está teniendo problemas con pasarse de la sensación sutil de estar lleno, quizá pueda aprovechar algunos consejos.

El mejor consejo es que coma *más despacio* hasta que el deseo de su corazón haya cambiado de manera que le resulte repulsivo y demasiado doloroso seguir comiendo después de

quedar lleno. La costumbre de comer rápido se fue desarro-
llando a medida que se sentía más atraído al refrigerador. No
les lleva mucho tiempo a los amantes de la comida aprender
que cuanto más rápidamente comen, más comida pueden ingerir antes de que les duela demasiado. Esta es una opción.
Recuerde, si está teniendo problemas con tratar de parar de
comer, quizá sea porque se ha pasado años obedeciendo a la
comida. Este es el momento de cambiar completamente esa
conducta y tomar control sobre los alimentos.

Para aprender cómo ir más despacio, observemos primero *por qué* debemos hacerlo. Parece que muchos de nosotros
hemos tenido malos ejemplos en cuanto a cómo hemos de

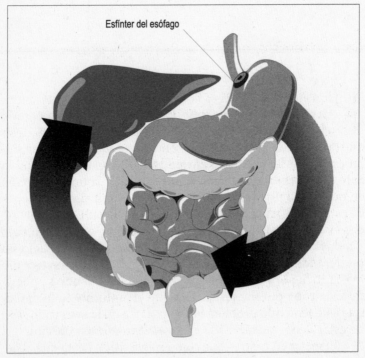

*Ilustración 9-1: La comida que se ingiere tarda aproximadamente de diez a veinte minutos
para que entre a la sangre en forma de glucosa y «apague» la sensación de hambre.*

comer. Una comida promedio se consume dentro de tres minutos. Sigamos a la comida a lo largo del aparato digestivo y veamos lo que sucede cuando comemos con demasiada prisa.

Aquí están las paradas principales que hace la comida en camino a la sangre. Primero, baja por su esófago. Al tragar, dos juegos de músculos empujan el alimento hacia abajo (movimiento peristáltico). Esto se parece a las ondas que se ven cuando una víbora come. En la base del esófago y estómago hay esfínteres. El esfínter es un aro circular de músculos que se puede cerrar apretadamente. El esfínter del esófago regula el paso de la comida por la parte superior del aparato digestivo.

Si come usted con demasiada prisa, puede sobrepasarse de lleno porque la comida no ha tenido el tiempo suficiente para ser digerida y entrar en la sangre. Así que vaya más despacio. Saboree su comida mordisco por mordisco.

Otro problema que puede tener ocurre cuando come únicamente alimentos sólidos a la hora de comer y después toma líquidos. Tenga presente que sus alimentos tienen que diluirse con agua antes de que el estómago pueda digerirlos. Entre más alimentos sólidos come, más agua necesita el estómago. Este líquido puede proceder de la sangre o su mecanismo que produce sed puede hacerle beber más líquidos.

La conclusión es que usted necesita tomar o sorber entre bocados. Esto realmente ayuda a impedir que se llene demasiado. Necesita saber que los alimentos grasos flotarán a la parte superior de su estómago, y su presencia demorará la digestión. Pasan aproximadamente veinte minutos antes de que el cerebro detecte la reposición de azúcar en la sangre, pero la persona delgada habilidosa notará cuando la bolsa estomacal está llena y cuando ha disminuido su sensibilidad al sabor de la comida.

Cuando desarrolle usted su habilidad de reconocer la sensación de estar lleno y de detenerse cuando lo está, si lo desea, podrá comer más rápido. Aprenderá a reconocer cuando se está llenando aun si come algo ligero. Nuestra meta no es

hacerle comer más despacio, sino ayudarle a que no se atibo-
rre. Una vez que haya desaparecido la gula, no nos importa lo
que usted coma. ¡Eso es cuestión suya!

¿Qué pasa cuando se atraca de comida? Tiene indigestión o
ardor estomacal o reflujos ácidos al esófago. Como ya lo hemos
dicho, bajo condiciones normales, la comida sigue en el estómago hasta que alcanza un pH de 1,5. Esto es muy ácido, como el
ácido de una batería. Luego empieza a vaciarse. La comida va
pasando del estómago al intestino delgado. Cuando sobrecarga
usted su estómago por comer demasiado ligero, su cuerpo no
puede fabricar suficiente neutralizante para contrarrestar el ácido extra que el estómago produce para digerir la comida extra.
Es por eso que los que comen demasiado tienen úlceras en el
duodeno y ardor en el esófago. El alimento ácido literalmente
refluye por las dos puntas del estómago, causando dolor. ¡La
mayoría de los que fielmente empiezan el Curso Weigh Down[†]
nunca vuelven a sentir el dolor asociado con el comer!

Luego, las partículas pequeñas, desmenuzadas, se desplazan a través de los vasos hacia el hígado. El hígado es una
fábrica de productos químicos capaz de transformar lo que
usted come en sustancias que su cuerpo necesita. Si acaso traga vestigios de una sustancia química que a su cuerpo no le
gusta, como ser, un pesticida, el hígado lo atrapa y descompone, impidiendo que entre en el flujo normal de sangre o que le
dañe el hígado. Pero las partículas de alimentos utilizables
son pasadas por el hígado al corazón, donde son bombeados a
todo el cuerpo.

Una vez que las partículas de alimentos entran en la sangre, tiene la sensación de estar lleno y satisfecho. Su estómago
puede sentirse lleno cinco minutos después de una comida rápida, pero la sensación de auténtica satisfacción, que se deriva
de los alimentos nutritivos al entrar en el sistema circulatorio
normal, lleva otros diez minutos.

Los niños digieren alimento con mucha más rapidez que
los adultos y quieren jugar enseguida de haber comido. Está
bien. Déjelos que lo hagan. Pero cuando el adulto come

demasiado, siente letargo. Sangre y agua corren al estómago para digerir la gran cantidad de comida. Esto deja menos sangre para el cerebro y otras partes del cuerpo. Se requiere mucha energía para digerir una comida abundante, especialmente después de haber comido demasiado, ya que la comida tiene que ser convertida en gordura y despachada a las caderas.

No estés con los bebedores de vino,
ni con los comedores de carne;
Porque el bebedor y el comilón empobrecerán,
Y el sueño hará vestir vestidos rotos (Proverbios 23.20,21).
Si come cantidades más pequeñas, no tendrá este problema. Sentirá menos ardores, menos úlceras y más energía.

Aumento del apetito fisiológico debido a cambios hormonales

Desafortunadamente, el aumento de apetito asociado con el ciclo menstrual de la mujer se ha exagerado muchísimo al punto que, para algunos, no es más que una invitación a la gula. Sí, el cuerpo tiene un poquito más de apetito al prepararse a encarar la concepción. Pero, lo que la mayoría no sabe es que en cuanto el cuerpo no concibe y empieza a menstruar, el apetito de la mujer vuelve a bajar en proporción a lo que aumentó. ¡Este bajar del apetito es lo que nadie parece captar! Las emociones son un poco más sensibles en algunas etapas del ciclo mensual, pero la mujer no debe correr a comer. No queremos tener más gulas emocionales.

Sugerencias para ir más despacio

1. Ore a Dios pidiendo que le ayude a ir más despacio y vea lo que sucede. ¡Se sorprenderá!
2. Trate de detenerse en medio de la comida durante uno o dos minutos. Dé a la comida tiempo para llegar a la sangre y sentirse realmente satisfecho.
3. Trate de tomar unos traguitos de jugo de naranja o bebida dulce antes de empezar. Si siente un hambre

voraz, ¡quizá tema que no podrá parar! Tomar un poco de jugo antes de comer, aumentará enseguida el azúcar en la sangre lo suficiente como para tener un efecto tranquilizante que le deja acercarse a la comida con más control. Esto ha ayudado a algunos.

4. Trate de levantar la vista al comer. Disfrute de la compañía. ¿Ha estado alguna vez en una cena donde lo único que veía era la parte de arriba de la cabeza de los comensales porque no le quitaban la vista a sus platos? Eso demuestra un gran cariño y afecto por ese plato de comida. ¡Divórciese de esa comida! Siéntese derecho, hable con los demás, tenga una conversación amable y pregúnteles a los chicos cómo les fue en la escuela. Esa es la propia esencia de la cena familiar, tener la oportunidad de pasar un momento juntos interactuando los unos con los otros.

5. Pruebe usar un tenedor. En la actualidad, el norteamericano raramente usa cubiertos. Fíjese lo que es un día típico en este país. Uno se levanta y toma un vaso de jugo de naranja y una galleta. A media mañana, toma un café. Al mediodía se come un sandwich y papitas. De tarde, se come una manzana. Para la cena, come pizza. ¿Se da cuenta que no ha usado ni un tenedor en todo el día? Pruebe volver a usar los cubiertos, aun con algo que tradicionalmente se come con la mano. Corte la pizza. Es mucho más pulcro y podrá usted comer bocados más pequeños. Eso le hará ir más despacio.

6. Trate de tomar unos sorbos entre bocados. Esto le dará tiempo entre cada bocado y evitará que amontone el próximo bocado encima del que acaba de saborear.

7. Procure tomar bocados más pequeños. Esto le hará andar más despacio, y el postre no habrá sido engullido en cuatro bocados. Lo repetimos, como lo mencionáramos al hablar de los tenedores, esto le permitirá saborear la comida por más tiempo. Una de las maneras

más fáciles de tomar bocados más pequeños es cortar la comida en trozos. Por ejemplo puede partir las papitas o galletitas en bocados más pequeños en lugar de ponerse una entera en la boca. Procure cortar en pedazos los sándwiches y la pizza.

8. Quítese la comida de enfrente en cuanto sospecha que está cómodamente lleno. Cubra el plato con su servilleta, retire el plato o, mejor aún, levántese de la mesa y vaya a otra habitación y ore a Dios pidiéndole que le quite el deseo de comer otro bocado. Déle unos minutos y Él contestará la oración. A veces contestará antes de que termine de orar. Él puede rescatarlo.

Comer más despacio puede ayudarle a percibir cuando su estómago se está llenando. El alimento entrando en la sangre enviará señales al hipotálamo para que apague las señales del apetito. La salivación disminuye, como lo hace la producción de ácido estomacal, el sentido del olfato y la agudeza de las papilas gustativas.

Proverbios 27.7 dice: «El hombre saciado desprecia el panal de miel; pero al hambriento todo lo amargo es dulce».

Ilustración 9-2: Trate de levantar la cabeza cuando come, mire a su alrededor y hable con los demás que están a la mesa. Muestre menos afecto por la comida. Ya no es su amor.

Refleja la ley de menor reembolso de capital. Cuando uno tiene mucho apetito, Dios hace que la lengua se deleite en el gusto de la comida. Al llegar al punto en que su cuerpo está recibiendo bastante alimento (lleno), Dios hace que sus papilas gustativas pierdan interés en el gusto de la comida, ¡aun de lo dulce! El propósito es frenar la conducta relacionada con el comer. Si sigue practicando, mejorará en su habilidad de reconocer la diferencia entre estar demasiado lleno y cómodamente lleno.

En el caso de que todavía está librando la batalla de «Pero mi boca quiere todavía más», trate de ser original. Por ejemplo, está comiendo su almuerzo: un sandwich submarino en un rico pan con semillitas de sésamo arriba. Tiene la sensación de que ya no tiene apetito, pero siente un poco de ganas de seguir comiendo. Empiece a disecar el sándwich. Sáquele trocitos pequeñitos de la carne que más le gusta, o el queso que más le gusta, o el sabroso pimiento o aceituna. Saboree lentamente cada trocito, tomando sorbos de líquido entre bocados y sirviéndose una o dos semillitas de sésamo entre medio. Todavía estará en compañía de otros, pero no estará en realidad consumiendo mucha comida. También, estará comiendo probaditas hasta que su señal de «el azúcar en la sangre en lleno» le indica claramente que ya recibió lo suficiente. Entonces será más fácil descartar lo restante o guardarlo para la próxima comida.

Si está comiendo postre, haga lo mismo. Raspe apenas el borde del pastel de merengue de limón con su tenedor y saboree una pequeña cantidad. Mordisquee los bordes de su galleta favorita. Deje que las finas rebanadas de chocolate se derritan en su boca.

Si sale a comer a un restaurante, siempre le puede pedir al mesero al principio de la comida, que le traiga un envase para llevarse las sobras. Cuando le sirva la comida, inmediatamente coloque la mitad en el envase. De esta manera se está quitando la tentación de la vista.

Permítame sugerirle otra idea. Usted está en casa comiendo con la familia. A la mitad de su porción del guiso siente la sensación de que ya no tiene hambre. A veces sucederá cuando solo quedan uno o dos bocados. No se lleve estos últimos bocados a la boca. En cambio, pruebe lo siguiente. Póngase de pie y retírese de la mesa un momento. Vea si alguien quiere algo para tomar. Esta interrupción le da tiempo para que su «azúcar en la sangre en lleno» se registre claramente de modo que puede volver a la mesa después de unos minutos y sentir la sensación de satisfacción que da la nutrición que llegó a la sangre. Ahora le será más fácil darle las sobras al perro.

Dicho sea de paso, Dios hizo a los perros para que les gusten las sobras de los seres humanos, quizá para que nosotros no tengamos tanta basura. Tengo animales más saludables por poner en práctica esta idea que, además, ahorra dinero. A los perros y los gatos les encanta. Si su perro se concentra en la comida, bríndele afecto en lugar de comida cada vez que quiere más de la que necesita, y el perro perderá el interés en ella. El mismo principio rige en los seres humanos, ¡y es mejor que comida dietética canina!

Cómo dejar de atracarse o de purgarse

En primer lugar, comprenda que no tiene una enfermedad y que no es fisiológicamente adicto a los alimentos específicos con que se excede. Por ejemplo, algunos asesores dietéticos quieren hacerle creer que comer un simple carbohidrato accionará un atracón incontrolable. Eso no es cierto.

Pero existen adicciones. Se ha creído todos estos años que adicciones como tabaco, alcohol, drogas o cafeína son *únicamente* fisiológicas y sicológicas. Es un hecho que el alcohólico a veces tendrá delírium tremens cuando le falta el alcohol. Pero reconsidere un momento. El cuerpo compensa lo mejor que puede para acomodar el monóxido de carbono o la comida extra o cualquier otra cosa perjudicial. Pero al cuerpo le gusta dar marcha atrás a los hábitos dañinos. En otras palabras, sus pulmones no quieren fumar. Sus caderas no quieren más gordura. El hígado no quiere más alcohol.

Proponemos más bien, que la mayor parte de la adicción es una adicción del corazón o espiritual. Las desintoxicaciones son, igualmente, el producto de la separación que su corazón siente del amor a la sustancia. Es lo mismo que tratar de sacar a un infante de quince meses de los brazos de su madre. Su espíritu dependiente está adicto al amor a la sustancia, y soltar la comida o el trabajo será realmente duro y emocionalmente difícil a menos que simultáneamente remplace esa dependencia con un aferrarse a Dios. Gente que ha sido adicta a las drogas durante 30 años ha tenido la experiencia de encontrar a Dios y la habilidad de dejar de usar las drogas que la acompañan. En el caso de la comida, creemos que es solo una adicción espiritual. Los años de estar de régimen fomenta el círculo vicioso de «hambre-atracón-purga».

Usted quiere rebajar de peso. Empieza una dieta, privándose tanto de calorías como de las comidas que le gustan. Cuando llega al punto que no aguanta más, se da por vencido y se da un atracón.

La purga es un intento por eliminar de su sistema las calorías que ingirió cuando se dio el atracón o comió algo que «hace mal» o «tiene mucha grasa». Puede purgarse de muchas maneras. Algunos ejemplos son vomitar (bulimia), píldoras diuréticas, laxantes o ejercicio. ¿Se da cuenta que todas estas acciones son el resultado de tratar de arreglar todo? Su camino es destructivo y, con cada paso que toma, se ve forzado a tratar de deshacer lo que acaba de hacer. Y lo que acaba de hacer se suponía que era la solución. ¡Cada paso tomado es peor!

Entonces, ¿cuál *es* la raíz del problema? ¡Es aquello de lo cual su corazón depende! Darse un atracón no es un fenómeno separado. Si ciertas comidas parecen incitar a la gula, en este caso tampoco se trata de una adicción fisiológica, sino una dependencia espiritual de estos alimentos para sentir consuelo y cariño. No es una adicción al azúcar o la grasa. Y purgarse no es una enfermedad u obsesión. Es todo una consecuencia de su gula. Desde esa perspectiva, este es el círculo vicioso:

Siente usted una pasión por la comida en lugar de Dios. Esa pasión por la comida lo lleva a comer demasiado. Comer demasiado lo lleva a pesar de más. Pesar de más lo lleva a ponerse en dieta. Ponerse en dieta no encara el problema de su pasión mal ubicada, y privarse de comida mientras sigue esta dieta explota en un atracón. El sentimiento de culpa que resulta puede llevarlo en dos direcciones:

1. Puede arrepentirse (volverse a Dios), pedirle su ayuda y simplemente esperar hasta que su cuerpo vuelva a vaciarse. Puede sentirse demasiado lleno, y le puede llevar tiempo antes de que vuelva a sentir hambre; pero no se preocupe, no le pasará nada. Tiene que practicar depender de Dios. Si clama usted a Dios, Él le puede dar la paz que necesita y la sensación de dominio propio que usted busca, sin complejo de culpa. En otras palabras, Dios le puede hacer sentir mejor que el purgarse.

2. O puede dejar a un lado a Dios y tratar de corregir por su cuenta el descalabro que ha hecho, y tomar el camino de las purgas. Esta segunda opción obviamente no tiene un final porque no encara ni erradica la raíz de la gula.

La manera de terminar con el círculo vicioso es transferir su pasión por la comida a una pasión por Dios. Lo que la industria dietética ha hecho en este país ha resultado en años y años de privaciones debido a reglas hechas por el hombre. Las privaciones a las que me refiero se expresan en dos formas básicas. Una es privarse de calorías (por ejemplo, contar calorías todos los días) y la otra privarse de una categoría de alimento (por ejemplo, nada de azúcar ni grasas). Privarse de calorías hace que carezca cada vez más de grasas hasta que ya no aguanta más. Entonces, se come todo lo que se puede llevar a la boca.

La segunda área de privación que queremos encarar es abstenerse prolongadamente de ciertos grupos de alimento. Por lo general, las dietas para rebajar de peso eliminan los

dulces y grasas, y algunas eliminan todo tipo de azúcar, harina, etc. Este constante negarse a darle a su cuerpo un alimento
nutritivo que está pidiendo, al final resultará en un atracón.
Las visitas secretas al negocio donde venden caramelos o a la
panadería, descartando a escondidas los envoltorios para que
nadie se dé cuenta, termina haciéndole sentir culpable por haber hecho trampa o engañado; pero las reglas que quebranta
son las del hombre, no de Dios. Así que ese sentimiento de culpa resultante es falso.

Se castiga con un buen y prolongado ayuno (es decir, más
privación) para sacarse las calorías que tiene de más en su sistema. Después de años de purgarse, algunos parecen vomitar
automáticamente después de una comida. Esto es movimiento peristáltico en reversa. No se preocupe por eso: su cuerpo
ahora está confundido, pero volverá al movimiento peristáltico normal que es hacia adelante.

Muchos han pasado años en terapia tratando de combatir
el falso sentimiento de culpa y de tratar su conducta obsesiva.
La conducta obsesiva incluye ejercicio excesivo, dietas con las
que se matan de hambre o consumo de laxantes. Por favor,
tranquilícese. Dios puede ayudarle a superar todo esto.

Bulimia, o purgarse, es lo que llamo trastorno de segunda
generación. Usted vio comer demasiado a su mamá o papá
tratando luego de resolver su problema siguiendo dietas. Pero
engordaron más, así que usted (la próxima generación), inteli-
gentemente dijo: «Las dietas realmente no dan resultado, así
que yo vomitaré (purgar) o tomaré un laxante».

Quiero decirle ahora mismo que usted puede liberarse de
toda esa conducta. No le pongamos una vendita a los síntomas; vayamos directamente a la raíz. El modo de comer que
enseña el Curso Weigh Down † es absolutamente la respuesta
a todo eso. Ambas generaciones optaron por no comer menos.
Esta es la manera de romper el círculo vicioso:

  1. Deje de ponerse en dieta y de matarse de hambre o de
     purgarse para solucionar la gula o el comer demasia-
     do. Sustitúyalos con una manera de vivir basada en

hambre y satisfacción. El resultado no será el de privación al despertarse hoy y saber que en cuanto tiene hambre, podrá comer.

2. Sustituya las ansias de comer con ansias de Dios, y las gulas se acabarán. Como resultado, la bulimia se apaciguará.

Ahora que cuenta con la solución (hambre y satisfacción) ya no será necesario purgarse, y los episodios que le llevan a purgarse irán disminuyendo.

Así que puede ver que el abuso en las comidas no es causado por una «adicción» al azúcar o chocolate. Le estamos diciendo enfáticamente que puede comer usted lo que sea que el cuerpo le pide y que no tiene que determinar nunca más de si un alimento es digno o no. No le tenga miedo a las grasas y los dulces. No es adicto a ellos; los quiere en demasía simplemente porque no se le ha permitido tenerlos desde hace tanto tiempo.

Es como Eva en el Jardín; esos alimentos son fruta prohibida, y tan pronto como se colocan en esa categoría, son exactamente los que a usted más se le antojan. Al volver a probar estos alimentos, no solo aprenderá a comerlos controladamente, sino que muchos de los supuestos «frutos prohibidos» dejarán de atraerle por un tiempo.

Le sobreviene una cierta sensación de paz al saber que cuando le da hambre, usted puede comer esa comida. Una vez más, como se ha dicho anteriormente, su cuerpo tiene una capacidad biológica increíble de responder a la variedad. Una vez que haya tenido suficiente de esa comida en particular, no la volverá a desear por algún tiempo.

Pero no tenga miedo si ese «por un tiempo» se demora más de lo que usted creía. Es posible que haya pasado literalmente años de privaciones que tiene que erradicar. Pronto empezará a sentir que su cuerpo le pide muchos otros alimentos, y puede empezar a comer libremente más variedad.

Consejos para su corazón

Este capítulo es un capítulo difícil porque es un capítulo revelador. Algunos de estos consejos pueden o no ayudarle. Quizá quiera pedirle a Dios que le dé consejos que le ayuden a usted personalmente. Pero si su corazón no quiere parar de comer cuando está lleno y quiere comerse todo lo que hay en el plato y también lo que sobra en los platos de sus hijos, consejos para frenarse no es lo que usted necesita en este momento. Necesita algunos consejos para el corazón.

¿Por qué queremos más de lo que necesitamos? ¿Por qué no hacemos caso a los controles del cuerpo para determinar la cantidad de alimentos que comemos? Creo que la respuesta es bastante fácil. Sentimos la necesidad de cuidarnos porque a nadie más en el mundo le importa cuidarnos. Comemos como si esta fuera la última comida, pensando que es mejor «que aprovechemos mientras podemos». Quizá no estamos seguros de que creemos que haya un Dios, especialmente un Padre/Creador amante. No conocemos la personalidad de Dios lo suficiente como para saber que le gusta la rica comida que a nosotros nos gusta. Quiere que probemos y disfrutemos durante toda la vida de toda clase alimentos, especialmente los postres. Pero quiere ser Él quien provee o quien nos consiente. No obstante, nos consentimos tanto a nosotros mismos que no le damos la oportunidad a Él. Él quiere que esperemos a tener hambre para poder deleitarnos con los manjares más ricos para la cena, pero no podemos, porque ya nos preparamos unos bizcochitos de chocolate y nos pasamos la tarde comiéndolos. Decidimos dar rienda suelta a nuestro antojo, los cocinamos y los comimos. Marginamos a Dios cuando nos llama a esperarlo o a buscarlo.

Esta actitud no es nada nuevo; los israelitas hicieron lo mismo cuando se impacientaron porque Moisés demoraba en traer las leyes de Dios.

Viendo el pueblo que Moisés tardaba en descender del monte, se acercaron entonces a Aarón, y le dijeron:

Levántate, haznos dioses que vayan delante de nosotros; porque a este Moisés, el varón que nos sacó de la tierra de Egipto, no sabemos qué le haya acontecido.

Y Aarón les dijo: apartad los zarcillos de oro que están en las orejas de vuestras mujeres, de vuestros hijos y de vuestras hijas, y traédmelos. Entonces todo el pueblo apartó los zarcillos de oro que tenían en sus orejas, y los trajeron a Aarón; y él los tomó de las manos de ellos, y le dio forma con buril, e hizo de ello un becerro de fundición. Entonces dijeron: Israel, estos son tus dioses, que te sacaron de la tierra de Egipto (Éxodo 32.1-4).

Los israelitas, a pesar de ver todas las maneras como Dios les había proporcionado todo lo que necesitaban, crearon un dios falso al cual se volvieron en busca de consuelo, para gran desconsuelo de ellos.

Y lo que es más, ¡nunca alcanzamos a darle gracias porque: «Ya resolvimos todo»! Es como si dijéramos que no necesitamos a Dios. Me moriría ahora mismo si mis hijos me dijeran que ya no me necesitan. Me encanta que me necesiten, y a Dios le encanta también. ¡La ironía es que estamos desesperados por Él y su mano cariñosa, generosa y guiadora, y casi ni nos damos cuenta de ello!

¡Si su corazón al menos supiera que Dios va a permitirle tener hambre y que volverá a darle de comer! Él es un gran pastor a quien le encanta alimentar física y espiritualmente a sus ovejas. De hecho, la figura de un pastor es la de alguien que se pasa todo el día buscando el mejor lugar para pastar a sus ovejas. Espere en Él para guiarle sobre cuándo empezar a comer y cuándo dejar de hacerlo. Créale cuando dice: «Pero sin fe es imposible agradar a Dios; porque es necesario que el que se acerca a Dios crea que le hay, y que es *galardonador* de los que le buscan» (Hebreos 11.6). Tiene usted que llegar a saber lo bueno que será con usted si lo busca. Si obedece a Dios y no se abusa de la comida, habrá una recompensa para usted. Llamamos *joyas* a esas pequeñas recompensas de Dios. Así que, corazón, ¡alégrate! ¡Siempre habrá una joya esperándote si paras de comer cuando estás lleno! Una de las tareas más importantes que le asigna Weigh Down^{t} es buscar y encontrar las joyas que Dios te ha dado.

Queremos recalcar la importancia de dejar de comer a las primeras señales de estar fisiológicamente lleno. Pero si su corazón anhelante sigue ansioso, el alimento no lo satisfará. Sería maravilloso terminar cada cena dando una vuelta a la manzana (solo usted y el Señor). Entréguele su corazón quebrantado y sus problemas. Él los compondrá. Sencillamente obedézcale con su comida.

Ore pidiendo que su *deseo* de comer sea menos. Es todo una cuestión de su corazón. Si su corazón pierde su deseo de alimentos, comer despacio será fácil, y llenarse más de la cuenta será una imposibilidad.

Cómo comer papitas fritas
y chocolate

Somos la sal de la tierra, según Mateo 5.13. Esto, antes era un cumplido. Significaba que agregábamos sabor y mejorábamos el mundo que nos rodea. Ahora que esa sal ha estado en la lista de prohibiciones en las últimas dos décadas, ese pasaje ha perdido su significado. Bueno, a esta altura, probablemente ya se ha dado cuenta lo que pienso de la sal. Doy gracias al buen Señor en las alturas por la creación espectacular que es el cloruro de sodio o sal de mesa. Me encanta la sal. Las vacas se acercan a los salegares, y los animales usan los salegares todo el verano.

De vez en cuando se me antoja la sal. Lo que hago es comerme unas tostaditas con una salsa de tomate. Levanto cada tostadita y la pongo contra la luz para ver si brilla. Si brilla, esa tostadita está cubierta de mucha sal. Antes hacía esto en el restaurante cuando nadie miraba. ¡Ahora no me importa! Después de examinar varias tostaditas, por lo general encuentro una. ¡Magnífico! Ahora la meto en la salsa y, en ocasiones, le echo más sal encima. ¡Oh, qué divertido es con una soda dietética entre bocados! Soy de esas que las remoja dos veces. Tengo que tener mi propio platito de salsa porque nunca me como una tostadita entera de un bocado. Simplemente como pequeños pero perfectos bocaditos. A veces me lleno tanto con este aperitivo que apenas puedo comer unos solos bocados de la quesadilla de pollo con crema agria y guacamole (aguacate o palta) en cada bocado.

Tiene que tener conciencia de lo que se le antoja. Si se le antoja la sal, por favor no se coma montones de tostaditas sin sal o con poca sal para encontrar su sal. Compre las tostadas más saladas. Lo siento por los fabricantes de alimentos. Justamente cuando han cambiado las líneas de producción para reducir el contenido de la sal y las grasas, la gente como nosotros vuelve a poner de moda la sal y las grasas, ¡y el consumidor demanda que el fabricante vuelva a cambiar la receta!

Mientras coma cuando tiene hambre y deje de comer cuando está lleno y tenga riñones saludables (su función es eliminar la sal extra del cuerpo), su presión arterial normalmente no se verá afectada por la sal de mesa (NaCl). Los médicos tuvieron que quitar el azúcar, la sal y la grasa de la típica dieta del norteamericano por los volúmenes, siempre en aumento, de comida que ingeríamos. Para satisfacer el deseo del norteamericano de tragar más comida sin aumentar sus calorías, los fabricantes de alimentos tuvieron que quitarles casi todo menos la fibra y el aire. Cuando uno pesa de más, es más difícil que los riñones funcionen correctamente y que la sangre circule, debido a la presión de las capas de gordura que los rodea. Esto se aplica especialmente cuando la persona que pesa de más permanece mucho rato sentado. La posición sentada inhibe el flujo de sangre en el que pesa demasiado. Puede ser que la sal se acumule en la sangre y salga de los vasos entremedio de las células. A esto le sigue la retención de fluidos lo cual causa edema. ¡Ahora que estamos siendo razonables en cuanto al volumen que tragamos, la selección del contenido puede ser rica y deliciosa!

¿Qué de los dulces? Asegúrese de realmente calificar los dulces que come. Compre solo lo mejor. Para ayudarle a volver a aprender a comer cosas dulces, vamos a empezar con chocolatines en pequeñas unidades. Un buen ejemplo de chocolate ya en pequeñas unidades son los «M&M». Ahora bien, en lugar de romper la parte superior del paquete y luego tirar para atrás la cabeza y engullirse todos los «M&M» de una vez, rompa la parte superior del paquete, introduzca en él su dedo y vaya sacando uno a la vez. Por supuesto, es posible que se le resbale y tenga que empezar de nuevo. A lo mejor saca uno del color que menos le guste y tiene que regresarlo al montón y empezar de nuevo.

Ilustración 10-1: Deje que las «M&M's» se derritan en su boca y no en su estómago. ¡Su estómago no tiene capacidad para saborear!

(Recuerde. Tiene que calificar los alimentos.) Pero estoy segura que tarde o temprano se las arreglará para tener en la mano un «M&M».

Ahora tiene que ponerse uno solo en la boca y dejar que se derrita allí y no en el estómago. El estómago no percibe los gustos. Yo tengo un verdadero ritual con cada «M&M». Lo dejo sobre la lengua hasta que el recubrimiento de caramelo se haya derretido. Entonces cuando siento que está bien delgadito, aplasto la capa exterior con el paladar y sale todo el chocolate derretido. Por supuesto, tomo sorbos de algo caliente entre los bocados de casi todos los dulces que como. Mi café con leche entero realmente ayuda a sacarme el gusto demasiado dulce, y luego estoy lista para otro «M&M». ¡No se comen muchos «M&M» de esta manera! A veces cinco o seis satisfacen. Siga practicando con pequeñas unidades al final de una comida.

En la mayor parte del mundo (y probablemente en todas las poblaciones del mundo) ofrecen postre al final de la comida. Dios creó al hombre para que le gustara esto, de otra manera ¿cómo se explica que tantas diversas poblaciones hagan lo mismo? Me he fijado en cuáles son mis propios antojos cuando estoy por terminar la comida. Me asalta este sentimiento: «*Ya casi termino, así que denme mi postre o dulce*». El postre simplemente indica el final del comer. Me tranquiliza y concluye la actividad de comer. Mis porciones son pequeñas y tomo bocados pequeños, saboreando cada bocado, y tomo líquido entre bocados. ¡Qué rico! Pero dejo de comer cuando estoy sutilmente llena.

Si usted sigue teniendo problemas con el irresistible magnetismo de las cosas saladas y dulces, persevere. La Fase II le ayudará a cambiar eso totalmente. Al abrir cada página de la Fase II, Dios le hará encarar algunas cosas difíciles acerca de usted mismo. No tema, porque verá que no será con aprensión sino casi con entusiasmo que progresivamente habrá de lograr esta transferencia de amor por la comida ¡al amor por Dios!

FASE II

Ciertamente he visto la aflicción de mi pueblo que está en Egipto, y he oído su gemido, y he descendido para librarlos.

—Hechos 7.34

Salga de Egipto

Pero he aquí que yo la atraeré y la llevaré
al desierto, y hablaré a su corazón.
(Dios hablando a los hijos de Israel, Oseas 2.14)

Está comenzando usted la Fase II de este camino. En esta segunda fase saldrá de Egipto y entrará en el Desierto de la Prueba. Espero darle pautas que lo protegerán de los peligros, de las tormentas en el desierto y de los bancos de arena.

Los conceptos que pondré delante suyo son sencillos. Son tan sencillos que desconcertarán a la elite intelectual. La intención de este libro nunca fue ser una explicación erudita y profunda de la Biblia a fin de probar los puntos que han sido borrados por los teólogos durante cientos de años. Tendría que escribir muchos tomos para desarrollar una base lógica de referencias bíblicas a fin de poder probar algo a los polemistas. Esa no es mi intención.

Este libro fue escrito para quienes quieren aplicar la verdad. El lector que trate de incorporar las verdades expuestas se dará cuenta si son auténticas o no. Este ha sido siempre el barómetro en mi vida: si un principio viene de Dios, dará fruto. Le dará una paz virtualmente libre de enojo, y lo liberará de conductas compulsivas. Terminará por sentir una naturaleza profunda, cariñosa saturando su alma, en contraste con una naturaleza poco cariñosa en la raíz y base de su alma.

Busque el fruto

Algunos disfrutan de debates y discusiones intelectuales. Pero la Biblia afirma que debemos apartarnos de las argumentaciones y buscar los frutos de la enseñanza. El ciego que recibió la vista y el cojo que recibió la habilidad de caminar fueron evidencias que Jesús usó para demostrar que el Dios Todopoderoso estaba detrás de todo lo que Él hacía. De la misma manera, el fruto que se encuentra en las vidas de otros, que proviene de adoptar estos novedosos y eternos principios, es la única referencia o recomendación que usamos en el Curso Weigh Down^{t}. «Guardaos de los falsos profetas, que vienen a vosotros con vestidos de ovejas, pero por dentro son lobos rapaces. Por sus frutos los conoceréis. ¿Acaso se recogen uvas de los espinos, o hijos de los abrojos? Así, todo buen árbol da buenos frutos, pero el árbol malo da frutos malos» (Mateo 7.15-17).

Si decide probar lo que sugerimos, sabrá inmediatamente si es verdad o no. Por otro lado, hay quienes no quieren encontrar a Dios. Discutirán la validez de los frutos obvios y extraordinarios de liberación y cambio en la vida de las personas en el Curso Weigh Down^{t}. Permanezca concentrado en los resultados.

Jesús dio vista a los ciegos, y los maestros de la Biblia de aquel tiempo seguían discutiendo que el mensaje no provenía de Dios.

Jesús les respondió y dijo: Mi doctrina no es mía, sino de aquel que me envió. El que quiera hacer la voluntad de dios, conocerá si la doctrina es de Dios, o si yo hablo por mi propia cuenta (Juan 7.16,17).

La mayoría de los que hemos vivido bastante tiempo como
para saber que si uno ha sido liberado de conductas compulsivas, ahora «entiende» (era ciego, pero ahora ve) y de pronto
lee el Antiguo y Nuevo Testamento con entendimiento, seguramente Dios tiene algo que ver en el asunto. En otras palabras, la mayoría reconoce que tiene que ser atribuido a las verdades de Dios, porque solo Dios pudo haberles salvado de
una gula, dependencia de alguna droga y depresión enclava-
das. Estas no son cuestiones triviales. Estamos hablando de
prisioneros que han roto sus cadenas, cautivos que han sido liberados, corazones destrozados que ninguna operación de
«bypass» hubiera podido remediar, siendo restaurados. Esto
es más grande que la caída del muro de Berlín. Sería muy difícil que este tipo de rescate no se supiera en todo el mundo.

Sí, el rescate viene de Dios, y el rescatador, Jesús, fue
anunciado por Isaías cientos de años antes de que Jesús cami-
nara sobre esta tierra.

El espíritu de Jehová el Señor está sobre mí, porque me
ungió Jehová; me ha enviado a predicar buenas nuevas a
los abatidos, a vendar a los quebrantados de corazón, a
publicar libertad a los cautivos, y a los presos apertura de
la cárcel; a proclamar el año de la buena voluntad de Jehová, y el día de venganza del Dios nuestro; a consolar a todos los enlutados; a ordenar que a los afligidos de Sion se
les dé gloria en lugar de ceniza, óleo de gozo en lugar de
luto, manto de alegría en lugar del espíritu angustiado; y
serán llamados árboles de justicia, plantío de Jehová, para
gloria suya (Isaías 61.1-3).

¡Qué hermosa descripción de lo que le está sucediendo a usted
ahora mismo! Observe el fruto en su vida por vivir estas verdades, o simplemente observe dónde se encontraba antes y
hasta dónde ha llegado ahora. Acaba de ser liberado de las garras del poderoso Faraón, y ha sido conducido por la mano de
Dios al cruzar el mar Rojo. Muchos han probado todo con el
fin de escapar de la prisión de las dietas y el dolor de pesar demasiado y ahora se unen a un gran éxodo de personas que

finalmente se vuelven a Dios para que los rescate con su poder.

Así como los israelitas fueron liberados de Egipto, usted
acaba de ser liberado para amar a Dios en lugar del refrigerador o la alacena. Acaba de ser liberado del trabajo de fabricar
ladrillos para Faraón (estando en dieta, contando gramos de
grasas, haciendo ejercicios obligados, tomando píldoras, ayunos líquidos, alimentos que no quiere comer, siempre pesándose, vistiendo ropa que no le queda bien, sufriendo el desprecio de los hombres, _____ llene usted el
espacio en blanco). Lo emocionante es que se ha encontrado
haciendo cosas «controladamente» que nunca había hecho antes, como dejar comida en su plato, comer alimentos regulares, olvidar que es hora de almorzar y, a la vez, notarse interesado en aprender más acerca de Dios y comunicándose con Él.
¡Es seguro que ha sido rescatado! Pero este es un viaje. Como
dice la Biblia: «Por tanto, amados míos, como siempre habéis
obedecido, no como en mi presencia solamente, sino mucho
más ahora en mi ausencia, ocupaos en vuestra salvación con
temor y temblor, porque Dios es el que en vosotros produce
así el querer como el hacer, por su buena voluntad» (Filipenses 2.12,13).

Necesitamos seguir ocupándonos de esta salvación, quitarnos la antigua manera de vivir poniéndonos la nueva. Hacer esto requiere su corazón. Tarde o temprano, terminarán
las peores batallas con la comida o lo que sea que está tratando
de superar con la ayuda del Padre.

Como lo hemos descrito, ha sentido ya una diferencia en
que su corazón se siente menos atraído por el refrigerador.
Siente que un día podrá apartarse de su antiguo amor, la comida, y que caerá en los brazos del Padre. Pero tiene una distancia que recorrer antes de llegar al punto en que su corazón
no desee recurrir a la comida para consolarse y deleitarse. En
otras palabras, tiene una distancia que recorrer antes de que
su corazón haya sido profundamente probado. Mi oración
para usted es: «Dios le acompañe al atravesar el Desierto de la

Prueba, camino a la Tierra
Prometida».

Personalmente, no me
encontraba lista para el desierto; no estaba preparada
para las tormentas de arena,
las víboras del desierto y las
altas temperaturas. Espero
que las palabras en estas páginas y en los próximos capítulos de la Fase II faciliten un
poco su camino. ¡A los israelitas les llevó cuarenta años llegar a la Tierra Prometida! Según el mapa, el camino a pie
desde Egipto a la Tierra Prometida debió ser de solo una
o dos semanas. Pero primero
Dios tenía que enseñar algunas lecciones importantes a
los israelitas. Usó el cálido
desierto para despojarlos de
todo a fin de que vieran lo
que había en sus corazones.
Desde Egipto, fueron guiados al Desierto del Sinaí, o lo

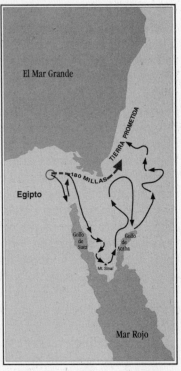

*Ilustración 11-1: Un viaje de dos semanas que
llevó cuarenta años mientras Dios enseñaba a
Israel lo que Él quería que aprendieran.*

que yo llamo el *Desierto de la Prueba*. Los capítulos siguientes
le ayudarán al ir cruzando el desierto. Considere cada capítulo como un oasis tras otro en el desierto, un trago de agua
fresca en su árida senda.

La pasión de Dios por usted

El primer oasis al cual le traeremos es el tema de la pasión de
Dios por usted. Este primer trocito de información es más
como un balde de agua. Es fundamental para poder atravesar

y llegar al otro lado del Desierto de la Prueba. Considérelo como el agua que el camello almacena para ayudarle en las largas jornadas secas en el desierto. Este primer charco de agua es el tema del amor de Dios por usted. Hemos hablado continuamente de la necesidad de que usted ame al Padre pero ¿realmente le ama Él a usted? ¡Sí, poderosamente sí! No permite que los ídolos de usted lo salven, y está esperando pacientemente para salvarle con su poder cuando usted finalmente clame a Él. Luego, Él le ruega e incita a estar a solas con Él en el desierto. En realidad, es romántico.

Por lógica, tiene sentido el que Él nos quiera. Nos hizo y nos ama, así como nos gusta lo que cocinamos más que lo que cocina otro, o así como el hijo «que hicimos» es mejor que los demás chicos. En el mismo sentido, nuestro Hacedor nos quiere a nosotros. Después de todo, Él escogió todo: personalidad, color de cabello, la letra que tenemos al escribir, el color de los ojos, fecha de nacimiento, ambiente, etc. Él sabe qué comida nos gusta y ha estado tratando de demostrarnos su amor, y ha esperado pacientemente que devolvamos su amor. Solo necesitamos abrir los ojos.

Podría nombrar cien pasajes bíblicos que hablan del amor de Dios para nosotros, pero sé que deseamos algo que podamos sentir y tocar para saber que Dios nos ama. Queremos algunas evidencias concretas.

Las imágenes que Dios usa para ilustrar su sentimiento por nosotros son de amplio espectro. Usa padre, madre, Jesús como nuestro hermano y al Espíritu Santo como un consejero. Habla de juntarnos a todos como la gallina pone sus alas alrededor de sus polluelos. Él es el Pastor amable, amante, paciente de las ovejas que dependen de Él. Es el Padre generoso que da al hijo pródigo toda su herencia sin pedirle nada y lo espera con ansias todos los días. Él se interesa por nosotros.

Todas estas son imágenes en que prima el amor. Pero la más emocionante es la imagen de los celos del amante apasionado. Éxodo 34.14 dice: «Porque no te has de inclinar a ningún otro dios, pues Jehová, cuyo nombre es Celoso, Dios celoso es».

Así que Dios es celoso de su atención y amor. ¿Sabe que Dios lo ama personal e individualmente y quiere tener una relación de pacto con usted? Una relación de pacto es como el matrimonio. La palabra *pacto* significa un arreglo hecho por una parte que la otra parte puede aceptar o rechazar pero no alterar. Él se quiere casar con usted; o dicho de otra manera, quiere desposar su corazón y alma. Jesús se refiere a la Iglesia como su novia. Fíjese en la siguiente alegoría en la que Jerusalén (la amada de Dios) es representada, primero como una recién nacida y luego como una amante.

Y en cuanto a tu nacimiento, el día que naciste no fue cortado tu ombligo, ni fuiste lavada con aguas para limpiarte, ni salada con sal, ni fuiste envuelta con fajas. No hubo ojo que se compadeciese de ti para hacerte algo de esto, teniendo de ti misericordia; sino que fuiste arrojada sobre la faz del campo, con menosprecio de tu vida, en el día que naciste.

Yo pasé junto a ti, y te vi sucia en tus sangres, y cuando estabas en tus sangres te dije: ¡Vive! Sí, te dije, cuando estabas en tus sangres: ¡Vive! Te hice multiplicar como la hierba del campo; y creciste y te hiciste grande y llegaste a ser muy hermosa; tus pechos se habían formado, y tu pelo había crecido; pero estabas desnuda y descubierta. Y pasé yo otra vez junto a ti, y te miré, y he aquí que tu tiempo era tiempo de amores; y extendí mi manto sobre ti, y cubrí tu desnudez; y te di juramento y entré en pacto contigo, dice Jehová el Señor, y fuiste mía.

Te lavé con agua, y lavé tus sangres de encima de ti, y te ungí con aceite; y te vestí de bordado, te calcé de tejón, te ceñí de lino y te cubrí de seda. Te atavié con adornos, y puse brazaletes en tus brazos y collar a tu cuello. Puse joyas en tu nariz, y zarcillos en tus orejas, y una hermosa diadema en tu cabeza. Así fuiste adornada de oro y de plata, y tu vestido era de lino fino, seda y bordado; comiste flor de harina de trigo, miel y aceite; y fuiste hermoseada en extremo, prosperaste hasta llegar a reinar. Y salió tu

renombre entre las naciones a causa de tu hermosura;
porque era perfecta, a causa de mi hermosura que yo puse
sobre ti, dice Jehová el Señor (Ezequiel 16.4-14).

Este pasaje no deja ninguna duda de que Dios le ama a usted y
a su Iglesia y quiere tener una relación íntima con usted. Es
como la relación esposo y esposa. Cristo es el novio de la Iglesia, y Él dio su vida por su Novia.

Hay más imágenes. Hemos oído que Dios nos amó tanto
que dio a su único Hijo para morir en la cruz. Lo hemos escuchado con tanta frecuencia que ya poco nos emociona. Pero si
hemos perdido un hijo o conocemos alguien que lo haya perdido, o si personalmente hemos pasado por la experiencia de
un secuestro o visto a un hijo en la sala de emergencia o cama
de hospital, lo sentimos un poco más. Perder un hijo es, por
mucho, la más devastadora de todas las crisis. Es inmenso el
dolor de perder a ese ser en quien hemos invertido nuestro corazón y alma y mente y fuerzas. ¡La idea de que Dios sacrificó
a su propio Hijo por nosotros para que podamos tener una relación de amor con Él es increíble!

Así como el padre ama al hijo más de lo que el hijo ama al
padre, Dios le ama a usted más de lo que lo ama usted a Él. Él lo
amó primero. Fíjese en este pasaje de 1 Juan 4.7-10: «Amados,
amémonos unos a otros; porque el amor es de Dios. Todo aquel
que ama, es nacido de Dios, y conoce a Dios. El que no ama, no
ha conocido a Dios; porque Dios es amor. En esto se mostró el
amor de Dios para con nosotros, en que Dios envió a su Hijo
unigénito al mundo, para que vivamos por Él. En esto consiste
el amor: no en que nosotros hayamos amado a Dios, sino en que
Él nos amó a nosotros, y envió a su Hijo en propiciación por
nuestros pecados». Nos amamos a nosotros mismos, pero amamos aun mas a nuestros hijos. ¿Cuántas veces nos hemos sentado junto a la cama de nuestro niño enfermo y le hemos pedido a
Dios que le quite esa enfermedad o dolencia y nos la ponga en
nuestro propio cuerpo? Preferiríamos morir nosotros a ver morir a nuestro hijo. Dios podía haber mostrado su amor dando su
propio cuerpo, pero es la expresión de un amor más profundo

dar la vida de su hijo para conseguirnos a nosotros. No hay manera más grande de simbolizar cuán profundamente quiere atraernos a sí.

Ejemplos prácticos de la atención y el amor de Dios

Dios nos ama tanto, y no estamos solos. Dios está todo el tiempo aquí con nosotros. Aunque usted pueda creer que está lejos, siempre está en su corazón. Hace poco, al manejar el auto rumbo al trabajo, me preocupaba de que Dios estuviera enojado conmigo o que no estaba «conmigo». Así que le rezongué y le expliqué que yo había guardado mi parte del pacto y que sentía que tenía amor por Él en mi corazón. Era un amor intenso. Así que le pedí algo visible a este Dios invisible: que me mostrara que seguía conmigo y que me amaba. En realidad no se me ocurría nada original para ser la señal de Dios, así que oré y le pedí que sencillamente me hiciera ver un pájaro. Bueno, antes de que las palabras salieran de mi boca, llegué a un buzón por el que pasaba todos los días rumbo al trabajo. Ese día, noté por primera vez la paloma y la palabra «Fe» pintadas en el buzón.

Dios me estaba diciendo que tuviera fe de que me ama. Empecé a llorar al ver qué bueno era al escuchar y contestar mis oraciones tan pronto. Todas las evidencias demuestran que Él está cumpliendo su parte en la relación «matrimonial» de pacto.

Recibir una prueba física edifica nuestra fe. Nunca he visto que Dios se altere cuando le pedimos evidencias de su amor; por otro lado, las Escrituras indican que a Dios no le gusta que los inconversos sigan pidiendo señales como prueba de que existe (Mateo 16.1-4). Qué irritante debe ser eso para Dios. Vemos las estrellas, las obras de sus manos, sus puestas de sol con esquemas de colores distintos cada día y observamos el nacimiento de nueva vida. No obstante, algunos todavía demandan señales milagrosas de la existencia de Dios. ¡Por favor! El autor de Romanos lo dijo así: «Porque la ira de Dios se revela desde el cielo contra toda impiedad e injusticia de los hombres que detienen con injusticia la verdad; porque lo que de Dios se conoce les es manifiesto, pues Dios se lo manifestó. Porque las cosas invisibles de Él, su eterno poder y deidad, se hacen claramente visibles desde la creación del mundo, siendo entendidas por medio de las cosas hechas, de modo que no tienen excusa» (Romanos 1.18-20).

Dios está cansado de dar pruebas en formas tan fantásticas y que todavía le demanden una señal para probar su existencia. Pero al que busca una relación de amor con Dios, Él le brinda lo que sea necesario para que su amado se sienta seguro en su presencia. Pedirle señales de garantía a Dios no es *probar* a Dios: es *buscar* a Dios. Ese es su mandato para nosotros.

Pedirle señales de garantía a Dios no es probar a Dios: es buscar a Dios. Ese es su mandato para nosotros.

Hay quienes piensan: «Claro, eso está bien para usted. Pero Dios no quiere a los "gusanos" como yo». El apóstol Pablo mató y puso en la cárcel a muchos. Pero se acercó al Padre y luego llegó a ser una de las personas favoritas de Dios. La mujer samaritana junto al pozo (Juan 4.4-28) había estado casada cinco veces y vivía con un sexto hombre; no obstante, Jesús le tuvo compasión. Avíseme si usted ha hecho algo peor que asesinar a mucha gente o si ya anda por su séptimo matrimonio. No puede usted arruinar tanto su vida como para frenar el amor que Dios le tiene.

En mis cursos, les digo a los que se sienten deprimidos o rechazados o separados del amor de Dios que pidan una señal de su amor personal. Lo vuelvo a decir, ¡pruebe estas verdades y vea si lo que digo viene de Dios! Dios le traerá a mente un vellón o una señal para buscar. Un predicador me escribió diciendo que me había tomado la palabra. Vea lo que descubrió:

Querida Gwen:

Al manejar un día a la casa de un amigo para almorzar, escuché su audiocasete: «Más allá del Jordán». Mi familia ha estado con problemas desde hace dos años y hemos pasado algunos momentos oscuros y difíciles. Nuestra fe ha sido puesta a una gran prueba (y a veces también nuestro matrimonio). A veces, mi alma se ha sentido árida y la presencia de Dios distante. Nos hemos preguntado: «¿Algún día pasará todo esto?» Weigh Down ha sido una respuesta a nuestras oraciones.

Hoy, al escuchar en el auto el audiocasete de Weigh Down, oí que usted dijo: «Pídale a Dios una señal de su presencia». Al llegar al vecindario donde iba, una bandada de mirlos levantó vuelo de la blanca nieve que cubría el suelo. Pensé para mis adentros: «Bueno, Señor, tenemos muchos de estos mirlos, cientos de ellos; dame un cardenal... No, que sea un pájaro azul... No, Dios, si realmente estás allí, si todavía estás conmigo, dame los dos pájaros... *juntos*».

Después de visitar por un rato, mi amigo y yo nos sentamos a almorzar. Durante la comida miré hacia la ventana ¡y casi me desmayo! Literalmente grité: «¡Oh, Señor!» Mi amigo dijo: «¿Qué? ¿Viste una visión o algo?»

Por cierto que sí. Porque allí, junto a la ventana, pareciendo estar ellos almorzando también, había un cardenal y un pájaro azul, comiendo del mismo comedero. Ni habían pasado treinta minutos desde que le había pedido a Dios que me diera una señal de su presencia.

«Dios es bueno... Dios es fiel... Él es el dador de las joyas. Sí, *hay* esperanza».

Richard Ryan, Indiana

No hay nada más divertido en la vida que buscar la atención y el amor personal del Padre. No siempre usa pájaros; está esperando «alardear» de su amor y su carácter ante nosotros en maneras totalmente nuevas y singulares. ¡Qué genio es! Le aburriría ser otra cosa que increíble y misterioso en todos sus caminos. En Weigh Down[†] llamamos a esos regalos y señales de su amor: *joyas*, y son tan numerosas como las arenas junto al mar. Reportaremos en cada uno de los próximos capítulos sobre esas joyas recibidas de Dios. Empiece a buscar las suyas.

Cuando se acerca Satanás y trata de mentirle, diciéndole que Dios es demasiado importante o está demasiado ocupado para atender los detalles de su vida, sencillamente recuerde la siguiente anécdota. Un día me encontraba sentada muy quieta. Unos gorriones se habían sentado en fila en un alero del techo. De pronto el primer gorrión extendió sus alas y voló hacia abajo con tanta rapidez, que parecía que se había «caído» al suelo. Los demás gorriones cayeron al suelo uno a la vez en la misma forma. Miré al cielo y pregunté: «Oh Padre, ¿así que esto es lo que quisiste significar cuando Jesús dijo: "¿No se venden dos pajarillos por un cuarto? Con todo, ni uno de ellos cae a tierra sin vuestro Padre"» (Mateo 10.29).

Ese día sentí que contaba con más pasajes bíblicos para confirmar lo que ya creía sobre la atención que presta Dios. Sabe no solo cuándo cae un gorrión, se lastima o muere, pero quizá ¡ni un gorrión se va de cabeza al suelo sin que el Padre lo sepa! Sabe cuándo van y vienen. Cuanta más atención nos presta a nosotros, porque somos sus preciosos corderos. ¡Nos ama tanto que es igual que los padres que quieren saber a dónde van sus hijos adolescentes y a qué hora volverán a casa! ¡Dios está aun más interesado que eso! Es casi imposible que nuestro corazón entienda este tipo de atención. No estamos acostumbrados a ella, pero la necesitamos.

Así que, no temáis; *más valéis vosotros que muchos pajarillos*. A cualquiera, pues, que me confiese delante de los hombres, yo también le confesaré delante de mi Padre que está en los cielos (Mateo 10.30,31).

En otras palabras, no tenga miedo. Él le ama y le conoce tan íntimamente que ha contado los cabellos en su cabeza. ¡Tiene un dígito asignado a cada cabello! ¡Sabe cuando uno se cae! ¡Le conoce a usted mejor de lo que usted se conoce a sí mismo!

Por esta causa doblo mis rodillas....a fin de que, arraigados y cimentados en amor, seáis plenamente capaces de comprender con todos los santos cuál sea la anchura, la longitud, la profundidad y la altura, y de conocer el amor de Cristo, que excede a todo conocimiento, para que seáis llenos de toda la plenitud de Dios (Efesios 3.14a,17b-19). Estoy disfrutando al máximo el explorar los límites de su amor. No he llegado al borde de lo ancho o largo, ni he palpado su altura o profundidad. Tenga fe y empiece a buscar este amor. Si ya lo ha encontrado, hay más sorpresas por delante para usted. Así como el amor entre un hombre y una mujer resulta en la concepción y el nacimiento de una vida, este amor de Dios hacia usted hará brotar vida en usted.

Así que: Dios le ha llamado. Ahora, sígale al desierto.

Pero he aquí que yo la atraeré y la llevaré al desierto, y hablaré a su corazón. Y le daré sus viñas desde allí, y el valle de Acor por puerta de esperanza; y allí cantará como en los tiempos de su juventud, y como en el día de su subida de la tierra de Egipto (Oseas 2.14,15).

A SUPERARNOS

Ama al Señor con toda tu mente...

¿Está listo para otro vaso de agua fresca? En la Fase I le presentamos el concepto de la persona que come delgadamente o sea que no siente la atracción magnética de los alimentos. Estudiamos lo externo, su conducta. Pero, ¿qué pueden estar pensando? ¿Qué hay dentro del cerebro de estas extrañas criaturas? Seguramente tienen ondas cerebrales irregulares; de otra manera, ¿cómo podrían «desperdiciar» alimentos? Nos han dicho que tenemos que apartarnos del refrigerador. Pero, ¡¡cómo exactamente se supone que podemos lograr semejante hazaña?! ¿Cómo es que los demás pueden quedarse en las líneas en la cafetería sin perder el control mientras nosotros tenemos ganas de romper las líneas y servirnos todo lo que tenemos ante la vista? ¿Por qué nos sentimos tan descontrolados al punto que evitamos eventos sociales?

¿Qué es esta compulsión llamada «comer por el deseo de comer»?

Hay una explicación para las conductas compulsivas y adictivas y una manera de superarlas. Cuando Jesús ordenó que amemos a Dios con todo nuestro corazón, con toda nuestra alma, con toda nuestra mente, con todas nuestras fuerzas y a nuestro prójimo como a nosotros mismos, básicamente resumió todas las Escrituras. ¿Se da cuenta lo notable que es eso? Podemos tomar miles de palabras y frases en la Biblia y resumirlas en este pasaje tomado de Marcos que Jesús citó de Deuteronomio.

> Jesús le respondió: El primer mandamiento de todo es: Oye Israel; el Señor nuestro Dios, el Señor uno es. Y amarás al Señor tu Dios con todo tu corazón, y con toda tu alma, y con toda tu mente y con todas tus fuerzas. Este es el principal mandamiento (Marcos 12.29,30).

Tomemos este pasaje y considerémoslo por partes. En este capítulo empezaremos con la mente porque es una de las claves para superar la atracción magnética de los alimentos.

Recuerde todas las ocasiones a través de los años cuando ha sentido un impulso sobrecogedor, y parecía que no podía dejar de ir al refrigerador. ¿De dónde salió eso de comer por el deseo de comer? ¿Y por qué es que *el que come delgadamente* no lo tiene? ¿Cuál es la fuerza o compulsión que estábamos sintiendo?

La mayoría le da poca importancia a esta pregunta. El mundo convenientemente le ha dado otro nombre a toda esta situación refiriéndose a ella sencillamente como un viejo hábito. ¿No es este un nombre bueno, oportuno, sin enjuiciamientos, saneado, para algo que realmente debería hacer sonar una alarma en nuestro corazón y nuestra cabeza?

Esta fuerza magnética hacia el alimento se parece mucho a la fuerza de gravedad que sentimos hacia la tierra. Si perdemos el equilibrio, nos caemos al suelo, ¿verdad? Eso nunca cambiará. La gravedad fue un concepto difícil de aprender; pero los golpes, porrazos y moretones le hicieron entrar a martillazos en su cerebro cuando era chico la realidad de la ley de gravedad. Ahora entiende esa realidad, la acepta y la tiene en cuenta todos los días. Hace rato que ha olvidado el dolor de caerse escalera abajo. Ahora, sin tener que pensarlo, hace usted lo necesario para evitar cualquier problema con la ley de la gravedad. La fuerza de gravedad sigue presente pero usted la ha conquistado, por decirlo así.

La fuerza de gravedad hacia las cosas de este mundo es algo que también es parte de la vida. Hace mucho, mucho tiempo que anda por aquí. El que usted le haya prestado o no atención no cambia la realidad de su presencia. Si quiere, puede llamarla un hábito y hacerle caso omiso. Pero tiene usted que razonarla para poder superar la fuerza de cualquiera de las atracciones del mundo.

Cómo conquistar las compulsiones alimenticias

Algunos no saben que Dios les puede ayudar a conquistar la atracción de la alacena. En el pasado, muchos escépticos tampoco creían que se pudiera conquistar la fuerza de gravedad. Hoy tenemos aviones modernos gracias a los aviadores que actuaron contra toda lógica y sufrieron las burlas por sus primeros fracasos, pero que finalmente lograron volar en avión. De la misma manera, ahora hay muchos volando por sobre la atracción magnética del refrigerador, a pesar del primer escepticismo y las burlas dirigidas al Curso de la Dieta Weigh Down[†].

La ley del pecado (gula, fumar, abuso del alcohol, abuso de las drogas, materialismo, etc.) se parece en cierto sentido a la ley de gravedad en que es real, es poderosa, nos tira para abajo y es una fuerza con la cual tenemos que contender. Si nunca ha encarado de frente esta fuerza irresistible, es posible que tenga algunos moretones cuando empiece el proceso de superación. Uno puede ignorar la ley de gravedad y lanzarse a una muerte prematura. De la misma manera, se puede ignorar esta ley del pecado (la atracción magnética del amor a las cosas mundanas) y lanzarse a una muerte espiritual prematura.

Todos hemos oído que Dios, por medio de Jesús, nos ha libertado de la ley del pecado. Entonces, ¿por qué tantos siguen esclavizados?

¿Ha pensado alguna vez sobre cómo es que puede volar un águila o un avión? A mi papá le encantaba pilotear un avión de un solo motor, y la única manera como podíamos elevarnos sobre las nubes era por medio de la combinación correcta de fuerza de ascensión y empuje para vencer las fuerzas del peso y de la resistencia aerodinámica.

El peso y la resistencia aerodinámica resultan de la gravedad y la fricción del aire, respectivamente. Ascensión y empuje son los movimientos hacia adelante, extendiendo las alas. El águila usa sus alas y su poder muscular para proveer ascensión y empuje a fin de superar la gravedad y fricción. De la misma manera, el avión usa sus alas y la fuerza de sus motores. La ascensión y el empuje que expondremos son simbolizados en el siguiente pasaje.

Porque los que son de la carne piensan en las cosas de la carne; pero los que son del Espíritu, en las cosas del Espíritu. Porque el ocuparse de la carne es muerte, pero el ocuparse del Espíritu es vida y paz. Por cuanto los designios de la carne son enemistad contra Dios; porque no se sujetan a la ley de Dios, ni tampoco pueden; y los que viven según la carne no pueden agradar a Dios (Romanos 8.5-8).

¿Nota una clave real para volar sobre la fuerza de gravedad del pecado o de la gula? Concéntrese. Concéntrese en lo que Dios quiere. No se concentre en lo que la carne y la naturaleza terrenal quieren; deje de pensar en la comida. Cada vez que su mente se distrae y empieza a pensar en comida, deje de hacerlo enseguida y pídale a Dios que le ayude a concentrarse en Él y su voluntad. Deje la habitación si es necesario. Abra la Biblia y lea la Palabra de Dios. Comer cuando tiene hambre y deteniéndose cuando está lleno es posible si se enfoca en lo que Dios quiere. *Sí*, tendrá éxito. Y volará por encima de la comida. Esto significa que la atracción de gravitación de los alimentos será manejable porque su mente está puesta en la voluntad de Dios. *Concentrarse* es la clave, es su «ascensión y empuje». Esto puede aplicarse a cigarrillos, alcohol, antidepresivos, píldoras dietéticas, lascivias sexuales... Podría llenar la página con otros deseos mundanos.

Concentrarse se refiere a varias cosas: concentrarse en la recompensa a largo plazo y no en el deseo a corto plazo de comer, concentrarse en lo que Dios quiere en lugar de ceder a lo que la carne quiere y concentrarse en los demás en lugar de uno mismo. Es como enseñarle a sus hijos que ahorren dinero para después, para algo que es más grande. Tenemos que poner nuestros pensamientos en las cosas de arriba. Es como dice la Biblia, que los que esperan poniendo su esperanza en el Señor levantarán alas como las águilas (Isaías 40.31). ¿Por

Ilustración 12-1: *Será atraído por aquello en lo que se concentra. Sus pasos seguirán a su corazón. Si se concentra en la voluntad de Dios, se elevará por encima de la atracción magnética del mundo. Si se concentra en el mundo, lo deseará y eso lo llevará al pecado y culpa.*

qué? Porque se están concentrando en lo más importante y dejando a un lado lo que es de menor importancia.

Me gusta el canto que dice: «Levantaos, oh hombres de Dios. Ya basta de cosas menores. Dad corazón, y alma, y mente, y fuerza a servir al Rey de Reyes»[1] ¿Sabe usted aspirar a cosas grandes y descartar las cosas menores? Esta concentración de la que hablamos es asunto serio. De hecho, al entrar en el tema, verá que es más grande de lo que había anticipado. Afecta el resto de su día.

El ejercicio físico es bueno, pero dedique su mente y sus fuerzas a este ejercicio mental. Dedique su tiempo a leer, buscando lo bueno, orando, escuchando casetes de las Escrituras, yendo a clases de la Dieta Weigh Down[t] y ayudando a alguien en la clase.

La manera de volar y finalmente vencer el magnetismo del mundo es concentrarse en lo que su Padre Celestial quiere. Mantenga a su mente centrada todos los días, preguntándole: «¿Qué quieres, Dios? Tu voluntad, no la mía». *¡Deje de pensar en la comida!*

Vuelva al buen camino

Hace poco vimos la película *Hook*, con Robin Williams y Dustin Hoffman. Es una película sobre Peter Pan ya adulto quien se ha olvidado de Never-Never Land (el país de la fantasía), el capitán Hook y Tinker Bell. En esta versión del cuento, Peter hasta ha olvidado quién había sido y se ha olvidado cómo volar. Mientras los niños tratan de hacerle recordar, Tinker Bell le enseña a volar otra vez. Le dice que se concentre en pensamientos felices. Al momento, este hombre adulto está volando al recordar cómo concentrarse en lo positivo. Puede volar porque se está concentrando en pensamientos felices.

---

[1] «Rise Up, O Men of God!» Letra de William P. Merrill (W. 1911), Música de Aaron Williams (W. 1763). Es traducción para esta obra.

Piense en los caminos de Dios y sus recompensas de largo alcance y practique, practique, practique. Esta es la clave para volar. La mamá águila enseña a sus polluelos a volar empujándolos fuera del nido. Instintivamente extienden sus alas. Usted también, extenderá un ala esta semana y la otra la semana que viene.

Muchas veces la mamá águila tiene que lanzarse hacia abajo y agarrar a sus hijitos para prevenir que caigan demasiado lejos. Los coloca nuevamente en el nido y vuelve a empujarlos. A la larga, van mejorando su coordinación como para aplicar suficiente ascensión y empuje a fin de vencer el peso y la resistencia aerodinámica. Podemos ayudarle a usted con un empujoncito para sacarlo del nido al animarle que se concentre. No duele. No será una tortura.

Es posible que tenga que reagruparse y volver a empezar cuando nota que no está concentrado. Un método que quizá quiera probar es ayunar. Trate de no comer durante el tiempo que Dios le indique. ¿Por qué vaciar su cuerpo de todo alimento? La razón es que vaciarse totalmente a menudo puede ayudar a que la energía de su cuerpo ya no tenga que ocuparse de digerir alimentos y le da una mente centrada. Esta carga adicional de energía ayuda a encauzar su atención nuevamente hacia sus metas: dejar de perseguir la comida y esperar en el Señor para suplir sus necesidades.

El consejo dietético actual sugiere que el ayuno perjudica la carne magra del cuerpo y que privarse de alimentos hará que luego se abuse de ellos incontrolablemente. Esto no es así. El ayuno produce más control. Encontramos el ayuno a lo largo de la Biblia como una ofrenda a Dios. Dios no nos pediría que perjudicáramos nuestro cuerpo. El ayuno ha sido usado para quebrantar bastiones. El bastión contra el cual el ayuno *nunca* debe ser usado es la anorexia nerviosa. El anoréxico tiene que dejar de ayunar y ser obediente al apetito o vacío comiendo cada vez que se sienta vacío.

Recuerde, el ayuno no es una meta de la Dieta Weigh Down[†]. Es un medio para llegar a un fin y no un fin en sí mismo.

Puede valerse del ayuno al iniciar el Curso de la Dieta Weigh Down[†] o cuando realmente se ha desviado.

¿Qué se siente al superar la gula?

Uno se siente así cuando vuela sobre la comida: «No comería de más ni si me pagaras. No tengo absolutamente ningún deseo de comer una vez que me llené. De hecho, casi me da nauseas el solo pensar en comer de más». Sucede lo mismo en otras áreas de la vida. Considere robar, conducta que surge por la avaricia humana. ¿Podría pagarle a usted ahora mismo para que vaya a una tienda y robe algo y me lo traiga? La mayoría responde con disgusto: «No». Vuelan superando el magnetismo de robar.

Usted volará superando el magnetismo de la comida y se sentirá de la misma manera. Descubrirá que siente cosas extrañas. La atracción hacia la comida disminuye. Le parece estar flotando cuando deja comida en su plato. La atracción magnética disminuye cuando puede quitarle los ojos a la comida y olvidarla temporariamente. Empieza a ver a otros atrapados por la comida. Y, después de terminar una comida puede notar que, por primera vez, no le importó servirle a otro el bistec más grande y mejor. ¡No le importa compartir su comida con sus hijos! A la mitad de una barra de chocolate, nota que realmente la puede descartar. ¡Asombroso! Puede envolverla y guardarla. Quizá no la encuentre en su bolsillo hasta la semana siguiente, porque se la olvidó. ¡Eso es volar!

¿Qué le está pasando? Ha vencido la fuerza de gravedad por tener su mente puesta en Jesucristo. Esa es apenas una de las claves que nos dio Cristo. Vea el resto en este pasaje de Romanos 8.9-14:

Mas vosotros no vivís según la carne, sino según el Espíritu, si es que el Espíritu de Dios mora en vosotros. Y si alguno no tiene el Espíritu de Cristo, no es de Él. Pero si Cristo está en vosotros, el cuerpo en verdad está muerto a causa del pecado, mas el espíritu vive a causa de la justicia. Y si el espíritu de aquel que levantó de los muertos a Jesús mora en vosotros, el que levantó de los muertos a Cristo Jesús vivificará también vuestros cuerpos mortales por su espíritu que mora en vosotros.

Así que, hermanos, deudores somos, no a la carne; para que vivamos conforme a la carne; porque si vivís conforme a la carne, moriréis; mas si por el Espíritu hacéis morir las obras de la carne, viviréis. Porque todos los que son guiados por el Espíritu de Dios, éstos son hijos de Dios.

El Espíritu de Cristo no es solo un vapor o una bruma. El Espíritu de Dios y Cristo al cual hace referencia tiene un significado profundo, y parte de Él se refleja en el modo de pensar del individuo. En otras palabras, tiene usted que tener el mismo enfoque que Cristo. ¿Cuál era el modo de pensar de Cristo? Agradar al Padre y hacer su voluntad. Esa actitud, aunque es solo una parte de lo que comprende el «Espíritu de Cristo» del cual habla este pasaje, es definitivamente una parte. Si es así, estamos hablando del poder que levantó de los muertos a Cristo Jesús. ¡Este poder dará vida a nuestros cuerpos mortales!

El sol, siendo mucho más grande que la tierra, tiene una fuerza de gravitación mucho mayor. No somos conscientes de ella porque estamos tan cerca de la tierra y tan lejos del sol. Pero si una nave espacial fuera lanzada fuera de la órbita de la tierra, empezaría a desplazarse hacia la fuerza de gravitación del sol. Cuanto más lejos viajara, menos la afectaría la gravedad de la tierra y mayor sería la atracción del sol.

Queremos que se aparte del mundo y tome su rumbo hacia Dios. A medida que su nave espacial se acerca más a Dios, descubrirá que Él se acerca a usted; Él y sus caminos le serán cada vez más atractivos. Le resultará imposible resistir su voluntad porque la fuerza poderosa, magnética, maravillosa es mucho, mucho mayor que la atracción del mundo. Nunca querrá volver al mundo. Se sentirá como si estuviera flotando por encima de la atracción del mundo.

Ahora bien, cuando fracasa y se encuentra con que la fuerza de gravedad del pecado le ha vuelto a meter de cabeza en el plato de comida o en el refrigerador o lo ha hecho apresurarse al restaurante de comidas rápidas cuando no tiene hambre, necesita volver a concentrarse. Póngase de rodillas y ore. Pídale a Dios que reenfoque su mente. Simplemente presione el timbre para volver a comenzar; usted lo tiene, y no necesita esperar hasta el lunes a la mañana para presionarlo y esperar su próximo apetito.

Empiece ahora. El que espera quizá nunca lo haga. Conozco a personas que dicen que mañana van a volver a empezar. Eso significa: «No quiero hacerlo» ¿Por qué habría de volver a empezar mañana si realmente *quiere* hacerlo? Empiece ahora mismo, quiera o no.

Así como los pensamientos tristes arrastraron hacia el suelo a Peter Pan, la preocupación con sus gulas (alimentos, gramos de grasa, ejercicios, menús, nuevas dietas y planear comilonas) lo arrastrarán hacia abajo. ¿Cayó usted? De ser así, mientras era probado se concentró en sus propios deseos, que son los opuestos a los de Dios.

No os engañéis; Dios no puede ser burlado: pues todo lo que el hombre sembrare, eso también segará. Porque el que siembra para su carne, de la carne segará corrupción; mas el que siembra para el Espíritu, del Espíritu segará vida eterna (Gálatas 6.7,8).

El propósito de concentrarse en Dios

Así que, ¿cuánto de nuestra mente tenemos que dar al Padre? Esta es una buena pregunta. Ya hemos empezado a poner nuestra mente en el Padre cada vez que sentimos que queremos comer por el deseo de comer o tenemos hambre cerebral.

Así que le pedimos que empiece a pensar en Dios cuando su mente se distraiga o comience a codiciar alimentos, lo cual puede suceder con frecuencia. En los últimos años, ponerse en dieta ha aumentado su codicia por los alimentos. Por lo tanto,

¡quizá tenga que dejar de pensar en la comida y pasar a pensar en Dios muchas veces al día!

Pero quizá ese sea el propósito de Dios. Dios ha tomado algo que ocupaba nuestra mente y nos ha pedido que se lo transfiramos a Él. Esto es parte del propósito del desierto. Observe este pasaje de Números 9.15-23 en que Dios da instrucciones a su pueblo:

> El día que el tabernáculo fue erigido, la nube cubrió el tabernáculo sobre la tienda del testimonio; y a la tarde había sobre el tabernáculo como una apariencia de fuego, hasta la mañana. Así era continuamente: la nube lo cubría de día, y de noche la apariencia de fuego. Cuando se alzaba la nube del tabernáculo, los hijos de Israel partían; y en el lugar donde la nube paraba, allí acampaban los hijos de Israel. Al mandato de Jehová los hijos de Israel partían, y al mandato de Jehová acampaban; todos los días que la nube estaba sobre el tabernáculo, permanecían acampados. Cuando la nube se detenía sobre el tabernáculo muchos días, entonces los hijos de Israel guardaban la ordenanza de Jehová, y no partían. Y cuando la nube estaba sobre el tabernáculo pocos días, al mandato de Jehová acampaban, y al mandato de Jehová partían. Y cuando la nube se detenía desde la tarde hasta la mañana, o cuando a la mañana la nube se levantaba, ellos partían; o si había estado un día, y a la noche la nube se levantaba, entonces partían. O si dos días, o un mes, o un año, mientras la nube se detenía sobre el tabernáculo permaneciendo sobre él, los hijos de Israel seguían acampados, y no se movían; mas cuando ella se alzaba, ellos partían. Al mandato de Jehová acampaban, y al mandato de Jehová partían, guardando la ordenanza de Jehová como Jehová lo había dicho por medio de Moisés.

Piense en este encargo si empieza a sentirse lástima porque debe depender de Dios para saber si tiene apetito y depender de Dios para saber cuándo está lleno. Los israelitas tenían que mirar hacia arriba todo el día y toda la noche. Si era a

medianoche tenían que levantar sus tiendas, apagar las foga-
tas, recoger a sus hijos y animales, y partir. A veces, en cuanto habían desempacado sus pertenencias, armado sus tiendas y tenían una buena cacerola de maná hirviendo, Dios
levantaba la nube y tenían que empacar todo y volver a partir. Dejemos de quejarnos de la luz roja y la luz verde con la
comida. ¡Lo único que usted tiene que empacar es lo que le
sobró en el restaurante! ¿Ha notado que requiere toda su
concentración reconocer la luz roja y la luz verde del apetito
y la satisfacción? Dios lo quiere todo. Cuando le hacemos el
dueño de nuestras mentes, nos libramos del magnetismo de
la comida. ¡Esto me parece muy bien! Ya que vamos a ser esclavos de uno u otro, ¡yo escojo a Dios!

Conclusión

Tenemos que permanecer concentrados en los que el Espíritu
de Dios quiere.

> Por lo demás, hermanos, todo lo que es verdadero, todo
> lo honesto, todo lo justo, todo lo puro, todo lo amable,
> todo lo que es de buen nombre; si hay virtud alguna, si
> algo digno de alabanza, en esto pensad (Filipenses 4.8).

Así como hubo escépticos que creían que los aviadores pioneros no podían vencer la fuerza de gravedad de la Tierra, los escépticos hoy no creen que se pueda vencer el pecado. Esos escépticos también le dirán que sus esfuerzos no lo llevan a
ninguna parte. Le dirán que pierde su tiempo. Le dirán que
está loco, que no puede llegar a su meta sin depender de los
gramos de grasa y el ejercicio físico como sus salvadores.
Exclamarán: «¿Dónde está ese Dios que debiera rescatarte?
Quizá no pueda oírte». Sus enemigos lo observarán volando
por sobre la comida durante unos días, esperando verle estre-
llarse. Les encanta distraerlo y le ruegan que se fije en los gramos de grasa en lugar de las cosas espirituales. Los escépticos
se encuentran dentro y fuera del templo. Algunos viven con
usted. Afirman que una vez que uno es alcohólico, siempre es

alcohólico; o cuando se pone obeso, tendrá que cuidarse por el resto de su vida. Nunca han visto a un cohete espacial en órbita alrededor de la tierra fuera del alcance de la fuerza de gravedad. Pero yo les preguntaría si han leído u oído de 1 Pedro 4.1,2.

> Puesto que Cristo ha padecido por nosotros en la carne, vosotros también armaos del mismo pensamiento; pues quien ha padecido en la carne, terminó con el pecado, para no vivir el tiempo que resta en la carne, conforme a las concupiscencias de los hombres, sino conforme a la voluntad de Dios.

¿No es esa una de las cosas más maravillosas que jamás haya leído? Yo, no solo lo he vivido, sino que he sido testigo de primera mano en estas sesiones de pequeños grupos; y he recibido camiones llenos de cartas, sin mencionar las miles de llamadas telefónicas. No tiene que volver a escuchar aquella voz. Usted puede *volar* y puede, tarde o temprano, apartarse lo suficiente del mundo (comida) como para escapar su magnetismo. El escéptico nunca ha volado lo suficientemente alto como para liberarse de su fuerza de gravedad y remontarse libremente. Me he liberado del magnetismo del refrigerador y ya no ejerce sobre mí una atracción gravitatoria.

No se concentre en el enemigo o los enemigos. Esta es la parte de la tarea que Dios nos da al tomar el Curso de la Dieta Weigh Down[†]. Seremos como los pilotos pioneros quienes, contra toda probabilidad, alcanzaron sus metas al poner sus mentes en lo que no veían más bien que en lo que veían: los escépticos y los primeros fracasos inevitables. Usted haga lo mismo.

> Por tanto, no desmayamos; antes aunque este nuestro hombre exterior se va desgastando, el interior no obstante se renueva de día en día. Porque esta leve tribulación momentánea produce en nosotros un cada vez más excelente y eterno peso de gloria; no mirando nosotros las cosas que se ven, sino las que no se ven; pues las cosas que se ven son temporales, pero las que no se ven son eternas (2 Corintios 4.16-18).

Recuerde, una buenísima manera de centrar nuestra mente en el Padre es ir a la Palabra de Dios. Tenga su Biblia a donde vaya. Llévela en el subterráneo. Deje un ejemplar en su escritorio en el trabajo. Empezará el proceso de transferencia de la comida a la Palabra de Dios llegando al punto de poder decir lo que dijo Job: «Guardé las palabras de su boca más que mi comida» (Job 23.12b).

Otra manera efectiva es simplemente hablar con Dios. Ore pidiendo no caer en tentación, y ser librado del deseo pecaminoso. Jesús nos enseñó a orar pidiendo eso. ¡¿Y qué si tiene que orar esta misma oración veinte veces al día?!

Aquí va la oración de Jesús que he parafraseado de Mateo 6.9-13 y Lucas 11.2-4.

Querido Padre Celestial:

Santificado sea tu nombre. (Qué maravilloso y superior a todo eres.)

Venga tu Reino. (Te pedimos que tus ideas, gobierno, justicia y maneras de vivir vengan y remplacen la manera mundana de vivir porque tu Reino es perfecto.)

El pan nuestro de cada día, dánoslo hoy. (Danos este día la porción que necesitamos.)

No nos metas en tentación. (Guíanos para apartarnos de la situaciones tentadoras.)

Y líbranos del malo.

Porque tuyo es el Reino, y el poder, y la gloria, por todos los siglos. (Después de todo, tú eres lo principal. Y eres todo. Eres omnipotente, eres aquel a quien rendimos culto, admiramos y adoramos.)

Amén.

Iniciamos este libro con el pasaje de Colosenses que afirma que las reglas hechas por los hombres no tienen ningún valor para controlar los excesos sensuales. La frase que le sigue nos dice que sí vale para poder controlarlos. Fíjese en la clave que faltaba para superar la fascinación de la cocina:

Si, pues, habéis resucitado con Cristo, buscad las cosas de arriba, donde está Cristo sentado a la diestra de Dios.

Poned la *mira* en las cosas de arriba, no en las de la tierra. Porque habéis muerto, y vuestra vida está escondida con Cristo en Dios (Colosenses 3.1-3).

Dios quiere su mente. Cuando yo le di mi mente, la limpió y la hizo pura, y puso adentro más entendimiento del que jamás había tenido. Él quiere también su *mente*. *Désela*, porque recibirá mucho a cambio.

EL DESIERTO DE LA PRUEBA

Ama al Señor con todo tu corazón . . .

Exploremos ahora el Desierto de la Prueba. Este desierto es una oportunidad, no una maldición, para aprender mucho de Dios y de usted mismo. Siguiendo con el pasaje que se ha denominado «El gran mandamiento» (Marcos 12.28-34).

Acercándose uno de los escribas, que los había oído disputar, y sabía que les había respondido bien, le preguntó: ¿Cuál es el primer mandamiento de todos? Jesús le respondió: El primer mandamiento de todos es: Oye, Israel; el Señor nuestro Dios, el Señor uno es. Y amarás al Señor tu Dios con todo tu corazón, y con toda tu alma, y con toda tu mente y con todas tus fuerzas. Este es el principal mandamiento. Y el segundo es semejante: Amarás a tu prójimo como a ti mismo. No hay otro mandamiento mayor que estos. Entonces el escriba le dijo: Bien, Maestro, verdad has dicho, que uno es Dios y no hay otro fuera de Él; y el amarle con todo el corazón, con todo el entendimiento, con toda el alma, y con todas las fuerzas, y amar al prójimo como a uno mismo, es más que todos los holocaustos y sacrificios. Jesús entonces, viendo que había respondido sabiamente, le dijo: No estás lejos del Reino de Dios. Y ya ninguno osaba preguntarle.

¿Por qué dijo Jesús: «No estás lejos del Reino de Dios»? ¿Por qué no pudo haber dicho: «Diste en el clavo, lo entiendes y lo tienes» al hombre que contestó con tanta sabiduría? Porque no basta con tener el *conocimiento* de lo que Dios busca.

El viaje tiene que empezar en la mente, como lo tratamos en el capítulo anterior. Pero se puede tener el conocimiento de Dios y no tener un corazón dispuesto hacia Él. Ame a Dios con *todo* su corazón, dice el pasaje. Su primera pregunta bien pudiera ser: «¿Qué es su corazón?»

La mejor manera de describir *amar con su corazón* es asemejarlo al amor que sentimos por otra persona. Si alguna vez se ha enamorado de alguien, sabe a qué me refiero. Se siente embargado de emoción y el pulso se acelera. Sabría si su amor entrara en la habitación aun sin verlo, porque sus sentidos permanecen alerta a la voz y presencia del ser que ama. Su mente piensa en el objeto de su amor en todo momento libre, incluyendo cuando debería estar concentrado en alguna tarea que está realizando. Usted se asea y viste para el otro. Busca oportunidades de estar en su presencia. Anticipa los momentos cuando estarán solos. Haría cualquier cosa por esta persona y no le sería ningún problema; auxiliarla sería un placer. Estar separados le produce tristeza. Ese es su corazón. Es una entidad emocional. Es pasión y sentimiento.

Como muestra, permítame describirle uno de mis días, puramente para ofrecer una comparación cómo es tener un corazón centrado en Dios.

Muestra de cómo es un día de un corazón apasionado

No siempre ha sido así, pero permítame empezar con el comienzo del día. Hace años que no pongo el despertador. Dios me despierta. ¿Lo cree? Aun si necesito despertarme fuera de hora, temprano en la mañana, sencillamente hago mi pedido especial a mi Padre Celestial. Y efectivamente, Dios me despierta a la hora debida. Sí, lo logra sin usar el timbrazo odioso del despertador que enviaría dolorosa adrenalina a mi estómago. Con amable originalidad, elige una variedad de métodos para despertarme. Hace quince años, le entregué mi señal para comer a Dios; ahora le he entregado también mi señal para despertarme. Si me despierto durante la noche, hablo con Dios; y si Él me despierta a la mañana, lo busco mirando por la ventana y a veces le guiño el ojo. Siempre miro a ver qué clase de día hizo. Los amo a todos: lluviosos, fríos, calurosos... todos son maravillosos.

El resto del día es igual. La Biblia nos dice: «orad sin cesar». Por lo tanto, cada hora es dedicada a hablar con Él, buscando su opinión, pidiéndole que gobierne mi día, pidiéndole que me encuentre las llaves, agradeciéndole por algo que acaba de suceder, acercándome a Él para que me consuele del dolor en mi corazón y esperando su atención y aprobación y dirección en cualquier forma que puedo obtenerla. Después de todo, Él es el Jefe Supremo de este mundo. Yo le pido su ayuda en todo mi trabajo cotidiano.

Cuando estoy sola en una habitación o en toda la casa, le canto cantos improvisados de adoración por su gran personalidad, su poderosa mano de justicia y su protección para con los justos. También escucho música, y ahora interpreto la mayoría de las canciones de amor como cantos de Él a nosotros, ya que el amor y el romance fueron idea de Él. Lo alabo por sus grandes ideas. Por ejemplo, qué ideas maravillosas son los días de veinticuatro horas, dormir, acurrucarme en las cobijas con la almohada sobre la cabeza mientras le hablo. Después de todo, Él es el quien hizo las cobijas y almohadas y nos da el deseo de acurrucarnos. Lo alabo por el buen humor, por la música increíblemente *emocionante* que Él inspira, por los niños despreocupados y los perritos, por rostros sonrientes y por lo genial que son los diferentes tipos de alimentos.

Lo alabo porque hace cada día distinto a fin de que la tierra, las nubes y el cielo cambien de colores. Lo alabo por poner amor y paz en nuestro corazón para que no solo haya sonrisas en nuestro rostro sino también empatía por los demás en nuestro corazón. La lista de sus grandes ideas no tiene fin. ¿Parezco infantil? *¡Qué bueno!*

¡A qué genio y a la vez Rey poderoso tenemos la oportunidad de servir! Él abre mis ojos diariamente para comprender nueva información de su Palabra o de la vida que confirma que Él es el origen de todo. Así que lo amo como un maestro, un consolador, un compañero constante, un líder digno de confianza, un esposo/defensor cuando me calumnian o me acusan injustamente, un jefe hora por hora, el origen de la vida y el amor de mi vida a quien con confianza puedo darle mi cariño y mi pasión.

Es todo para mí el que Él me retribuya con amor. Anhelo ver su rostro. No dudo de que lo reconoceré, y mi corazón se estremecerá como el de una adolescente enamorada, ¡pues es lo que me sucede aun ahora! Es fácil amar a otros con todo este amor que tengo en mi corazón. Puedo devolver el amor aun a quienes me han herido porque sé que Él me ama. Otros pueden lastimarme, pero la opinión de Dios es tan prioritaria que ya no importa tanto lo que los demás puedan hacer. Primera de Pedro 1.8 describe mis sentimientos:

> A quien amáis sin haberle visto, en quien creyendo, aunque ahora no lo veáis, os alegráis con gozo inefable y glorioso.

Cuando pienso en lo involucrado que Él está en mi vida, a veces me dan ganas de llorar. Es claro que también hay momentos dolorosos y tristes, pero aun en los puntos bajos, mi corazón siempre corre al Padre y encuentra paz solo en Él.

Este es el final de mi día que describo como una muestra.

Como puede ver usted, ¡no es buena idea dejarme empezar porque nunca termino! Realmente no puedo guardar silencio en cuanto a Dios. Me emociono de solo pensar en Él.

Ver la pasión

Bueno, yo sé que esto suena a *religión emocional*. Pero razonemos un momento. Hay muchos por allí que dicen que Dios no quiere una «religión emocional». Y hay otros que dicen que están hartos de la vida. Estas personas supuestamente no tienen este tipo de emoción para darle a Dios, así que no la podrían dar aun si quisieran.

¡Gran error! Dios hizo nuestro corazón, y por cierto que usted tiene uno. Por cierto, todos tenemos el corazón del mismo tamaño, y todos tenemos un ciento por ciento del corazón, pero algunos han dado trozos de su corazón a otras cosas. ¡Estos trozos de su corazón están tan desparramados por allí que no tienen la energía de apasionarse por nada!

Muchos tienen ídolos en su vida y ni se dan cuenta a qué le están dando su devoción y energía. Hay una sola manera de averiguar si algo es un ídolo en su vida: deje que se lo quiten. Entonces, si realmente lo llora, sabe que su corazón ha sido entregado a un ídolo. Por ejemplo, si Dios le quitara su alimento, ¿cómo reaccionaría? Es posible que el suyo sea el mismo diagnóstico que el de esta gente de la cual escribió Pablo en Filipenses 3.18,19: «Porque por ahí andan muchos, de los cuales os dije muchas cosas, y aun ahora lo digo llorando, que son enemigos de la cruz de Cristo; el fin de los cuales será perdición, cuyo dios es el vientre, y cuya gloria es su vergüenza; que sólo piensan en lo terrenal».

Las cosas listadas a continuación no tienen nada de malo. Es cuestión del corazón. Dios pesa las *motivaciones* del corazón. Si usted rinde culto a otra cosa, se sentirá agotado, letárgico, exhausto y emocionalmente árido. No tendrá energía para amar a su cónyuge, sus hijos o amigos. Se sentirá vacío porque nunca sabe lo que está buscando. Dios no dejará que su dios falso le dé lo que está buscando. Ninguno de ellos lo *llenará*.

Pero si se dedica usted a adorar a Dios, Él le guiará a la acción. Esto no será agotador, sino algo que vale la pena. Lo

Adoración a sus
ocupaciones,
promociones,
dinero, poder

Adoración a escalar
en su posición social
para alcanzar estatus,
aprobación de otros

Adoración
a sus estudios
académicos

Adoración a
deportes y
pasatiempos

Amor a
controlar
a otros

Adoración a comida,
abuso de otras
sustancias,
o exceso sensual

Adoración a
responsabilidades
de la comunidad
e iglesia para ser
elogiado

Ilustración 13-1: Cada uno de nosotros escoge dónde y cómo invertiremos ciento por ciento de nuestro corazón, pasión y devoción. A menos que se los entreguemos todos a Dios, tenemos la tendencia a dividirlos entre muchas actividades y causas, disgregándonos al punto que no sentiremos una gran pasión por ninguna de ellas en particular. La pasión que se da al mundo lo agota; la pasión que se entrega a Dios, se la devuelve Dios a usted, y recobra energías.

externo puede parecer lo mismo, pero el producto y el fruto producido por sus actividades serán muy diferentes: en el primer caso: lo que usted dirigió; en el segundo caso, lo que Él dirigió. Su nivel de energía aumentará. ¡Su gozo será inmenso!

La gente ha puesto su corazón en el fútbol y el básquetbol, en computadoras y autos, ropa y posición social, chocolate y postres, hijos y carreras. Cualquier cosa puede convertirse en un ídolo.

Puede usted seguir argumentando que en realidad no siente gran emoción por nada, pero considere lo siguiente. Si yo lo encerrara bajo llave en una habitación sin refrigerador o alacena, posiblemente empezaría por pedirme cortésmente que le dé algo de comer. Al rato, me lo pediría con un poco más de firmeza. Al pasar el tiempo, se valdría de ruegos y sobornos. Por último, me amenazaría, gritándome que lo suelte o que le traiga comida. Algunos hasta pueden llegar a matar por algo de comer. No me diga que no ha ignorado la línea en un bufete o saltado del auto para adelantarse al próximo grupo de personas que se dirige hacia el mismo restaurante.

Así que, dígame: Ese tipo de persona, ¿es *emocional* en cuanto a su comida? ¿Eso es pasión o qué? He conocido señores que han robado lo que sus chicos tenían en su alcancía a fin de escabullirse y alimentar su propia obsesión por la comida. Podemos haber optado por dedicar nuestro corazón a la comida. Dicho de otra manera, estamos «enamorados» de la comida; la comida es nuestro bastión. Hemos entregado nuestro corazón a la comida.

Me he sentado en la iglesia el domingo a la noche y observado a algunos hacer desganadamente las mociones de su culto a Dios. Estos son los mismos que se ponen un zapato azul y uno blanco, que agitan su pompón azul y blanco y se pintan la cara de azul y blanco para vitorear a su equipo deportivo favorito. Se apresuran a salir del culto (triste nombre para describir lo que tuvo lugar) y corren a los partidos de básquetbol. Es posible que sepan el nombre de cada jugador y cada estadística y, ya en el partido, gritan, vociferan y saltan en sus asientos apoyando a los jugadores. Pero, ¿pueden estos mismos decir gran cosa del equipo celestial o algunos de sus astros: Jesús, Abraham y David? Entonces, sí tenemos un corazón, y sí sabemos adorar algo... pero quizá algo equivocado.

Si está usted enamorado de Dios y cree que su sentimiento puede desaparecer y ser remplazado por un amor «más maduro», no emotivo, se equivoca. Su amor por la comida aumenta más y más. Las estadísticas nos muestran que las personas en los países desarrollados se están poniendo más y más grandes, y más y más apasionadas por su comida. De la misma manera, mi amor para con Dios ha aumentado más y más. No puedo sacármelo del corazón y la mente. Es pasión, y eso es lo que Dios quiere. Es aumentar por un lado y apartarse por otro lado, o viceversa. «Ninguno puede servir a dos señores; porque o aborrecerá al uno y amará al otro, o estimará al uno y menospreciará al otro. No podéis servir a Dios y a las riquezas» (Mateo 6.24). ¿Por qué? Porque usted tiene solo un corazón. Fue creado para ser devoto. *No* puede ser devoto a dos cosas. No puede. Es imposible.

Así que, ¿cómo transfiere su pasión?

Hay dos cosas que necesita saber para ayudarle a reubicarse. Lo primero es abrir sus ojos y ver qué sanguijuela chupa vida es el dios de la comida y qué reabastecedor de vida es el único Dios verdadero. Lo segundo, en la práctica, es un curso acelerado sobre «cómo enamorarse» de Dios.

Poner al descubierto al dios falso

Empecemos por poner al descubierto a este amo, este amigo llamado comida. ¿Justamente qué clase de amigo ha sido para nosotros la comida excesiva? (Nota: Nuestra porción diaria de alimentos no es un dios falso nos referimos al exceso de alimentos.)

¿Comer en exceso ayuda nuestra situación económica? No, nos roba. Es caro seguir comiendo calorías extra todos los días. Los programas dietéticos igualmente nos han vaciado las cuentas de ahorro. ¿Nos ayuda con nuestra ropa? No, tendemos a encontrar menos y menos para usar al obedecer más y más a los alimentos. ¿Nos ayuda con el concepto que tenemos de nosotros mismos? No, cuanto mejor amigo nos es la comida en exceso, más se asienta en nuestras caderas y otras partes del cuerpo y más bajo es nuestro concepto de nosotros mismos. ¿Nos

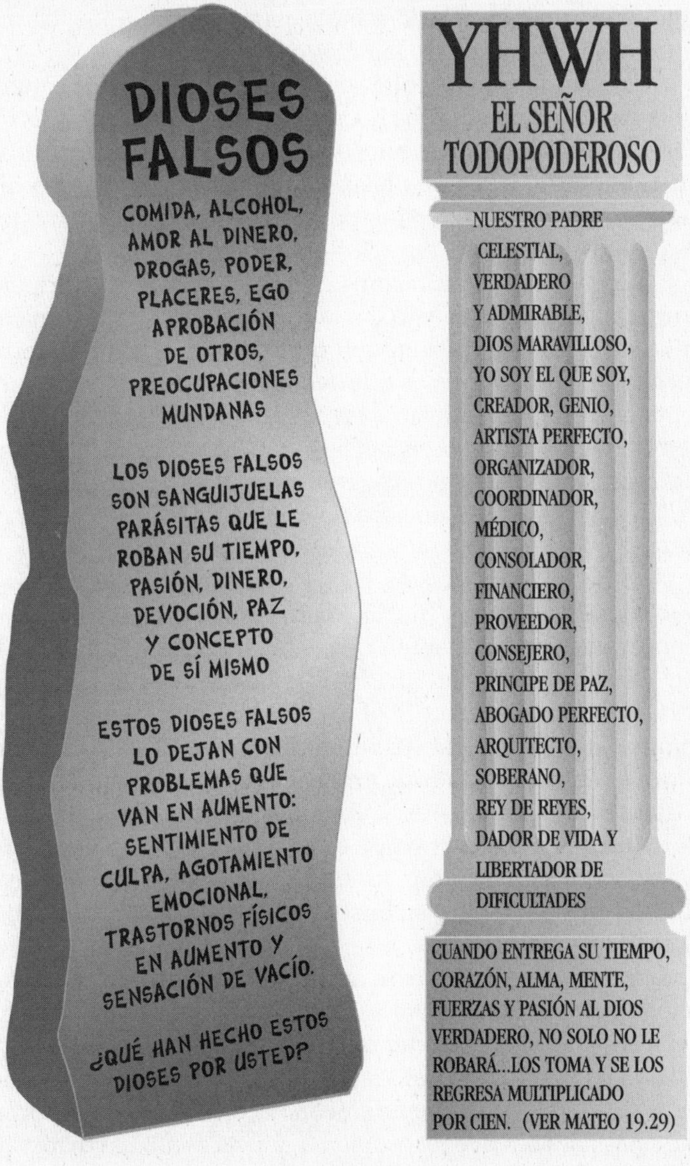

DIOSES FALSOS

COMIDA, ALCOHOL, AMOR AL DINERO, DROGAS, PODER, PLACERES, EGO APROBACIÓN DE OTROS, PREOCUPACIONES MUNDANAS

LOS DIOSES FALSOS SON SANGUIJUELAS PARÁSITAS QUE LE ROBAN SU TIEMPO, PASIÓN, DINERO, DEVOCIÓN, PAZ Y CONCEPTO DE SÍ MISMO

ESTOS DIOSES FALSOS LO DEJAN CON PROBLEMAS QUE VAN EN AUMENTO: SENTIMIENTO DE CULPA, AGOTAMIENTO EMOCIONAL, TRASTORNOS FÍSICOS EN AUMENTO Y SENSACIÓN DE VACÍO.

¿QUÉ HAN HECHO ESTOS DIOSES POR USTED?

YHWH
EL SEÑOR TODOPODEROSO

NUESTRO PADRE CELESTIAL, VERDADERO Y ADMIRABLE, DIOS MARAVILLOSO, YO SOY EL QUE SOY, CREADOR, GENIO, ARTISTA PERFECTO, ORGANIZADOR, COORDINADOR, MÉDICO, CONSOLADOR, FINANCIERO, PROVEEDOR, CONSEJERO, PRINCIPE DE PAZ, ABOGADO PERFECTO, ARQUITECTO, SOBERANO, REY DE REYES, DADOR DE VIDA Y LIBERTADOR DE DIFICULTADES

CUANDO ENTREGA SU TIEMPO, CORAZÓN, ALMA, MENTE, FUERZAS Y PASIÓN AL DIOS VERDADERO, NO SOLO NO LE ROBARÁ...LOS TOMA Y SE LOS REGRESA MULTIPLICADO POR CIEN. (VER MATEO 19.29)

Ilustración 13-2

ayuda con nuestras relaciones? No, parece levantar una barrera entre nosotros y nuestras familias o cónyuges.

La comida extra resulta ser un amigo falso y una sangui-juela parásita que nos roba nuestro tiempo, pasión, dinero, de-voción, paz y concepto de nosotros mismos. Es un amor falso, un amigo falso o un dios falso que nos deja con más proble-mas, sentimientos de culpa, pérdidas emocionales y trastor-nos físicos.

Observe la ironía. Hemos estado corriendo al refrigera-dor para obtener consuelo. En la Ilustración 13-2, hay una es-tatua de un dios falso y una columna que representa a nuestro verdadero Dios. Tenemos que evaluarnos esta semana y cada semana de aquí en adelante en cuanto a: ¿qué porcentaje del tiempo hemos corrido hacia Dios y qué porcentaje hemos es-tado corriendo hacia el refrigerador o cualquier otro dios fal-so? Qué hacemos con nuestro tiempo es un gran indicador de aquello a lo cual entregamos nuestro corazón.

Como ya he destacado, Dios lo tiene todo y es muy gene-roso con los corazones que le aman. Quizá no crea usted real-mente que Él esté presente y que es personal pero, ¿¿qué si sí lo está y usted se lo ha perdido?! Si no se la ha dado ya, es hora de darle una oportunidad. Si corre hacia Él para todo, será re-compensado con grandes dividendos o joyas. De esta manera podrá tener pruebas de que existe y que recompensa a los que le buscan diligentemente. «Pero sin fe es imposible agradar a Dios; porque es necesario que el que se acerca a Dios crea que le hay, y que es galardonador de los que le buscan» (Hebreos 11.6). Correr hacia Dios en busca de consuelo y soluciones tie-ne sentido. ¿Necesita un consejero? Él sabe la verdad, y su Pa-labra es lumbrera a nuestro camino. ¿Necesita un amigo? Dios es toda consolación. ¿Le falta dinero, necesita arreglar el techo o el auto? He visto suceder cosas bastante increíbles por me-dio de la oración. ¿Está buscando emociones? Su Reino es di-námico. No hay cosa que no pueda hacer. A veces usa a otras personas para resolver el problema, y a veces no. Es creativo, y sabrá usted cuando algo procede de Él.

Curso acelerado sobre cómo enamorarse

Consideremos el curso acelerado sobre cómo enamorarse. Bueno, ¿cómo fue que nos enamorarmos de la comida?

Lo que pasó fue que nuestro corazón se convirtió en esclavo de la comida por obedecer a la comida. Cuando las papitas nos llamaban por nombre desde la alacena, y decían: «Eh, ven y cómeme», escuchamos y obedecimos. Cuando íbamos por la calle y el platillo combinado No. 3 del restaurante de comidas rápidas nos llamaba por nuestro nombre, le obedecimos y nos detuvimos a comprarlo. Cuando pensábamos en un bistec para la cena, nos embargaba la emoción. El pulso se nos aceleraba. Nuestros sentidos permanecían alerta a la voz y presencia de la comida (las palomitas de maíz saltando, el bistec chisporroteando, el maíz en la mazorca hirviendo y el ruido de los envoltorios de los caramelos). Nuestra mente pensaba en recetas y cenas en cada momento libre, incluyendo los momentos cuando debíamos estar concentrados en la tarea en mano. ¡Nos vestíamos especialmente para comer, prefiriendo ropa con elástico en la cintura y sin cinturones! Buscamos oportunidades para estar en la presencia de alimentos. Anticipábamos los momentos cuando podríamos estar solos para comer hasta hartarnos. Exteriorizamos nuestra emoción cuando pensamos en postres o papitas con salsa. Hacíamos lo que fuera para obtener comida y no lo considerábamos un problema. Cocinar algo siempre es un placer. Estar separados de la comida produce tristeza. Paso a paso, esto describe el estado de su corazón. Su corazón es un ente emotivo, sensible. ¿Le suena todo esto parecido al enamoramiento que describí anteriormente?

Amamos al amo que obedecemos. Y obedecemos al amo que amamos. No podemos amar tanto a Dios como la comida. U odiaremos a uno y amaremos al otro o amaremos a uno y odiaremos al otro. No se engañe: ¡No puede estar enamorado de Dios si está enamorado de la comida! Y no espere que Dios crea que usted está enamorado de Él al mismo tiempo que está enamorado de la comida. No se le puede engañar.

Aunque el pensamiento o el aroma de la comida es lo que me sacaba de la cama a la mañana hace años, ahora todos mis sentidos han sido entregados a Dios. Me visto para Él. Lo siento (aunque no lo veo) cuando está cerca. Puedo percibir cuando me llama a leer su Palabra. Todos mis sentidos viven para Él. Una participante del curso me ha dicho que ya no lo llama coincidencia sino ¡«Dios-incidencia»!

Note que en sí el alcohol, tabaco, alimento, las tarjetas de crédito, los sedantes y el deseo sexual no tienen nada de malo. Lo malo está en su corazón. Romper la tarjeta de crédito no cambiará la actitud del corazón hacia el materialismo. Haciendo que la comida tenga menos grasa no hará que nuestro corazón anhele menos la comida. Encerrar a alguien en un centro de desintoxicación para quitarle el alcoholismo o la drogadicción no compondrá su corazón.

Nos enamoramos de la comida al entregarle corazón, alma, mente y fuerzas, lo cual está incluido en esta conducta llamada obediencia. La obedecimos. Nos llamaba de la cama en la mañana, y usábamos nuestras fuerzas para prepararla. También usamos nuestras fuerzas para obligar entrar en el cuerpo más de lo que el cuerpo pedía. Le dimos nuestra mente todo el día al enfrascarnos en los libros de recetas y dialogar con nuestras amistades sobre las últimas dietas, preguntando: «¿Qué puedes comer en tu dieta?» Hemos ansiado las comidas que leímos en el menú, y entregado nuestro corazón a la comilona de las 10 de la noche.

Para convertir este amor por el refrigerador, tenemos que obedecer a Dios. Cada vez que obedecemos a Dios respecto a los alimentos o cualquier otra cosa que nos indica que debemos cambiar, nos enamoramos más de Él. En parte, esto es porque «es galardonador de los que le buscan» (Hebreos 11.6). (Nota: Hemos de buscarle de corazón, no a su dinero ni su poder, sino a Él.) Y parte de la razón por la cual nos enamoramos por medio de la obediencia, o sea por guardar sus mandamientos, es que Él contesta las oraciones de quienes le obedecen. Juan 14.14 dice: «Si me amáis, guardad mis mandamientos».

Considere nuevamente Deuteronomio 8.2: «Y te acordarás de todo el camino por donde te ha traído Jehová tu Dios estos cuarenta años en el desierto, para afligirte, para probarte, para saber lo que había en tu corazón, *si habías de guardar o no sus mandamientos*». Del contexto de este pasaje, pareciera que la obediencia es un factor importante para saber lo que realmente está en nuestro corazón. Esta premisa es apoyada por las palabras dichas por Jesús. Lo decía de una manera y luego le daba vuelta y lo expresaba de otra. Hace pensar que quería asegurarse, mientras estaba sobre esta tierra, de que captáramos el mensaje. Fíjese:

Si me amáis, guardad mis mandamientos (Juan 14.15).

El que tiene mis mandamientos, y los guarda, ése es el que me ama; y el que me ama, será amado por mi Padre, y yo le amaré, y me manifestaré a él (Juan 14.21).

El que me ama, mi palabra guardará; y mi Padre le amará, y vendremos a él, y haremos morada con él. El que no me ama, no guarda mis palabras (Juan 14.23,24a).

Como el Padre me ha amado, así también yo os he amado; permaneced en mi amor. Si guardareis mis mandamientos, permaneceréis en mi amor; así como yo he guardado los mandamientos de mi Padre, y permanezco en su amor. Estas cosas os he hablado, para que mi gozo esté en vosotros, y vuestro gozo sea cumplido (Juan 15.9-11).

Más adelante, Juan se hizo eco de lo que Jesús había dicho:

Y en esto sabemos que nosotros le conocemos, si guardamos sus mandamientos. El que dice: Yo le conozco, y no guarda sus mandamientos, el tal es mentiroso, y la verdad no está en él; pero el que guarda su palabra, en éste verdaderamente el amor de Dios se ha perfeccionado; por eso sabemos que estamos en Él. El que dice que permanece en Él, debe andar como Él anduvo (1 Juan 2.3-6).

Así que la obediencia ciertamente es una manera principal, si no *la* principal, de medir el amor en nuestro corazón para con

Dios y para hacer que el amor de Dios crezca en nuestro corazón. Después de todo, eso es lo que usamos nosotros para saber si nuestros hijos nos quieren, confían en nosotros y nos
respetan. La obediencia es también la prueba indiscutible
para que el empleador conozca el corazón de los empleados.
Una obediencia paternalista y el amor falso siempre son fáciles de detectar.

La obediencia no es el destino a llegar en nuestro viaje por el desierto. Más bien es el medio para lograr un fin: el amor de Dios.

La obediencia que Dios requiere es la obediencia a sus
mandatos. Así que, ¿qué son
sus mandatos? Primero, amarle con todo nuestro corazón.
Segundo, amar a nuestro próji-
mo como a nosotros mismos. ¿Suena esto como que estamos
dando vuelta en círculos? En cierta forma, a mí sí. Pareciera
que lo auténtico, el corazón que realmente ama a Dios, a la vez
será obediente por medio de amar a Dios y a los demás. El
amor y la obediencia van mano a mano. Se alimentan el uno
del otro de manera que su amor a Dios y el prójimo aumentan
más y más.

En cuanto a mi propio Desierto de la Prueba, al principio
fue únicamente porque le amaba que le obedecía. El comienzo
fue muy difícil, y me costó muchas lágrimas y mucho dolor
quitar a los ídolos de mi vida. Cuando hube obedecido a Dios,
amé, confié y respeté aun más sus mandamientos y amé menos a los ídolos. Esto hizo que la próxima vez fuera más fácil.
Con cada bocado de comida que descarte por pura obediencia
a Dios, más le amará. El próximo sacrificio le será más fácil a
medida que va viendo más y más recompensas del Padre. El
amor es inevitable al ir obedeciéndole. El amor a la comida desaparecerá ¡salvación! Salvación de su antiguo amo (la comida) y permiso para entregarse a Dios.

Al leer el Antiguo Testamento, se nota que los israelitas
caían en la adoración a los ídolos. Como resultado, Dios los es-
clavizaba bajo los países pecaminosos que los rodeaban.

Después de una esclavitud difícil y dolorosa, se arrepentían y volvían sus corazones al Padre, y Él los liberaba. Así que obediencia y libertad van juntas, como van juntas la desobediencia y la esclavitud. Esto se aplica a usted y la comida. La desobediencia y el estar en dieta sintiéndose desdichado, van de la mano. La obediencia a Dios usando el apetito y la satisfacción (o falta de ansias de comer) al igual que la libertad de comer lo que quiera, también van de la mano. La obediencia no es el destino a llegar en nuestro viaje por el desierto. Más bien es el medio para lograr un fin: *el amor de Dios.*

El becerro de oro

Al andar por su camino en el desierto, probablemente vea varias cosas con respecto a su corazón que no se le habían ocurrido antes. Justamente a qué le está dando usted su corazón es algo que solo Dios sabe. Este caluroso desierto actúa como una máquina de rayos X que revela el funcionamiento interior del corazón.

Así que descubrimos que nos estamos arrodillando ante el refrigerador. El Nuevo Testamento llama idolatría a la avaricia. «Haced morir, pues, lo terrenal en vosotros: fornicación, impureza, pasiones desordenadas, malos deseos y avaricia, que es idolatría» (Colosenses 3.5). ¿Por qué es idolatría la avaricia? Es idolatría en el sentido que estamos tratando de conseguir cosas para nosotros mismos. No creemos en nuestro corazón que haya un Dios de amor que suplirá todas nuestras necesidades y por cierto que no creemos que Él satisfaga nuestros deseos. ¿Qué si Dios no tiene buen gusto en cuanto a los alimentos y las posesiones materiales? ¿Quién quiere incluir a Dios en una parranda de compras? Podría ser que no nos dejara comprar esos zapatos finísimos, caros, de la mejor marca.

¿Y qué sabemos de los horarios de Dios? Quizá su reloj se haya roto o esté ayudando a la gente al otro lado del mundo. No queremos molestarle con detalles. Quizá razonemos:

«Para andar bien con Dios, es mejor no molestarle hasta necesitar algo importante, ¿no es cierto?» ¡No, no es cierto!

Este tipo de razonamiento llevó a los israelitas a crear su propio dios falso. ¿Recuerda la historia que contamos anteriormente sobre el becerro de oro? Los israelitas querían salir pronto del desierto. Moisés subió a un monte para recibir las leyes de Dios escritas en tablas de piedra.

> Viendo el pueblo que Moisés tardaba en descender el monte, se acercaron entonces a Aarón, y le dijeron: Levántate, haznos dioses que vayan delante de nosotros... Entonces todo el pueblo apartó zarcillos de oro que tenían en sus orejas, y los trajeron a Aarón y él los tomó de las manos de ellos, y le dio forma con buril, e hizo de ello un becerro de fundición (Éxodo 32.1a,3,4a).

Cuando había pasado mucho tiempo y los israelitas no veían que Moisés regresaba, para no molestar a Dios por si acaso se le hubiera roto el reloj, hicieron un becerro de oro para apurar las cosas. Como es de esperar, el que Israel rindiera culto al becerro de oro hizo enojar a Dios. Moisés, enojado también, arrojó al suelo las tablas que Dios había hecho, rompiéndolas. Los israelitas tuvieron que esperar a Moisés *otros* cuarenta días para que las remplazara.

No somos distintos de los israelitas. También nosotros estamos dispuestos a renunciar a nuestras joyas para seguir pagando a nuestros dioses falsos, que son ayudadores falsos. Fabricamos un régimen de ejercicios/píldoras dietéticas para apurar nuestro camino porque no queremos comer menos. Decimos: «No le cuenten a Gwen, pero combinamos Weigh Down[†] con píldoras dietéticas para poder salir más pronto del desierto». Se quedará usted más tiempo en el desierto porque su corazón no quiere comer menos.

Muchos tratarán de mezclar diuréticos con la Dieta Weigh Down[†]. Esto les puede dar un falso sentido de seguridad, y deben saber que los diuréticos pueden perjudicar los riñones.

Tenemos la esperanza de que los falsos dioses nos salven, pero no nos llevan a ninguna parte. ¿Pueden los dioses falsos quitarnos el deseo de comer de más? No pueden. ¡La verdad es que nuestros dioses falsos nos sabotean en lugar de salvarnos! Tratar de rendir culto a Dios y a la comida al mismo tiempo no da resultado.

El principio de Mateo 19.29

No podemos correr en pos de dioses falsos para que nos quiten nuestro dolor, y no podemos salvarnos fabricando becerros de oro en formas de píldoras dietéticas, operaciones de liposucción, programas dietéticos, dietas líquidas de hospital y centros de tratamientos para rebajar de peso. Necesitamos dar nuestro corazón, nuestra alma, nuestra mente y nuestras fuerzas a obedecer a Dios en lugar de la comida. Necesitamos desarrollar nuestra relación con Dios el Padre por medio de Jesucristo. Esa es la única manera como podemos llegar a confiar que Él es realmente el único que nos puede rescatar de nuestros problemas. Enseguida, nos encontramos con que nos estamos enamorando de Él. Podemos olvidar nuestro antiguo amor llamado comida. Cuando le damos a Él, el verdadero Dios, nuestro corazón, no nos roba nada. De hecho, toma nuestro corazón, nuestra alma, nuestra mente y nuestras fuerzas y los multiplica por cien y nos los regresa. Así como el dios falso le roba, el Dios verdadero le devuelve grandes dividendos. Usted le da el resto de su sándwich; Él le devuelve un vestido o pantalón más chico, junto con muchas otras joyas. ¡Es un multibillonario!

«Y cualquiera que haya dejado casas, o hermanos, o hermanas, o padre, o madre, o mujer, o hijos, o tierras, por mi nombre, recibirá cien veces más, y heredará la vida eterna» (Mateo 19.29).

No puede usted dar más de lo que da el único Dios verdadero. Permítame ofrecerle algunos ejemplos personales. Al ir aprendiendo a dejar que me dirija en cosas pequeñas, por fin decidí que era Dios el que me hacía despertar en la noche. Me llevó mucho tiempo establecer la conexión. Luego, para estar segura, le pedí a Dios que me lo mostrara claramente. Le pedí: «Si eres tú, oh Señor, que quieres que me levante para leer tu Palabra o para hablarte (orar), ¿podrías entonces despertarme con dos cosas a la vez? Por ejemplo, Señor, ¿me puedes despertar teniendo que ir al baño y sonarme la nariz, o podrías combinar la luna brillando en mis ojos y mi gato haciendo ruido con su plato en la cocina?»

Porque, ¿sabe?, levantarme de la cama en el medio de la noche me es muy penoso. Así como deseaba estar segura de que él realmente quería la segunda mitad de mi almuerzo, deseaba estar segura de que quería mi sueño a media noche. Es como pedirle la mejor porción de sandía o el glaseado del pastel. Créame, estoy dispuesta a levantarme a medianoche únicamente para el único Dios verdadero, ¡no para cualquier dios! Así que Dios me mandaba dos cosas para hacerme despertar. Por ejemplo, una noche sentí mucho frío y, a la vez, sonó la alarma del indicador de falta de batería de un teléfono portátil. Otra noche, justo después de haber terminado de pasar a máquina una conferencia que tenía que grabar en el estudio al día siguiente, razoné con Él que me dejara dormir, diciéndole que dormir bien me ayudaría con mi actuación en el estudio. A los cinco minutos, el árbol de Navidad se vino al suelo. Esa noche no necesité dos pruebas a la vez. ¡Le dije que eso no me parecía muy gracioso! (Pero, en realidad, era muy gracioso, ¡y yo lo sabía!) Esa noche, volví a redactar todo el discurso que debía grabar, y resultó ¡mucho mejor que antes!

La mayoría de las noches me guiaba hacia nuevos pasajes en la Biblia o sencillamente me hacía levantar para contemplar la luna que Él había hecho. Oh, lo mucho que me he divertido (y divierto aún) con el Padre a horas insólitas de la noche o durante el día. Siempre tengo mi colchita eléctrica y mi Biblia en el lugar que siempre uso para mis citas con Dios en las noches invernales. Desde que empecé a darle parte de mi precioso tiempo para dormir, siempre me ha devuelto un sueño profundo y el despertarme justo a tiempo a la mañana siguiente. Nunca estoy cansada porque el Dios del sueño me lo devuelve en forma concentrada. (Supongo que así es como lo hace... realmente no sé como lo logra: sólo sé lo que sucede.)

Otros ejemplos son que he tratado de darle mi dinero y me devuelve más. Luego le di mi casa para ayudar con nuestras finanzas y me dio una más grande. Él es un Dios de recursos ilimitados. Puede dar o hacer lo que quiere. No puede usted dar más que lo que el Padre da. Sé que la lluvia cae sobre justos e injustos. Pero sucede que le place dar a quienes le aman. Y estoy eterna y agradecidamente enamorada de Jesús por hacer que la senda hacia el Padre sea clara y esté a nuestra disposición. Nunca hubiera podido llegar hasta aquí sin Él. Me guía y me aconseja. Me aparta de los problemas y me brinda situaciones placenteras. La avaricia es idolatría; sentimos que nosotros mismos tenemos que satisfacer nuestras necesidades, así que nos endiosamos a nosotros mismos. ¡Qué agobiador! Necesitamos creer en Dios. Necesitamos probar y ver qué bueno es.

Probadme ahora en esto, dice Jehová de los ejércitos, si no os abriré las ventanas de los cielos, y derramaré sobre vosotros bendición hasta que sobreabunde (Malaquías 3.10b).

El mayor de estos es el amor

Es hora de despertarnos y comprender que ser nuestro propio dios no nos ha llevado a ninguna parte y arrodillarnos ante el mundo nos ha robado de todo. Los dioses de segunda categoría no tienen ningún valor. Debiéramos estar agradecidos que Dios está loco por nosotros y está dispuesto a recibirnos. Esto se llama gracia.

Y habló Dios todas estas palabras, diciendo: Yo soy Jehová tu Dios, que te saqué de la tierra de Egipto, de casa de servidumbre. No tendrás dioses ajenos delante de mí. No te harás imagen, ni ninguna semejanza de lo que esté arriba en el cielo, ni abajo en la tierra, ni en las aguas debajo de la tierra.

Tener fe en Dios es grandioso; tener esperanza en Dios es bueno, pero el mayor de ellos es estar enamorado de Dios.

No te inclinarás a ellas, ni las honrarás; porque yo soy Jehová tu Dios, fuerte, celoso, que visito la maldad de los padres sobre los hijos hasta la tercera y cuarta generación de los que me aborrecen, y hago misericordia a millares, a los que me aman y guardan mis mandamientos (Éxodo 20.1-6). Este es un clamor del corazón de Dios que expresa: «Yo te hice y te he cuidado y te he liberado. Ámame y dedícate solo a mí».

Es mejor ser vaciado en el desierto y estar con nuestro Dios Grande que ser consentido por el mundo y estar sin Dios. Además, los que aguantan y logran cruzar el desierto llegarán a la Tierra Prometida. ¡Estoy ansiosa por contarle de ella!

El corazón es complicado. No podemos mirar el exterior o el ambiente de alguien para ver lo que hay dentro de su corazón. Si hay dos personas comiendo una sabrosa torta de chocolate, una puede estar pecando y la otra no. ¿Cómo puede ser? Un corazón puede estar cometiendo adulterio mientras el corazón del otro está totalmente enamorado de Dios y disfruta de su abundancia, pero con un corazón *indiferente* a esa abundancia.

El rey David siempre; su corazón amaba todo lo que era parte de Dios. «¡Oh, cuánto amo yo tu ley! Todo el día es ella mi meditación» (Salmo 119.97). Jesús estaba enamorado de Dios, y dijo: «Mas para que el mundo *conozca* que *amo* al Padre, y como el Padre me mandó, así hago» (Juan 14.31).

Por lo tanto, el Desierto de la Prueba ha servido para ver si en nuestro corazón hay amor a Dios.

La vida de Jesús definió al amor. El apóstol Pablo amaba a Jesús y a Dios el Padre. Eran la razón de su vida. Pablo, en 1 Corintios 13, nos enseña lo que es el amor:

Si yo hablase lenguas humanas y angélicas, y no tengo amor, vengo a ser como metal que resuena, o címbalo que retiñe. Y si tuviese profecía, y entendiese todos los misterios y toda ciencia, y si tuviese toda la fe, de tal manera que trasladase los montes, y no tengo amor, nada soy. Y si repartiese todos mis bienes para dar de comer a los pobres, y si entregase mi cuerpo para ser quemado, y no tengo amor, de nada me sirve. El amor es sufrido, es benigno; el amor no tiene envidia, el amor no es jactancioso, no se envanece; no hace nada indebido, no busca lo suyo, no se irrita, no guarda rencor; no se goza de la injusticia, mas se goza de la verdad. Todo lo sufre, todo lo cree, todo lo espera, todo lo soporta. El amor nunca deja de ser; pero las profecías se acabarán, y cesarán las lenguas, y la ciencia acabará. Porque en parte conocemos, y en parte profetizamos; mas cuando venga lo perfecto, entonces lo que es en parte se acabará. Cuando yo era niño, hablaba como niño, pensaba como niño, juzgaba como niño; mas cuando ya fui hombre, dejé lo que era de niño. Ahora vemos por espejo, oscuramente; mas entonces conoceré como fui conocido. Y ahora permanecen la fe, la esperanza y el amor, estos tres; pero el mayor de ellos es el amor.

Este pasaje nos dice que podemos dar todas nuestras posesiones y nuestro dinero, podemos dar nuestro cuerpo para ser quemado y ser el mejor orador o cantante del siglo para Dios; pero si no estamos enamorados de Dios, ¡no somos nada y no ganamos nada! Cuando se enamore usted de Dios, ya no necesitará todos esos tutores y profesores (lenguas y profecías), porque se habrá graduado habiendo encontrado lo definitivo: el amor de Dios. Tener fe en Dios es grandioso; tener esperanza en Dios es bueno, pero el mayor de ellos es *estar enamorado de Dios*. Y este es el quid de la cuestión.

PERMANEZCA DESPIERTO

Ama al Señor con todas tus fuerzas...

El apóstol Pablo nos insta muchas veces a «ejercer dominio propio y permanecer alertas». Durante estos últimos años, de cuando en cuando he escuchado decir algo así: «Bueno, creo que el hecho de que como demasiado es un problema espiritual». Me he preguntando: «¿Qué quieren decir? ¿Están diciendo que son espiritualmente inadecuados? ¿Están diciendo que hay problemas mundanos (como tener problemas con el auto) y que el control del peso corporal está en el terreno de lo espiritual?» Al principio, no estaba segura de lo que querían decir. Pero estoy segura de que arrepentirse y apartarse de los antiguos caminos, renunciar a nuestra voluntad, reconocer que la forma de comer de Dios es correcta, resistir la tentación siendo obedientes y seguir resistiendo cada hora del día hasta que nos elevamos y volamos fuera del magnetismo de la comida son, por cierto, batallas espirituales. Meramente hablar de ello es cansador, ¡cuánto más lo es vivirlo!

Se ha declarado la guerra

Su peso no es un *problema* ni una *condición* espiritual, en el sentido de que sea un trastorno o enfermedad que necesita un masaje o una fuerte dosis de la droga maravilla. Más bien, es una *guerra espiritual* en que usted es un soldado. Si tiene un problema, es el de las bombas que caen o las balas que zumban a su alrededor, pero usted no las percibe. Es posible que ni sepa que está en guerra. Si se encuentra en esta categoría, con razón cada vez está más y más fuera de control. No puede estar ganando batallas si no sabe que se ha declarado la guerra.

Conocer y amar a Dios requerirá sus fuerzas. Pablo lo describió muchas veces como una «carrera», y usted se está forzando por alcanzar la línea de llegada. A veces lo que le está sucediendo no es más que una prueba inesperada. Pero encarar hoy la comida, sin comprender la dinámica de lo que estamos hablando, es tomar un curso universitario y pasarse el tiempo en la luna o durmiendo la siesta. Cuando reacciona, todos los estudiantes a su alrededor están entregando sus exámenes mientras que usted, ¡ni se había dado cuenta que había un examen! Que repruebe el examen es inevitable.

Sería mucho más sencillo, pensamos, si Dios pudiera simplemente advertirnos: «Mis hijos queridos, hoy van a ser probados por Satanás, y engañados y seducidos por su propia carne a la 1:15 de la tarde con un pastel de chocolate, y quiero que dejen de comer cuando estén satisfechos y guarden lo que sobra. Ya lo saben, estén listos hoy a la 1:15». Lástima que no funcione así. Hubiera pasado muchos más exámenes sorpresa en la universidad si hubiera sabido exactamente las preguntas que harían y cuándo serían. Pero la realidad es que tenía que *mantenerme despierta*. Tenía que mantenerme alerta para estar lista cuando el profesor decidiera dar una prueba.

Estoy segura que podría ganar muchas más guerras espirituales si supiera cuándo ponerme mi armadura de batalla, dónde sería la batalla, quién sería el enemigo y cómo vencerlo. Estaría lista para todos esos exámenes sorpresa. Pero Dios no obra de esta manera porque Dios quiere que estemos siempre listos para la batalla. Quiere que nos concentremos en Él en todo momento. Si tuviera que decir que existe un propósito para el Curso Weigh Down† y esta batalla por la que está pasando con su peso, diría que Él quiere que mantenga sus ojos puestos en Él en *todo* momento. Si le llama a medianoche, debe responder a su General. Tendrá exámenes sorpresa para mantener sus ojos fijos en Él.

Como no sabemos quién, qué, cuándo, dónde y cómo, el único plan efectivo es mantenernos en guardia en todo momento. A menudo he pensado que los creyentes listos para la batalla son los mejor ubicados, más alertas y competentes.

El campo de batalla

Ahora observemos esta batalla o carrera en que nos encontramos. Lo que tenemos que combatir y resistir son las mentiras de Satanás y nuestros propios deseos y tentaciones carnales de comer más alimento de lo que el cuerpo pide (gula). Pablo describió el lugar de esta batalla en Romanos 7.21-23 cuando dijo:

Así que, queriendo yo hacer el bien, hallo esta ley: que el mal está en mí. Porque según el hombre interior, me deleito en la ley de Dios; pero veo otra ley en mis miembros, que se rebela contra la ley de mi *mente*, y que me lleva cautivo a la ley del pecado que está en mis miembros.

Pablo continuó, diciendo que el Espíritu Santo de Cristo nos libera de la ley del pecado y la muerte. Pero tenga por seguro que tenemos que batallar constantemente para someter nuestra voluntad y entrenar nuestras mentes para que permanezcan enfocadas en lo que la ley de Cristo es; y tenemos que hacer morir nuestros deseos terrenales.

Así que sabemos dónde se libra la batalla: en la mente y el corazón. Y sabemos algo de lo que tenemos que enfrentar en esta guerra: nuestros propios deseos o voluntad carnales. Sabemos que ganaremos la guerra si permanecemos concentrados en el Espíritu de Jesucristo y en la voluntad de Dios. Esto significa que invertimos nuestra energía en quitar nuestra mente de nuestros deseos terrenales como lo describió Pablo en Colosenses 3.5a: «Haced morir, pues, lo terrenal en vosotros». Digamos de paso que cuando tenemos que hacer morir algo, es mejor no torturarlo lentamente para darle muerte. «Hacer morir» o «líbrate de» es una acción veloz, rápida. Pero lo que nos gusta hacer es pensarlo, considerar la posibilidad de renunciar a la comida, escuchar a otros hablando de renunciar a su comida y comprobar su estado para asegurarnos de que no se han muerto en su intento. ¿Comprende? Es el método de una gotita a la vez. No nos gusta meternos de cabeza en algo, pero juguetear con este proceso solo le puede crear problemas. Pero al morir lo terrenal, ¡la vida de Dios cobra vida en nuestro corazón!

El antagonista

Así como en la literatura vemos al héroe o heroína contrapuesto por un adversario, existen en nuestra propia vida un Héroe Auténtico y su antagonista. El papel de Dios es darnos la verdad, mientras que el papel de Satanás es que nuestra mente esté confusa y desenfocada de los caminos de Dios. Una manera como Satanás logra esta proeza es por medio de las mentiras.

Quienes son especialmente vulnerables a estas mentiras engañosas pueden ser los que no han muerto a su propia voluntad. Cuando no morimos a nuestra propia voluntad, por lo general no nos diagnosticamos correctamente. Empezamos a culpar a cualquier cosa y a todo lo que nos rodea como los causantes de nuestra infelicidad, o nos deprimimos mucho y nos centramos más profundamente en nosotros mismos y nos tenemos mucha lástima. Esto lleva a valernos de más comodidades terrenales, como comer demasiado para tranquilizarnos. Algunos lo llaman «un círculo vicioso y nada más». Yo lo llamo «espiral hacia abajo», y ni siquiera podemos sentirlo o verlo.

Satanás puede mentirnos, y si nos anda rondando lo suficiente, se puede convertir en nuestro amo sin que siquiera lo sepamos. Él es muy discreto. No quiere que sepamos que él es nuestro señor. Fíjese en este curioso diálogo entre Jesús y los predicadores-maestros de aquella época, que relata el Evangelio de Juan. Jesús comienza diciéndoles que ni Dios ni Abraham eran el padre de ellos. La Biblia registra su respuesta:

> Entonces le dijeron: Nosotros no somos nacidos de fornicación; un padre tenemos, que es Dios. Jesús entonces les dijo: Si vuestro padre fuese Dios, ciertamente me amaríais; porque yo de Dios he salido, y he venido; pues no he venido de mí mismo, sino que Él me envió. ¿Por qué no entendéis mi lenguaje? Porque no podéis escuchar mi palabra. Vosotros sois de vuestro padre el diablo, y los deseos de vuestro padre queréis hacer. Él ha sido homicida desde el principio, y no ha permanecido en la verdad, porque no hay verdad en él. Cuando habla mentira, de suyo habla; porque es mentiroso, y padre de mentira. Y a mí, porque digo la verdad, no me creéis. ¿Quién de vosotros me redarguye de pecado? Pues os digo la verdad, ¿por qué vosotros no me creéis? El que es de Dios, las palabras de Dios oye; por esto no la oís vosotros, porque no sois de Dios (Juan 8.41b-47).

Los fariseos (predicadores de la época de Jesús) sabían las Escrituras. Iban constantemente al templo. Pero no habían sometido su voluntad a la voluntad del Padre Celestial. Fueron rápidamente adoptados por el padre del mundo de las tinieblas. Si su voluntad es amar a Dios con todo su corazón, su alma y su mente, puede escuchar su voz. Pero si su voluntad es servirle a medias cuando le resulta conveniente, no escuchará su voz. Usted no puede escuchar su voz. Lo repetimos: no puede servir a dos señores.

Todos somos fariseos en recuperación, o hemos conocido a personas que son como los fariseos. Los fariseos se sienten incómodos en la presencia de alguien que ha sometido su voluntad. Evitan conversaciones espirituales, y el estilo de vida y la conducta de la gente espiritual a menudo les resulta estúpida. Los fariseos pueden ser el tipo de gente que, al ir al culto, critican el sermón, a los líderes del canto, a los integrantes del coro, a los ancianos, a los ministerios y a la cantidad de contribuciones. Se han olvidado que toda la idea en que se basa la reunión del domingo en la mañana es el *autoexamen*. Al ir dedicando más y más tiempo a examinarme a mí misma, me siento mejor y más feliz. Mi descripción de tareas no es ayudarle a Dios a componer a los demás, sino trabajar en mí misma con la ayuda de Dios.

Todos tenemos nuestros momentos en que nos resistimos a hacer las cosas según la voluntad de Dios. Aun el querido apóstol Pedro, en Mateo 16.22,23, expresó los caminos de Satanás y no de Dios cuando dijo:

Si su voluntad es amar a Dios con todo su corazón, su alma y su mente, puede escuchar su voz.

Señor, ten compasión de ti; en ninguna manera esto te acontezca. Pero Él, volviéndose, dijo a Pedro: ¡Quítate de delante de mí, Satanás!; me eres tropiezo, porque no pones la mira en las cosas de Dios, sino en las de los hombres.

En todo momento tenemos que mantener la actitud mental correcta para lograr la victoria en las batallas que enfrentamos. Si nuestro corazón está dispuesto, será fácil.

Dicen que Satanás es el soberano del mundo. Es por eso que pudo ofrecer a Jesús los reinos del mundo y su esplendor; con la condición de que Jesús, como dijera Satanás, se postrara ante él y lo adorara. Note la forma en que Jesús libró la batalla espiritual y logró la victoria sobre la tentación y la manera cómo finalmente se libró por un tiempo del tentador. Lo hizo por medio de citar las verdades de Dios y diciendo la verdad. Puede usted leer esto en el cuarto capítulo de Mateo.

La estrategia

Esté alerta

Así que hemos sido llamados a ser soldados en el campo de batalla. Su misión, si es que decide aceptarla, es combatir su deseo de comer, por medio de estar alerta. Tenga en cuenta que justamente la hora del día cuando por fin descansamos y nos relajamos y queremos recompensarnos con comida por haber superado un día tan difícil, es justamente el momento en que hemos de permanecer en la atalaya, alertas al enemigo. Los momentos cuando celebramos con comida porque ha sucedido algo maravilloso son los momentos cuando realmente tenemos que estar atentos, sobrios y en guardia. Los momentos cuando andamos aburridos, sin nada que hacer, cuando se nos ocurre comer como una manera de pasar el tiempo, son justamente las ocasiones cuando tenemos que estar más activos y ocupados cumpliendo la voluntad de Dios y no la nuestra. El momento cuando pensamos que por fin todos se han ido a la cama y nadie nos mira es el momento preciso en que la habitación puede estar llena de demonios listos para mentirnos y atormentarnos; pero también esta llena de una gran multitud de las huestes celestiales impulsándonos hacia la victoria. ¡Y ni siquiera lo percibimos! He pasado la mayor parte de mi vida dormida para el reino espiritual. «Despiértate, tú que duermes» (Efesios 5.14).

Sabemos que somos de Dios, y el mundo entero está bajo el maligno (1 Juan 5.19).

Sed sobrios, y velad; porque vuestro adversario el diablo, como león rugiente, anda alrededor buscando a quien devorar; al cual resistid firmes en la fe, sabiendo que los mismos padecimientos se van cumpliendo en vuestros hermanos en todo el mundo. Mas el Dios de toda gracia, que nos llamó a su gloria eterna en Jesucristo, después que hayáis padecido un poco de tiempo, Él mismo os perfeccione, afirme, fortalezca y establezca. A Él sea la gloria y el imperio por los siglos de los siglos. Amén (1 Pedro 5.8-11).

Se nos advierte muchas veces que hemos de estar alertas. Estoy convencida de que cada uno de nosotros se encuentra aquí para aprender a aumentar nuestro nivel de conciencia a fin de estar alerta a Dios cada hora del día. Por eso nuestras batallas serán distintas cada día y a diferentes horas. No va a tener usted los mismos exámenes. No obstante, Satanás es bueno para hacernos creer que andamos bien y que no hay batallas que librar. Y a veces nos ataca por el otro lado, y nos hace sentir que Dios no nos quiere. ¡Sí nos quiere! La táctica de Satanás es quedarse en el trasfondo y socavarnos de a poquito, o hacernos perder las batallas tan sutilmente que ni siquiera nos demos cuenta que estamos en una batalla (y menos aún perdiéndola) como un barco que se va lentamente a la deriva en el mar. Su meta principal es distanciarlo a usted de Dios y de la verdad.

Los momentos cuando andamos aburridos, sin nada que hacer, cuando se nos ocurre comer como una manera de pasar el tiempo, son justamente las ocasiones cuando tenemos que estar más activos y ocupados cumpliendo la voluntad de Dios y no la nuestra.

Cuídese de las tácticas del tentador

Observe lo que ha hecho Satanás con ese mundo dedicado a bajar de peso. Ha animado el ponerse en dieta, y a nuestra carne le encantó porque no teníamos que apartar nuestro corazón de la comida, arrepentirnos, cambiar ni obedecer a Dios. Solo hemos hecho arrepentir y cambiar a la comida, y hemos forzado a toda la industria alimenticia a cambiar y manipular nuestros alimentos. Hemos forzado a los restaurantes a cambiar lo que nos sirven. Y muy pocos lo saben. ¡Qué interesante! Hemos creído equivocadamente que los cambios externos nos ayudan. Muy pocos, aunque se dan cuenta del error, tienen la valentía de asumir una posición contra estas tonterías porque los fariseos del mundo dedicados a bajar de peso son tan tercos y farisaicos en cuanto a su bróculi, zanahorias y alimentos de bajas calorías cuando comen en público. Después de todo, es más fácil limpiar lo de afuera que lo de adentro.

Entre tanto, Satanás se ha asegurado de que creamos que no tenemos que examinarnos a nosotros mismos. Ah, *allí* está el problema. Esta actitud farisaica (limpiar lo de afuera mientras lo de adentro tiene huesos de muerto) ha saturado aun a las investigaciones más serias. Las principales industrias y agencias gubernamentales gastan toneladas de dinero a fin de investigar cómo cambiar el contenido de los alimentos para tomar medidas en pro de la buena salud. Gastan dinero investigando los genes y las células de grasa blanca y oscura. Han sugerido que todo sobrepeso es genético y la culpa la tiene mamá. Esto es alarmante, porque alguna vez todos hemos creído esta generalización. No obstante, en todos mis años de iniciar a las personas en el programa de Weigh Down[†], he observado que cuando alguien come menos, rebaja de peso. No están congénitamente condenados.

Tiene que estar bien despierto para ver la mano de Satanás. No se presenta a su casa en un traje rojo con una horqueta. Satanás y su insidioso equipo son agentes de las tinieblas tan astutos que hacen difícil que muchos de nosotros, cuando empezamos el Curso de Weigh Down[†], creamos que en realidad estamos comiendo demasiado, hasta que se nos abren los ojos para ver qué poco alimento se requiere para vivir. La herramienta principal que puede usar con nosotros es la mentira. Observe el daño que ha causado a través de los siglos, empezando con Eva en el jardín: «Entonces la serpiente dijo a la mujer: No moriréis; sino que sabe Dios que el día que comáis de él serán abiertos vuestros ojos, y seréis como Dios, sabiendo el

bien y el mal» (Génesis 3.4,5). O, para parafrasear a Satanás:
«Eso no es todo... Dios no les está contando todo... ¡eso no es
todo!»

Permanezca firme

Ya ve usted la mayor parte del panorama. Estamos en
guerra. El campo de batalla se encuentra en la mente y el corazón. Nuestra tarea es hacer morir los deseos de la carne y colocar en su lugar la preciosa, maravillosa voluntad de nuestro
Padre Celestial. Por último, pero no menos importante, Satanás tiene sus propios intereses al sabotear toda la misión con
sus mentiras astutas, engañosas.

Ahora que sabe usted lo fundamental, ¿cómo puede so-
brevivir y ser victorioso en la batalla? Necesitará fuerza, *fuerza
espiritual*. Veamos Efesios 6.13-18:

Por tanto, tomad toda la armadura de Dios, para que podáis resistir en el día malo, y habiendo acabado todo, *estar
firmes. Estad,* pues, *firmes,* ceñidos vuestros lomos con la
verdad, y vestidos con la coraza de justicia, y calzados los
pies con el apresto del evangelio de la paz. Sobre todo, tomad el escudo de la fe, con que podáis apagar todos los
dardos de fuego del maligno. Y tomad el yelmo de la salvación, y la espada del Espíritu, que es la palabra de Dios;
orando en todo tiempo con toda oración y súplica en el espíritu, y velando en ello con toda perseverancia y súplica
por todos los santos.

Una vez más, Pablo nos advierte que estemos alertas. Y
usted se creía que lo único que tenía que hacer hoy era ir al trabajo, complacer al jefe, después volverse a casa, ocuparse de la
cena, sentarse a descansar y mirar las noticias. ¡Eso es exactamente lo que el enemigo quiere que creamos! No, usted tiene
que tener un corazón y una mente alertas buscando lo que
agrada a Dios, y listo para el ataque. Cuando escucha una
mentira, cite la verdad y luego permanezca firme y observe a
Dios librando la batalla.

Una batalla típica

Observemos paso a paso una batalla cotidiana típica. Acaba de llegar usted a casa del trabajo, está físicamente cansado y tres viejas mentiras le vienen a mente:

Mentira No. 1: Sobrevivió un día difícil en el trabajo; por lo tanto, se merece comer.

Mentira No. 2: Cuando está físicamente cansado, la comida le hará sentir mejor.

Mentira No. 3: Tiene tanto que rebajar así que, ¿qué importa? Da lo mismo comer cuando no tiene apetito.

Ahí lo tiene. El campo de batalla y la prueba han sido preparados para usted, específicamente para usted. Se encuentra de pie frente al refrigerador y siente esta atracción abrumadora, magnética hacia la comida. Esto es lo que debe hacer:

1. *Identifique las mentiras y cite la verdad*. El primer paso estratégico es salir de la cocina e identificar inmediatamente las mentiras de Satanás. Tome nota de la hora que empieza esta batalla. Cite la verdad contra la mentira. La verdad es que comer no es algo que *merecemos* hacer; es algo que hemos de hacer cuando y porque tenemos apetito. La comida nos hace sentir peor, no mejor, si no tenemos apetito. Y la cantidad de peso que tenemos que rebajar no es el criterio que usamos para determinar si seremos obedientes. Dígale a Satanás que debemos obedecer al Señor, nuestro Dios. Mateo 4.4 dice: «No sólo de pan vivirá el hombre, sino de toda palabra que sale de la boca de Dios». Muchas veces Satanás ni se tiene que quedar con nosotros. Después de todo, nos convenció hace años de que creyéramos estas mentiras cuando nos inició en nuestro primer «exceso merecido». Como todo el mundo en este país parecía estar haciéndolo y aprobándolo, ni tuvimos que resistirnos. Después de muchos años de

excesos, se ha convertido en lo que llamamos un «bastión», y esto es grave.

2. *Póngase de rodillas y someta su voluntad a Dios.* Cuéntele
cuál es su deseo, y sea sincero. Diga: «Señor, lo que yo
quiero hacer es ir al refrigerador y comerme el resto de
las sobras del pavo y el relleno, y un poco de helado
(para ser exacto ¡aproximada-
mente medio galón!) Y estoy
bastante seguro de que si empiezo, es probable que pueda
acabar con el resto del pastel de
chocolate que cociné. Por lo
menos eso es lo que quiero hacer. Pero sé que tu voluntad es
que no coma ni un bocado de
esto hasta que mi cuerpo lo pida. Someto mi hambre cerebral y mis deseos a tu voluntad, no la mía. Estoy
aprendiendo que lo que tú me llevas a hacer es vida,
vida, *vida* y paz. Y Dios, me doy cuenta que he estado
siguiendo las mentiras de Satanás y mi voluntad, y eso
es vil. No me ha llevado a ninguna parte más que a puros problemas. Así que, por favor, quítame este deseo y
dame el sentido de "satisfacción" que proviene de ti».

3. *Sométase y coma menos.* Use la fuerza que le queda para
decidir que cuando salga de su habitación no va a comer hasta que el estómago le haga ruido. Es entonces
que comenzará a sentir que su oración está siendo contestada y que se va terminando la fuerza magnética de
la comida, al punto que ni siquiera *quiere* comer. No
puede imaginarse querer comer. Dios ha escuchado su
oración, y le ha quitado el deseo, y su corazón comienza a sentirse feliz. Una hora después, ¡se puede poner
una ropa que no le entraba desde hace años!

Nuevamente, note la hora. Puede esperar que sus
batallas le vayan llevando menos tiempo al tener más
práctica en someter su voluntad. Sé que mis batallas

> *Es realmente difícil siquiera saber cuál es la voluntad de Dios hasta no tener un corazón quebrantado y contrito. . .*

pueden durar de diez minutos a una hora, dependiendo de lo rápido que voy tomando los pasos.

Escriba estos tres pasos en el espejo del baño o en el refrigerador. Memorícelos para toda la vida. El problema con nuestras batallas es que nos sentimos tan confundidos y sensibles mientras las libramos. Pero si sigue usted estos pasos, compruebe cómo dichas capas de confusión van desapareciendo.

Es realmente difícil siquiera saber cuál es la voluntad de Dios hasta no tener un corazón quebrantado y contrito, un corazón profundamente afligido, como el de Isaías 66.2: «Miraré a aquel que es pobre y humilde de espíritu, y que tiembla a mi palabra».

Dicho sea de paso, *contrito* significa «afligido al punto de arrepentimiento o cambio». Lo principal a saber es: cuanto más ligero renuncia usted a su voluntad, cuanto antes terminará la batalla. En cuanto verdaderamente haya decidido nunca jamás ceder a la comida, menos lo tentará Satanás en ese aspecto. Tarde o temprano, se encontrará fuera de la zona de batalla por la comida —¡y qué día glorioso es anunciar una perfecta paz con respecto a los alimentos!

Repaso

Repasemos. Primero, identifique la mentira y luego acuérdese de la verdad. Satanás sabe que ha ganado si no sabe usted por qué está en la batalla o cuál es su defensa. Una vez que ha determinado esto, es usted menos sensible y descontrolado, pero todavía se sentirá confundido. Se pregunta cómo manejar este deseo de comer, porque su voluntad le bloquea el camino. Se pregunta qué es «lleno» y si su apetito es *cerebral* o *estomacal*. Su voluntad que bloquea el camino obstruye las arterias que llevan a la vida. Se está muriendo, y ni siquiera lo sabe. Satanás nos ha engañado haciéndonos preocupar tanto por el nivel de nuestro colesterol y la formación de placas en nuestros vasos sanguíneos que nadie sabe que es nuestra voluntad obstinada, adhesiva, obstructora la que causa la «muerte» lenta por carecer de la voluntad perfecta, vivificante de Dios que fluya libremente en nuestra vida.

Ese es el segundo paso: quitar del camino su propia voluntad y simplemente ceder a la voluntad de Dios. Entre menos haya hecho esto en la vida, más difícil le resultará. Pero recuerde: es una opción. Este paso puede hacerle brotar lágrimas al mirar a Dios y preguntarle por qué hizo que la vida fuera tan difícil. Para mí que así es como derramamos nuestra voluntad: por los lagrimales. Una noche llamé a una amiga del Curso Weigh Down† para ver cómo andaba. Parece que la sorprendí en medio de una lucha con su voluntad porque me dijo: «¡Estoy sentada aquí en el piso frente a mi refrigerador, llorando!» Le pregunté si había sacado de él algo para comer y, cuando me dijo que no, le comenté que andaba fantástico; no tenía que llorar porque estaba agradando a Dios. Había hecho frente a su propia voluntad y estaba pasando por el doloroso proceso de hacerla morir.

El tercer paso es, repitámoslo, determinar que no comerá hasta que le haga ruido el estómago.

Los botines de la victoria

Lo realmente bueno de renunciar a la voluntad propia es que se hace cada vez más fácil si repite el proceso constantemente, vez tras vez. En cuanto se suelta una gran obstrucción de su voluntad, siente la vida como nunca antes la sintió. Querrá someterse más y más, al correr la paz y felicidad por sus venas. El sueño reparador abundará, y sentirse en paz en cuanto a la comida es cada vez más común. Pero lo mejor de todo son las recompensas, o joyas, que recibirá por su nuevo descubrimiento de su habilidad para ver y cumplir la voluntad del Señor.

Dios siempre le recompensará por ser obediente. Obtendrá muchos regalos increíbles de su victoria. Muchas, muchas

joyas han sido reportadas como consecuencia de la obediencia. Estas son cosas que solo Dios y usted saben que usted anhela. Al obedecer, Él se las dará. Por ejemplo, sabemos de muchas mujeres que han reportado que por fin han quedado
embarazadas, padres cuyos hijos han dado su vida a Dios y
gente sin recursos para comprarse ropa nueva que han recibido ropa que les quedaba bien cada vez que bajaban un talle. Es
imposible justificar las miles de joyas como westas reportadas
a nuestra oficina.

Nunca tomará usted otro camino cuando haya encontrado el correcto. Ser delgado será solo un beneficio secundario,
por cierto no la principal recompensa de ser obediente en esta
área alimenticia. Una vez que ha pasado por esta batalla de la
voluntad, le sucede algo increíble a toda la confusión. Es como
las escamas que cayeron de los ojos de Pablo después de su experiencia camino a Damasco (veáse Hechos 9). La confusión
desaparece, y ve usted claramente el camino hacia la voluntad
de Dios. Le resultará claro cuándo empezar a comer y cuándo
detenerse.

Sucede otra cosa magnífica cuando la voluntad de comer
es remplazada por la voluntad de Dios: no solo ve la voluntad
de Dios, sino que ahora sabe por experiencia lo que Él quiso
para usted desde el principio de los tiempos. Usted *quiere* hacer la voluntad de Dios. ¿Se da cuenta de lo que digo? Digo
que *quiero* comer de la manera como se lo he descrito. He estado comiendo de esta manera durante catorce años. Comer delgadamente es divertido. No podría usted pagarme para que
comiera de más, porque Dios ha remplazado mi corazón predispuesto a la comida con un corazón predispuesto a Él. Cada
vez que descubra el misterio de la voluntad de Dios y le someta la suya totalmente, le resultará claro lo que tiene que hacer.
Con el tiempo, Dios transformará su mente y corazón de
modo que disfrute hacer las cosas a la manera de Él. Ser de un
mismo sentir con Él trae mucha paz.

Conclusión

He visto a muchos luchar cuando se dan cuenta de que tienen que renunciar a su propia voluntad. Muchas veces he clamado a Dios diciéndole que su sistema es muy difícil. Dios nos hace tomar un curso difícil para que nos entreguemos a su Espíritu de amor. Es un profesor exigente y no da exámenes fáciles en su aula. Pablo se refirió al proceso de capacitación en estos términos:

> No que lo haya alcanzado ya, ni que ya sea perfecto; sino que prosigo, por ver si logro asir aquello para lo cual fui también asido por Cristo Jesús. Hermanos, yo mismo no pretendo haberlo ya alcanzado; pero una cosa hago: olvidando ciertamente lo que queda atrás, y extendiéndome a lo que está delante, prosigo a la meta, al premio del supremo llamamiento de Dios en Cristo Jesús (Filipenses 3.12-14).

Y nuevamente en 1 Corintios 9.24-27, Pablo escribió:

> ¿No sabéis que los que corren en el estadio, todos a la verdad corren, pero uno solo se lleva el premio? Corred de tal manera que lo obtengáis. Todo aquel que lucha de todo se abstiene; ellos, a la verdad, para recibir una corona corruptible, pero nosotros, una incorruptible. Así que, yo de esta manera corro, no como a la ventura; de esta manera peleo, no como quien golpea el aire, sino que golpeo mi cuerpo, y lo pongo en servidumbre, no sea que habiendo sido heraldo para otros, yo mismo venga a ser eliminado.

Siempre les he dicho a los participantes del Curso Weigh Down[†] que la voluntad propia se levanta a media noche como levadura en el pan, y que tienen que darle puñetazos o golpes para bajarla por medio de ponerse de rodillas cada mañana.

Así que, digámoslo nuevamente: pasar los exámenes sorpresa de Dios es difícil. Pero una vez que pase varios, saber cómo pasarlos se le hará mucho más fácil y mucho más claro. Si sale a la batalla totalmente preparado, usando todo su corazón, alma, mente y fuerzas, la victoria será más fácil que cuando lo toma medio o totalmente desprevenido.

Recuerde, cuando siente esta compulsión incontrolable de comer demasiado, despierte y vuélvase a Dios. Al batallar, recuerde que lo rodean huestes celestiales que le animan a seguir adelante, y que la victoria sobre Satanás y los deseos mundanos ha sido ganada. Ni siquiera se levante de la cama ahora sin ponerse toda la armadura para la batalla. ¡Corra para alcanzar el premio, que incluye amar a Dios con todas sus fuerzas! Le he entregado a Dios mis fuerzas, y Él las renueva diariamente. Me encuentro infinitamente mejor por haber entregado mis fuerzas para servirle y recibir la energía para realizar las tareas de la vida con las fuerzas de Él.

DELEITÉMONOS
EN LA VOLUNTAD DEL PADRE

Ama al Señor con toda tu alma...

A estas alturas, es posible que ya se encuentre usted a mitad de camino en el desierto. Para la mayoría de nosotros, este camino no es fácil, pero vale la pena. Es una experiencia agridulce. De hecho, hemos pasado muchos días difíciles. En este lugar de sacrificio, sentimos que hemos entregado nuestra mente, nuestro corazón y nuestras fuerzas a Dios y, aún así, algo parece andar mal. Nuestro peso parece haberse atascado de modo que ya no estamos rebajando más. ¿Qué pasa?

¿Es posible que Dios esté pidiendo el supremo ingrediente: nuestra propia alma, la parte eterna de nuestro ser?

Las épocas fáciles

Mi relación con Dios era, al principio, como la de un recién nacido con su madre. La madre alimenta a su bebito, lo mantiene calentito, limpito, le cambia los pañales y se ocupa de que esté entretenido y feliz. El bebé no tiene que hacer nada. La madre le hace «todo».

Pero al pasar el tiempo, el bebé crece y se espera una reacción de él: obediencia... atención... cariño.

Al principio, Dios era este «todo» para mí y yo me limitaba a recibir. Al ir creciendo, Dios esperaba algo a cambio. No es difícil darle pequeñeces. Pero, para cuando me acercaba a los treinta años y ya en los treinta, sentí que estaba en el calor del desierto. Casi no podía creer lo difíciles que eran las pruebas de Dios y cuánto pedía de mí ahora. Dar a quienes no nos dan y amar a los que no corresponden a nuestro amor era totalmente contrario al centro mismo de mi ser y demandaría mi alma para lograrlo. Parecía que las presiones y dificultades me atacaban desde todas las direcciones.

Para conseguir que hiciera su voluntad, sentía como si Dios iba a tener que «matar» a la Gwen en mí. Entre lágrimas le preguntaba a Dios si quería a una zombie como seguidora. Le pregunté si quería robots. Trataba de razonar con Él y recordarle que ya contaba con ángeles creados para hacer su voluntad. ¿Para que hizo al ser humano con una voluntad, para después pedirle que hiciera morir su voluntad? Siempre hago preguntas con respeto y con la intención de hacer las cosas como Él quiere. En ese entonces, no recibí respuestas. Confiar y obedecer era lo único que tenía a lo cual aferrarme.

Las últimas diez libras

El método Weigh Down † nos enseña que tenemos que enfrentar diariamente pequeñas muertes de nuestro ego. Por ejemplo, si queremos comer por el deseo de comer y queremos comer antes de irnos a la cama, tenemos que correr al otro lado de la casa (alejándonos de la comida), ponernos de rodillas, morir a nuestros deseos y pedirle a Dios que quite este deseo. Esta forma de obediencia involucra *la muerte al yo*. La muerte al yo, o a nuestra voluntad, es el centro de la obediencia.

obediencia

La preocupación por el yo era el énfasis principal de los israelitas.

Ojalá hubiéramos muerto por mano de Jehová cuando nos sentábamos a las ollas de carne, cuando comíamos pan hasta saciarnos; pues nos habéis sacado a este desierto para matar de hambre a toda esta multitud (Éxodo 16.3).

¿Siente que Dios lo ha traído a este desierto para matarle de hambre? ¿Siente que la cantidad de alimento que Él le permite diariamente es muy poca? ¿Siente que la cantidad de tiempo entre las señales de hambre es exageradamente larga? ¿Siente que el cariño de su cónyuge hacia usted es muy escaso? ¿Siente que la situación económica en que Dios lo ha dejado es demasiado precaria? ¿Siente que el trabajo que Dios le dio no le satisface lo suficiente? ¿Aborrece usted este estilo de vida aparentemente con demasiada escasez y con la obligada dependencia de la mano de Dios para controlar cuándo come, cuánto dinero entra y lo amable que su cónyuge será con usted? ¿Se encuentra con que este Desierto de la Prueba es antipático mientras que los demás que aplican los principios de la Dieta Weigh Down[†] parecen estar pasándola de maravillas? ¿Se ha sentido tentado, como lo fueron los israelitas, a volver a Egipto (el mundo), razonando que por lo menos con las otras dietas podía codiciar comida y masticar calorías opcionales cuando tenía ganas de masticar? Por lo menos en Egipto, no tenía esta lucha con su corazón. Podía dejar que su corazón amara la comida dándose a la gula. Contemplar la posibilidad de soltarse y salvarse de la «muerte» es tentadora.

Ha perdido usted veinte libras, pero ahora se ha quedado estancado a pesar de la cantidad de comida que ha suprimido.

Sabe que le falta rebajar diez libras más. Dios parece querer más de usted. De hecho, quiere algunos de esos últimos bocados que usted creyó que legítimamente le correspondían. ¿No ha dado usted bastante? Es como los que trabajan para mejorar sus relaciones matrimoniales. Algunos creen que han renunciado a tantos de sus derechos para hacer feliz a su pareja y para mejorar su matrimonio, ¡pero Dios les pide que muera aun más a sus deseos! ¡Cómo puede ser esto cuando uno siente que lo justo sería que su cónyuge, por una vez, muriera a sus deseos en pro de la paz! Dios le está pidiendo a la persona que parece dejarse llevar por delante por todos que demuestre aun más disposición a que lo pisoteen. Dios le pide al que da su saco que dé también su chaqueta. Dios nos está pidiendo que demos la otra mejilla cuando nos han dado una cachetada.

Del Paraíso al sufrimiento

Si usted es como yo, le gustará saber por lo menos por qué tenemos que sufrir al punto de morir a nuestra propia voluntad. ¿Por qué quiere Dios que cada alma sea sacrificada sobre el altar y que sigamos los pasos de Jesús todo el camino hasta la cruz con esta comida? ¿No podemos quedarnos con un poco de nuestra voluntad?

> Pues para esto fuisteis llamados; porque también Cristo padeció por nosotros, dejándonos ejemplo, para que sigáis sus pisadas; el cual no hizo pecado, ni se halló engaño en su boca; quien cuando le maldecían, no respondía con maldición; cuando padecía, no amenazaba, sino encomendaba la causa al que juzga justamente; quien llevó Él mismo nuestros pecados en su cuerpo sobre el madero, para que nosotros, *estando muertos* a los pecados vivamos a la justicia (1 Pedro 2.21-24).

Él murió para que nosotros pudiéramos morir. La mayoría hemos sido enseñados que cuando aceptamos la salvación de Cristo, Él ya había hecho todo esto de morir. El camino con Dios nos muestra algo distinto.

Cuando Dios empezó con Adán y Eva, es evidente que su intención era brindar a la humanidad una vida libre de preocupaciones, sacrificios, sufrimientos y muerte. Pero lo que se vio muy pronto por la conducta de Adán y Eva fue que el corazón del hombre no consideraba el Paraíso a «su altura».

Equivocadamente pensaron que «por allí» tenía que haber algo mejor. Cometieron un gran error. No reconocieron la verdadera felicidad cuando la vivían así que, figuradamente, cambiaron el auto nuevo por lo que había detrás de la puerta número tres. Cuando vieron lo que había detrás de la puerta número tres, un mundo caído, estoy segura de que se les hizo un nudo en el estómago y tenían ganas de darse puntapiés por no haberse dado cuenta de que no hay nada más grande que estar con Dios.

Dios ahora nos va a llevar al desierto (lo opuesto al Paraíso) con Él para probar nuestro corazón y dar forma a un corazón lleno de amor por Él. Nuestros ojos serán abiertos a lo maravilloso que es gozar del favor de Dios, aun cuando nos encontramos en el calor del desierto. Después de eso, nos dará un «paraíso» en la forma de la Tierra Prometida.

Parece que este nuevo aprecio y carácter que Adán y Eva necesitaban iba a incluir, desafortunadamente, el dolor; Dios vio que sus hijos no parecían apreciar ser libres del dolor, a menos que experimentaran dolor. Sin la noche, no reconoceríamos el día. Demasiado sol sin lluvia forma el desierto. Después de la Caída, la vida sería más difícil.

Dolores del crecimiento

Job dijo: «¿Qué? ¿Recibiremos de Dios el bien, y el mal no lo recibiremos?» (Job 2.10.) Es seguro que sufriremos. Es seguro que Dios nos disciplinará si lo necesitamos. Primera de Pedro 4.12,13 dice:

Amados, no os sorprendáis del fuego de prueba que os ha sobrevenido, como si alguna cosa extraña os aconteciera, sino gozaos por cuanto sois participantes de los padecimientos de Cristo, para que también en la revelación de su gloria os gocéis con gran alegría.

¡Este consejo no es por cierto el que escuchamos de nuestras madres, amigos, consejeros, sicólogos, siquiatras o del peluquero! Piense en una situación en su trabajo o su matrimonio que lo coloca a usted en el papel del perdedor. ¿Sus amigos y colegas le han hecho enfocarse solo en usted mismo como víctima? ¿Le hicieron sentir como que le ocurría algo extraño, y que necesitaba cuidarse? El mundo le dirá enfáticamente que tiene que darse los gustos o cuidarse bien porque nadie más lo hará. Esa mentira ha saturado aun a la Iglesia y es una de las mentiras más grandes de Satanás. Pero el apóstol Pedro dice que no nos sorprendamos cuando sufrimos, y no se trata de *si* sufriremos sino de *cuándo* sufriremos.

No tiene nada de extraño que el sufrimiento sea parte de nuestra suerte en la vida, y no tiene nada de extraño que no queramos sufrir. Pero Jesús afirmó que seguirle cuesta. «Y el que no lleva su cruz y viene en pos de mí, no puede ser mi discípulo» (Lucas 14.27). Hay quienes ni saben que tienen que levantar su cruz, y hay otros que dejan a un lado su cruz o se la cargan en la espalda a otros. Pero este versículo dice que estos no pueden ser seguidores de Cristo, cristianos, o discípulos de Jesús, si no están dispuestos a tomar el sufrimiento o el negarse a sí mismos (la misma cosa) y cargarlo. Los seguidores de Cristo tienen que estar dispuestos a aceptar el dolor no hay forma de evitarlo. ¡Y el dolor duele! Hebreos 12.11a nos dice: «Es verdad que ninguna disciplina al presente parece ser causa de gozo, sino de tristeza; pero después da fruto apacible de justicia a los que en ella han sido ejercitados».

Su cruz, dicho sea de paso, no es su suegra. Ella es una oportunidad para que usted demuestre amor, no una cruz para cargar. Llevar su cruz significa dejar a un lado su voluntad y hacer la de Dios. Aun Jesús oró sudando gotas de sangre al entregar su voluntad a la de Dios: «No se haga mi voluntad, sino la tuya» (Lucas 22.42).

Dios nos hizo de cierta manera, por naturaleza. «He aquí, en maldad he sido formado, y en pecado me concibió mi madre» (Salmo 51.5). No obstante, nos pide, llama o marca para que vayamos en otra dirección. Decidirnos a cambiar nuestro yo es decidirnos a sufrir dolores del crecimiento. Al igual que los niños, nosotros también fuimos programados con el deseo de crecer, pero el dolor intermitente que acompaña al hecho de aceptar más responsabilidades es incómodo. Pero quedarnos inmaduros es aun más doloroso.

Cómo enfrentar la renunciación a la comida

Sepa que es el horno de Dios

Todo lo que le sucede a usted que proviene de Satanás ha recibido el visto bueno de Dios. Este diálogo entre Satanás y Dios nos asegura que Dios está al mando de todo. Cuando es usted zarandeado como el trigo (probado), es solo con el permiso de Dios. Fíjese en este pasaje de Job 1.7-12:

Y dijo Jehová a Satanás: ¿De dónde vienes? Respondiendo Satanás a Jehová, dijo: De rodear la tierra y de andar por ella. Y Jehová dijo a Satanás: ¿Y no has considerado a mi siervo Job, que no hay otro como él en la tierra, varón perfecto y recto, temeroso de Dios y apartado del mal? Respondiendo Satanás a Jehová, dijo: ¿Acaso teme Job a Dios de balde? ¿No le has cercado alrededor de él y a su casa y a todo lo que tiene? Al trabajo de sus manos has dado bendición; por tanto, sus bienes han aumentado sobre la tierra. Pero extiende ahora tu mano y toca todo lo que tiene, y verás si no blasfema contra ti en tu misma presencia. Dijo Jehová a Satanás: he aquí todo lo que tiene está en mano, solamente no pongas tu mano sobre él. Y salió Satanás de delante de Jehová.

Al final de esta prueba, Job aprendió que el Dios Todopoderoso del universo tiene la respuesta al sufrimiento. Job argumentó con Dios que no había pecado y que no merecía sufrir. Dios finalmente habló y puso a Job en su lugar haciéndole algunas preguntas que no podía contestar, como: «¿Dónde estabas tú cuando yo fundaba la tierra?» (Job 38.4). Job comprendió entonces que posiblemente no tenemos todas las respuestas al porqué de nuestros sufrimientos. Por tanto, yo hablaba lo que no entendía, cosas demasiado maravillosas para mí, que yo no comprendía (Job 42.3). Hay una gran lección para aprender o no podrá usted encarar la muerte al yo: es la necesidad de tener la experiencia de la olla de Dios. Si está usted cocinando en este desierto, es bajo los auspicios del Padre Celestial. Él sabe cómo lograr que cada olla llegue a la temperatura correcta para derretir y quitar las impurezas de nuestro corazón. Si usted cree que es una víctima, que Dios lo tiene entre ojos, o que no debe sufrir porque es hora de que otro sufra, entonces puede saltar fuera de la olla, salir del caluroso desierto o bajar del altar. Ezequiel 24.3b-5 dice:

Lo único que puede hacerme quedar en este calor es saber que es el horno de Dios.

> Pon una olla, ponla, y echa también en ella agua; junta sus piezas de carne en ella; todas buenas piezas, pierna y espalda; llénala de huesos escogidos. Toma una oveja escogida, y también enciende los huesos debajo de ella; haz que hierva bien; cuece también sus huesos dentro de ella.

La única manera que he *podido* aguantar es saber que esta presión de someter mi voluntad viene del Padre. Santiago 1.2-4 destaca: «Hermanos míos, tened por sumo gozo cuando os halléis en diversas pruebas, sabiendo que la prueba de vuestra fe produce paciencia. Mas tenga la paciencia su obra completa, para que seáis perfectos y cabales, sin que os falte cosa alguna». La mayoría de nosotros hemos pasado por bastantes sufrimientos serios. Algunos han sufrido abuso infantil, otros abuso sexual o maltratos. Otros han sido víctimas de un abuso verbal, injusticias o desastres económicos. Todos hemos aguantado muchas cosas, no importa lo que aparentemos por fuera.

Todo eso de que lograremos tener tanta paciencia y tanto carácter suena muy bien, pero cuando estoy en medio de tener que renunciar a mi comida o mi camino, o que se temple mi carácter, no es ninguna motivación para mí. Como lo dijera antes, lo único que puede hacerme quedar en este calor es saber que es el horno de Dios. Porque Él es tan coordinado, tan digno de respeto, un director tan grande del universo, que no consideraría escaparme del desierto si allí es donde Él me quiere.

Por ejemplo, aun si un matrimonio es difícil, Dios odia que usted salte fuera de la olla antes de que lo que cocina esté a punto. ¡Dios y Jesús siempre nos animan a quedarnos en el horno!

Cámbiese usted mismo antes de cambiar su ambiente. Asegúrese de que es Dios quien le guía a cambiar de trabajo, o Dios quizá vuelva a crear la misma situación en el próximo. Ni se le ocurra vengarse de alguien que le ha hecho un mal; más bien, dele la otra mejilla.

¿Cómo sé que tengo razón en esto? Pruébelo. Pruebe tratar de librarse de algún sufrimiento por medio de comer, incluyendo el doloroso sufrimiento de negarse a sí mismo con la comida, se sentirá terrible. Y si salta fuera de la olla o del altar, se encontrará conque Dios lo pondrá en otro. Aparentemente aumentará cinco libras de la noche a la mañana, y volverá a sentirse abatido. Ahora cambie completamente esa opción de conducta y simplemente aguante la espera hasta que llega el apetito. Superará el dolor, y se sentirá de maravillas al

SU CAMINO

Consiga venganza, recompensa o sálvese a usted mismo primero.

Dolor, un corazón inquieto y las consecuencias que se sufren más adelante.

EL CAMINO DE DIOS

Primero, aguante el dolor.

Las recompensas y la paz vienen de Dios más adelante.

haber arribado al otro lado. ¡Se subirá a la balanza y cosechará
su recompensa! En suma, vea la ilustración en esta página.

Jesús sufrió

Otra manera como he podido aguantar el dolor del cambio es saber que ni Jesús escapó del sufrimiento y, por así decirlo, Él era el favorito de Dios. Hebreos 5.7-10 se refiere al sufrimiento que Jesús soportó. «Y Cristo, en los días de su carne,
ofreciendo ruegos y súplicas con gran clamor y lágrimas al
que le podía librar de la muerte, fue oído a causa de su temor
reverente. Y aunque era Hijo, por lo que padeció aprendió la
obediencia; y habiendo sido perfeccionado, vino a ser autor de
eterna salvación para todos los que le obedecen; y fue declarado por Dios sumo sacerdote». Así que, Jesús sufrió. Isaías lo
expresó muy bien.

Con todo eso, Jehová quiso quebrantarlo, y *le hirió*. Cuando se haya puesto su vida como sacrificio por la culpa,
verá descendencia. Vivirá por días sin fin, y la voluntad
de Jehovah será en su mano prosperada. A causa de la angustia de su alma, verá la luz y quedará satisfecho (Isaías
53.10,11a RVA).

Las palabras de Isaías se hicieron realidad. Después del sufrimiento, Cristo vio la luz y quedó satisfecho. Es evidente que
reconocer la disposición de Jesús a sufrir nos ayuda a pasar
este trago amargo.

Así que, no solo aguantamos los sufrimientos que envía
Dios, sino que nos ofrecemos nosotros mismos al sufrimiento,
según nos lo requiera Dios, porque hacerlo le dice al mundo:
«Cree y confía que este es un Dios bueno con una gran habilidad para gobernar el mundo». Cuando aguantamos y permitimos este sufrimiento externo, los demás serán testigos de
que nuestro interior tiene mucha vida, es hermoso y valioso.
La felicidad es algo creado en su interior.

Jesús sufrió y dio su vida voluntariamente porque eso fue
lo que el Padre pidió de Él.

Los productos del sufrimiento

Así que, hermanos, os ruego por las misericordias de Dios que presentéis vuestros cuerpos en sacrificio vivo, santo, agradable a Dios, que es vuestro culto racional (Romanos 12.1).

Dios ha puesto tanto simbolismo de la muerte sobre esta tierra física. Permítame explicar esta paradoja por medio de algunas ilustraciones.

La oruga esencialmente «muere» en su capullo a fin de que pueda surgir una mariposa. Considere la primavera que viene después de un duro, sepulcral invierno. Todos los años observamos cómo los árboles pierden sus hojas, aparentemente muriendo; no obstante vuelven a la vida más grandes y fuertes que antes. Otro símbolo de vida después de la muerte a nuestro alrededor es el ejemplo cotidiano de la noche larga, fría y el calor de la mañana cuando vuelve a aparecer el sol. Tenemos que creer que el sol volverá a salir. Jesús nos dio esta magnífica descripción:

De cierto, de cierto os digo, que si el grano de trigo no cae en la tierra y muere, queda solo; pero si muere, lleva mucho fruto. El que ama la vida, la perderá; y el que aborrece su vida en este mundo, para vida eterna la guardará. Si alguno me sirve, sígame; y donde yo estuviere, allí también estará mi servidor. Si alguno me sirviere, mi Padre le honrará (Juan 12.24-26).

Dios quiere edificar nuestra fe sobre la idea de que la vida surge de la muerte. Si nos quedamos en la olla, nos disolverá nuestra propia voluntad. Si vivimos y morimos en maneras pequeñas y vemos que nos da joyas, nos templa el carácter o brinda recompensas de la clase que sea después de ser obedientes, podremos sobrellevar la muerte física con la fe de que Él nos cuidará. Entonces podremos realmente decir con el profeta Oseas; «¿Dónde está, oh Muerte, tu espina? ¿Dónde está, oh Seol, tu aguijón?» (Oseas 13.14b, RVA). Pablo lo dijo con otras palabras en 1 Corintios 15.55: «¿Dónde está, oh muerte, tu aguijón? ¿Dónde, oh sepulcro, tu victoria?»

Dios no quiere que seamos cuerpos vacíos sin personalidad o ideas originales. Cuando morimos a nuestra voluntad y nos bajamos del trono, coloca en su lugar su gran personalidad: el Espíritu Santo. Llegamos a estar unificados y casados, por así decirlo. «Serán una sola carne». ¡Qué fantástico misterio!

El Señor no quiere un zombie, sino un siervo dispuesto. Esta es una operación quirúrgica delicada, y Dios no dejará que sea tan profunda que mate el propio espíritu que está tratando de transformar. Dios está realizando esta delicada operación de estirar su corazón hasta obtener un carácter inmortal. En un sentido es como el arte del soplado de vidrio. Si el vidrio se sopla y estira con demasiada fuerza o demasiado rápido, se puede romper. Dios nos quiere estirar nuestros corazones al punto de romperlos; más bien, quiere que nuestro corazón crezca. Los aguaceros en nuestra vida, cuando nos tenemos que estirar para navegar por los charcos, nos preparan para las grandes tormentas.

No tenemos que culpar a Dios ni enojarnos por el entrenamiento que nos manda. Después de todo, Dios creó esta «Universidad de Vida que Brota de la Muerte», y Él creó a los alumnos. Jesús es el Gran Profesor porque vivió en la práctica las instrucciones que hemos de vivir nosotros.

Yo diría que la unidad que resulta de sumergir nuestra voluntad en la voluntad de él es el mayor atractivo del sufrimiento y muerte del yo, en el sentido de que ayuda a transformarnos de manera que ya no queremos comer demasiado ni tener cualquier otro deseo mundano. Ya no hay luchas o batallas interiores, sino solo paz, profunda paz.

Sí, tenemos tendencias o tentaciones naturales de saltar fuera del Desierto de la Prueba. Cuando la olla llega a temperaturas en que hierve, a menudo nos damos por vencidos. Yo lo sé. Me he encontrado en el hervor muchas veces porque mi propia voluntad es tan obstinada. Podemos resistirnos a la mano de Dios y terminar igual que antes a pesar del sufrimiento por el cual hemos pasado. Tal era la situación de los israelitas a la cual se refiere Ezequiel 24.10-13 (RVA):

Amontona la leña, enciende el fuego, alista la carne, vacía el caldo, y que los huesos sean carbonizados. Luego pon la olla vacía sobre las brasas, para que se caliente y arda su bronce, con el fin de que en ella sea fundida su inmundicia y desaparezca su herrumbre. En vano son los esfuerzos. Su mucha herrumbre no sale de ella; su herrumbre no sale ni con fuego.

En tu inmundicia hay infamia, por cuanto te quise purificar, pero no estás purificada de tu inmundicia. No volverás a ser purificada, hasta que yo haya asentado mi ira sobre ti.

Esto describe algo que no es nada bonito. ¡Oh, nuestro obstinado corazón! Dios anhela tanto que comprendamos sus caminos y su amor por nosotros, pero tenemos algunos corazones salvajes, indómitos. Somos potros que corcovean y necesitan someterse a la mano del jinete. Una vez que comprendemos las reglas de Dios, podemos ser guiados hacia la izquierda y la derecha y a lanzarnos a todo galope. Somos como algunos árboles que en el otoño se niegan a dejar caer sus hojas, hasta que un viento fuerte las arrebata. Tenemos que ceder a su mano. Entonces desarrollamos la fe para morir más y más. Ninguno de nosotros ha sufrido tanto por Dios como para que nuestra sangre fuera derramada. Porque aún no habéis resistido hasta la sangre, combatiendo contra el pecado (Hebreos 12.4). En casi todas mis presentaciones públicas, al dirigirme a los presentes, pregunto:«¿Parezco muerta por haber muerto a mi voluntad? ¡*No*! ¡Parezco viva!» ¿Las personas en este libro que han rebajado cien libras de su voluntad parecen muertas? ¡No, vivas! ¡La vida surge de la muerte!

Que el morir produce vida es un misterio que confunde al mundo, pero es un misterio que distingue de otras religiones al cristianismo. Y hay una diferencia entre negarse al yo por voluntad del yo con el solo propósito de lograr la alabanza del hombre, y la negación decidida por Dios y aceptada porque confía en Dios. Seguir esta senda por la que anduvo Jesús dará vida a cada fibra de su alma.

Dios quiere su alma. Lo único que quiero decirle es que la vida surge de la muerte en una forma muy poderosa. El sufrimiento que pasamos para darle nuestra alma no puede compararse con la gloria que disfrutamos.

Cuando Jesús pasaba por su hora más oscura, en la cruz con los clavos en sus manos y sus pies, sintiéndose abandonado por Dios, los testigos de la crucifixión le gritaban *sálvate a ti mismo... sálvate a tí mismo... sálvate a tí mismo.* (Veáse Lucas 23.) *Sálvate a tí mismo* será la abrumadora tentación cuando esté renunciando a más comida, siendo acusado por algún familiar, miembro de la iglesia o compañero de trabajo. Se sentirá tentado a cuidarse a sí mismo y quitarse del altar. Pero si cede a la tentación, se perderá la obra increíble y el rescate del Poderoso Guerrero y Salvador, nuestro Dios. ¡Se lo perderá!

Dios nos llama a ofrecer nuestro cuerpo en sacrificio vivo, pero seguimos bajándonos del altar, saltando de la olla o deslizándonos de la mesa de operaciones. ¿No sabemos que viviremos aun más? La respuesta es recordar a Jesús... «Cuando se cumplió el tiempo en que Él había de ser recibido arriba, afirmó su rostro para ir a Jerusalén» (Lucas 9.51).

Resueltamente, Jesús se dispuso a obedecer a Dios y enfrentar la muerte a la cual fue llamado. Debemos resueltamente comenzar nuestro camino y encarar a Jerusalén: la muerte a ese deseo de comer. Porque Jesús dijo: «Por eso me ama el Padre, porque yo pongo mi vida, para volverla a tomar» (Juan 10.17). Si no lo hace, se perderá el deleitarse en la voluntad del Padre.

AMA A TU PRÓJIMO
COMO A TI MISMO

Hemos aprendido en la Fase II que, por sobre todas las cosas, debemos amar a Dios con todo nuestro corazón, nuestra mente, nuestra alma y nuestras fuerzas. Pero el resto del mandamiento de Dios que le sigue enseguida es *ama a tu prójimo como a ti mismo*.

Nos amamos a nosotros mismos

Hemos tenido varias décadas de maestros y consejeros enseñando al pueblo la mentira que las personas no se aman a sí mismas. A la mayoría a quienes he aconsejado en el Curso Weigh Down[†] se les había dicho que sus problemas eran debido a que no se estimaban a sí mismos y no se dedicaban tiempo a ellos mismos. Muchos consejeros han sugerido que esto tiende a afectar a las mujeres más que a los hombres porque las mujeres son, por naturaleza, las que cuidan a los demás, y terminan haciendo mucho por los demás (¡como si eso fuera un problema!). A la gente se le enseña a darse gusto con la TV, los deportes, la cerveza y los autos veloces. «¡Date todos los gustos que puedas! Después de todo, nadie más se preocupará por ti».

A esta altura, estoy segura de que no le sorprenderá que «¡Protesto!» Una vez más el mundo ha diagnosticado mal la raíz de nuestros problemas.

Primero, creo que sí nos amamos por naturaleza. Comemos, nos vestimos, nos aseamos y gastamos el dinero en nosotros mismos. Nos escondemos comida y nos preocupamos por nosotros mismos. El hecho es que nos amamos mucho a nosotros mismos; nos podemos deprimir porque pensamos obsesivamente en nosotros mismos, nos alimentamos demasiado y gastamos demasiado en nuestra ropa. Compramos todos los últimos productos de belleza, cosméticos y artículos de tocador para consentirnos. Gastamos demasiado dinero en nosotros mismos y acaparamos alimentos aun excluyendo a nuestros propios hijos. ¡Nos adoramos demasiado!

¿Por qué diría Jesús que amáramos a nuestro prójimo como a nosotros mismos si no hubiésemos sido programados por Dios al nacer para amarnos a nosotros mismos? Observe este pasaje de Efesios donde a los esposos se les instruye a amar a sus esposas:

> Así también los maridos deben amar a sus mujeres como a sus mismos cuerpos. El que ama a su mujer, a sí mismo se ama. Porque *nadie aborreció jamás a su propia carne*, sino que la sustenta y la cuida, como también Cristo a la iglesia, porque somos miembros de su cuerpo, de su carne y de sus huesos (Efesios 5.28-30).

Segundo, es una bendición, no un problema, por naturaleza querer cuidar a otros. Los que realmente lo hacen para el Señor se sienten renovados, no afligidos; porque cuando usted se concentra en Dios y en los demás, Él suple todas sus necesidades. Como lo hemos dicho antes, a lo carnal en nosotros le encanta el grito «sálvate a ti mismo» de Satanás y su equipo de demonios, mientras Jesús quedamente susurra: «Hay un Dios, un Dios bueno». De hecho, las enseñanzas que Jesús nos trajo del Padre pregonan lo contrario a las enseñanzas del mundo, tanto que uno casi se queda mudo de sorpresa cuando lee la Biblia.

> Bienaventurados los pobres en espíritu, porque de ellos es el reino de los cielos.
> Bienaventurados los que lloran, porque ellos recibirán consolación.
> Bienaventurados los mansos, porque ellos recibirán la tierra por heredad.
> Bienaventurados los que tienen hambre y sed de justicia, porque ellos serán saciados...
> Bienaventurados los que padecen persecución por causa de la justicia, porque de ellos es el reino de los cielos (Mateo 5.3-6,10).

«*No te salves* a ti mismo», clama la Palabra de Dios, como una voz en el desierto. A lo que Dios nos llama es lo contrario de lo que el mundo piensa. Aun las iglesias que supuestamente predican la «ignominia de la Cruz» ofrecen cursillos sobre «Cómo mejorar su autoestima» y «Cómo amarse más a sí mismo». No obstante, la Biblia enseña que amarse a uno mismo es cosa segura, y que negarse a sí mismo también es parte de la voluntad del Padre. Si le hemos hecho feliz, estaremos en paz con nosotros mismos. La obediencia a Dios es la clave para una autoestima sana, porque brinda la aceptación de Dios a nuestro corazón. Si el Dios del universo está a favor de nosotros, ¿quién puede estar contra nosotros?

Ame a los demás: no eche la culpa a los demás

Dado que nos amamos a nosotros mismos, tenemos que tomar esas acciones de amor que nos regalamos a nosotros mismos y dárselas también a otros. Como dijo Jesús: «Ama a tu prójimo como a ti mismo». Preocúpese por sus semejantes, aliméntelos, visítelos y cuídelos. No siga el mal consejo de consentirse a sí mismo, porque aborrecerá sus acciones demasiado egocéntricas. Concentrarse demasiado en el yo da solo un placer

Nadie aborreció jamás su propia carne, sino que la sustenta y la cuida.
(Efesios 5.28)

temporario y, al final, deja un gusto feo en la boca. También aparta a otras personas, de modo que queda más aislado. Lo hemos probado: ¡no da resultado!

El mundo clama que no rebajará usted de peso hasta que se ame a sí mismo o, viceversa, ¡no se amará a sí mismo hasta que rebaje de peso! Los del mundo dicen que cómo uno se siente en cuanto a uno mismo determina si uno tendrá un día bueno. Dicen que si atiende al «Yo» como su única prioridad, tendrá un buen día de «comer». Pero yo digo, dejar de concentrarse en el yo y concentrarse en Dios y obedecerle hará que tenga un buen día de «comer». Si usted ama al Señor y confía en Él, se dará de comer la cantidad apropiada y no caerá en comer por el deseo de comer. Un día, ¡se mirará y verá que ha bajado más y más de peso! Entonces tendrá más amor a Dios por salvarle de la preocupación de concentrarse demasiado en sí mismo. En otras palabras, existe un enfoque sano, apropiado para cuidar del yo. Tendemos a creer que un poco es bueno, y que lo mucho es mejor; pero, en el caso del excesivo amarse a sí mismo, es vaciedad y, por lo general, nos vacía el bolsillo. El camino equilibrado lleva a la vida; el otro a la muerte.

Por lo general, le echaremos la culpa a alguien si tenemos un día malo. Lamento tener que decir que los que pagan son los cónyuges y amigos. Por lo general, los seres queridos son los chivos expiatorios. ¡Les echa la culpa por sabotearlo al ofrecerle comida regular o invitándolo a una fiesta de cumpleaños!

Los demás no son culpables de sabotearle su comer. Nadie más que usted puede obligar a su corazón a amar la comida. Ningún centro dedicado a hacerle rebajar de peso, con su ambiente esterilizado, libre de tentación, puede hacer que su corazón anhele comer menos. Es triste que hemos hecho sufrir a nuestra familia con nuestras acciones poco cariñosas y también con hacerles limpiarnos el ambiente por medio de evitar tener alimentos tentadores en casa. En mi casa, los gabinetes de la cocina están llenos, y nos ocupamos de mantener limpios nuestros corazones. Por lo tanto, es raro que nos aprovechemos de nuestra libertad. Piénselo. Hay gente que trabaja todos los días en las fábricas de chocolate y nunca aumentan un gramo. No comerían de más aunque les pagaran. ¿Por qué? Se trata del corazón y de lo que uno ama. No son las personas que lo rodean ni su ambiente los que hacen que su día sea bueno o malo. Es sencillamente lo que hay en su corazón y a qué le entregó usted su corazón.

Ame a Dios ante todo

Al leer los Diez Mandamientos (Éxodo 20), puede ver que los primeros cuatro mandamientos se refieren a una relación entre usted y Dios, y los últimos seis tratan su relación con su prójimo. Resulta evidente que los primeros tres son relacionales y, si lo observa detenidamente, verá que el cuarto también lo es.

El tercer mandamiento, «No tomarás el nombre de Jehová tu Dios en vano» es relacional en el sentido que Dios nos está diciendo que no usemos mal su nombre llamándolo «Señor» cuando no nos sometemos a Él como nuestro Amo. Va usted a confundir al *mundo* si un minuto se está arrodillando ante el refrigerador y, en el próximo, llamando a Dios «Señor». El cuarto mandamiento, de santificar el día de reposo, también es relacional. Dios está diciendo: «Mira, la semana tiene siete días. Reserva uno de esos días para ti y para mí exclusivamente. Quiero totalmente tu corazón, alma, mente y fuerzas ese día. ¿Puedes darme solo un día de siete si de veras soy el objeto de tu afecto?»

¿Cuán difícil puede ser no correr a otro ídolo si está usted tan enamorado de Dios? Estos son mandamientos fáciles de este Dios maravilloso. Debiéramos alabarle porque la salvación (poder entrar a su presencia) no se basa en lo que nosotros hacemos. Simplemente tenemos que amarle, ¡y esto podemos hacerlo! Si uno realmente ama, no es un papel que está interpretando. No es un drama, sino algo sencillamente natural. Si usted ama el golf, ¿cuánto trabajo le cuesta jugarlo? ¿Llamaría «trabajo» a un partido de golf? Por supuesto que no. ¿Cuánto trabajo le cuesta abusar de la comida? Cuando esta es el objeto de su afecto, comer en exceso es una delicia. Entonces, que nuestro corazón cambie de modo que todo lo relacionado con Dios sea delicioso.

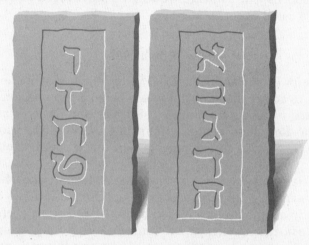

Los Diez Mandamientos

1. No tendrás dioses ajenos delante de mí.
2. No te harás imagen... no te inclinarás a ellas...
3. No tomarás el nombre de Jehová tu Dios en vano...
4. Acuérdate del día de reposo para santificarlo.
5. Honra a tu padre y a tu madre...
6. No matarás.
7. No cometerás adulterio.
8. No hurtarás.
9. No hablarás contra tu prójimo falso testimonio.
10. No codiciarás...

Cuando ya tiene una relación en que Dios es el deseo de su corazón entonces, y solo entonces, puede amar a la humanidad como debe. Es por eso que los mandamientos de honrar a su padre y su madre, no cometer homicidio, ni adulterio, ni hurto, ni dar falso testimonio, ni codiciar la mujer del prójimo, aparecen después. Son las consecuencias naturales de amar primero a Dios. Si le ama, ¿cómo puede perjudicar a una de las criaturas que Él ama? ¡Eso sería incalificable!

Hay muchos que aman a sus semejantes y han dedicado su vida a la humanidad, pero que no aman a Dios. Dios ordenó que debíamos amarle a Él primero. Allí es donde nuestra pasión y fuerzas y dinero deben ir. Amar al prójimo como a nosotros mismos es distinto. No adoramos a nuestro cónyuge, hijos u otras personas. Adoramos solamente a Dios, pero este amor para con Dios se desbordará automáticamente en amor por las criaturas que Dios hizo. De hecho, la Biblia nos dice que la manera como sabemos que amamos a Dios es por el amor que demostramos a los demás.

Amados míos, amémonos unos a otros; porque el amor es de Dios. Todo aquel que ama, es nacido de Dios, y conoce a Dios. El que no ama, no ha conocido a Dios; porque Dios es amor... Amados, si Dios nos ha amado así, debemos también nosotros amarnos unos a otros. Nadie ha visto jamás a Dios. Si nos amamos unos a otros, Dios permanece en nosotros, y su amor se ha perfeccionado en nosotros (1 Juan 4.7,8,11,12).

Y nuevamente en Juan 15.9-17:

Como el Padre me ha amado, así también yo os he amado; permaneced en mi amor. Si guardareis mis mandamientos, permaneceréis en mi amor; así como yo he guardado los mandamientos de mi Padre, y permanezco en su amor. Estas cosas os he hablado, para que mi gozo esté en vosotros, y vuestro gozo sea cumplido. Este es mi mandamiento: Que os améis unos a otros, como yo os he amado. Nadie tiene mayor amor que este, que uno ponga su vida por sus amigos. Vosotros sois mis amigos, si hacéis lo que yo os mando. Ya no os llamaré siervos, porque el siervo no sabe lo que hace su señor; pero os he llamado amigos, porque todas las cosas que oí de mi Padre, os las he dado a conocer. No me elegisteis vosotros a mí, sino que yo os elegí a vosotros, y os he puesto para que vayáis y llevéis fruto, y vuestro fruto permanezca; para que todo lo que pidiereis al Padre en mi nombre, Él os lo dé. Esto os mando: Que os améis unos a otros.

A veces nuestro amor a Dios se desborda con naturalidad sobre la humanidad, pero a veces Él nos tiene que ordenar que amemos... aun a los más antipáticos. Es obvio que nos sentiremos más atraídos a unos que a otros. Jesús tenía su discípulo favorito; la Biblia se refiere a «uno de sus discípulos, al cual Jesús amaba» (Juan 13.23).

Amar a su prójimo incluye amar a su cónyuge. Una mala relación es un escollo que puede llevar a la depresión, ira y furia, o precipitar el correr a la comida, al vino, la cerveza y los antidepresivos.

En lugar de tratar de defenderse...	*deje que lo defienda Dios.*
Si usted devuelve amabilidad, al que le demostró antipatía...	*confíe que Dios suplirá la necesidad que usted tiene.*
Si se arrepiente usted de tratar de que los demás lo traten bien o que hagan lo bueno...	*confíe que Dios cubrirá las malas decisiones de ellos.*
Si simplemente ama cuando sufre por las acciones crueles de los demás...	*confíe que Dios le amará aun más profundamente.*

A veces nuestro amor a Dios se desborda con naturalidad sobre la humanidad, pero a veces Él nos tiene que ordenar que amemos... aun a los más antipáticos.

Si hiciéramos todas estas cosas, enderezaríamos las sendas y construiríamos puentes para que Cristo cruce a fin de alcanzar a alguien nuevo. Nosotros y los que nos rodean estaríamos tan bien cuidados si simplemente procuráramos renunciar primero a nuestros derechos.

Todo lo demás nos sería agregado. Nuestros hijos necesitan ver esta clase de fe en Dios. Ellos serán cuidados también. He sido testigo de esta verdad. Dios nos defiende magníficamente contra nuestros enemigos como un padre que defiende a su hijo cuando lo tratan injustamente. Esa es la herencia de los que le aman. Concéntrese en Dios y la obediencia y olvídese a sí mismo, y sus relaciones mejorarán.

El problema principal del tema «Hago lo que más me conviene a mí» es que puede cimentar el escollo más grande en la senda hacia el Padre: *el orgullo*. La Biblia nos enseña claramente que Dios aborrece el orgullo. Según el proverbio: la altivez es uno de los siete pecados mortales.

Seis cosas aborrece Jehová, y aun siete abomina su alma; los ojos altivos, la lengua mentirosa, las manos derramadoras de sangre inocente, el corazón que maquina pensamientos inicuos, los pies presurosos para correr al mal, el testigo falso que habla mentiras, y el que siembra discordia entre sus hermanos (Proverbios 6.16-19).

Santiago nos da la respuesta a los problemas ocasionados por el orgullo:

Dios resiste a los soberbios, y da gracia a los humildes. Someteos, pues, a Dios; resistid al diablo, y huirá de vosotros. Acercaos a Dios, y Él se acercará a vosotros. Pecadores, limpiad las manos; y vosotros los de doble ánimo, purificad vuestros corazones. Afligíos, y lamentad, y llorad. Vuestra risa se convierta en lloro, y vuestro gozo en tristeza. Humillaos delante del Señor, y Él os exaltará (Santiago 4.6b-10).

Usted se humilla a sí mismo y *él* lo exaltará. Usted no tiene que exaltarse a sí mismo. Ser humilde no es ser cobarde o callado. La Biblia nos enseña que «Moisés... era poderoso en sus palabras y obras» (Hechos 7.22) y Dios lo describe como «muy manso, más que todos los hombres que había sobre la tierra» (Números 12.3). Ser humilde es no esperar nada de los seres humanos y esperar en Dios para que supla todas sus necesidades.

Ser humilde es no esperar nada de los seres humanos y esperar en Dios para que supla todas sus necesidades.

No trate de obtener de su cónyuge lo que necesita; no espere nada del ser humano. Ponga sus miras en Dios para que le dé todo. En Él vivimos, y nos movemos, y somos (Hechos 17.28). Moisés mantuvo sus ojos y su corazón puestos en Dios, y eso es humildad.

Cuando empiece a amar a Dios y ese amor se derrame sobre su prójimo, notará que afecta como maneja *su* comida. Por ejemplo, es posible que sencillamente cocine varias cazuelas y le regale la más grande y mejor a su vecino enfermo mientras que antes, se guardaba la más grande y mejor para usted. Después de comidas en que todos llevaron un platillo usted, muy contento, se llevaba de vuelta sus sobras y con gusto se llevaba las de los demás que no las querían. Ahora, regala todas las sobras. En el pasado, le era simplemente imposible donar alimentos no perecederos a las colectas de comida para las personas de escasos recursos, pero ahora confía que podrá conseguir más verduras o atún enlatados.

Ame a Dios en primer lugar y luego a su prójimo como a sí mismo, y recibirá el cuidado que necesita. ¿Y quién es su prójimo? Cualquiera a quien Dios ha puesto en su camino que sufre una necesidad. Y no vende sus heridas a medias. Sea como el Buen Samaritano y dese totalmente. Derrame sobre ellos su amor y su cuidado y su dinero.

¡Estas verdades en este capítulo hacen que la vida valga la pena!

Cómo medir el éxito

Muchos empiezan la Dieta Weigh Down[†] y se preguntan cómo medir si están teniendo éxito. La balanza puede no moverse al principio, así que se preguntan si están siendo «malos» o «buenos», o si están siendo honestos o deshonestos consigo mismos.

La mayoría de los otros programas que usted ha seguido son legalistas o están repletos de reglas. En lo profundo de su ser sabe que las reglas son difíciles de observar después de un tiempo. Dios ha hecho las cosas de manera que uno no puede observar reglas que su corazón no acepta.

Como resultado, usted sabe en lo profundo de su ser que no puede ser fiel a una dieta. Al avanzar en edad, odia la idea de empezar otra dieta que sabe que no llevará a término. El resultado de años en dieta es que se acostumbra a jugar y hacer trampas y a ser deshonesto consigo mismo. Comienza los programas dietéticos sabiendo exactamente cómo medir el éxito. Para el experto en estar en dieta, el éxito consiste en permanecer dentro de las pautas de un pan de maíz de tres pulgadas por tres pulgadas, media taza de verduras, un trozo de dos onzas de carne desgrasada y ocho vasos de agua.

Quizá hacer trampa fue cuando comió una porción de la torta de cumpleaños.

Usted también sabe exactamente cómo hacer trampa. Puede ayunar antes de pesarse, comer todas sus calorías permitidas en una semana y usar cucharas más grandes para servirse. Y cuando ve la comida, el ojo se le hace más y más grande, hasta que dice: «Sí, esa papa parece mediana» cuando realmente es una papa enorme. Cuando le toca pesarse (momento temido), sabe cómo rebajar el peso líquido: matarse de hambre. ¡He conocido a algunos que hasta se han sacado los dientes postizos antes de pesarse!

Me acuerdo haber estado en un programa dietético basado en intercambio de alimentos que aprendí cuando estudiaba dietética. Recuerdo el hambre que tenía de noche después de haberme comido todos los intercambios del día. Así que simplemente tomaba prestado los intercambios de alimentos del día siguiente. Al terminar la semana, no me quedaban alimentos para intercambiar.

> *Para el experto en estar en dieta, el éxito consiste en permanecer dentro de las pautas de un pan de maíz de tres pulgadas por tres pulgadas. . .*

No había observado las reglas. Además, comía cosas que no estaban en la lista. Consideraba haber tenido éxito cuando permanecía dentro de los límites establecidos por las reglas.

Pero cuando usted comienza el Curso de la Dieta Weigh Down[†], se le brinda una libertad increíble, con muy pocas reglas. Antes, recibía todo ya determinado. Ahora, puede sentir la presión de establecer sus propias reglas, y puede preguntarse si lo está haciendo todo bien. Es fácil sentirse como un fracaso cuando no está siguiendo ciertas reglas; si no sufre lo suficiente, cree que debe estar haciendo algo mal.

Cuando ve que la balanza no se mueve, le entra el pánico. «¿Lo que estoy sintiendo es realmente apetito? ¿Qué es estar lleno? ¿Puedo comer un bocado más? Si lo como, ¿estoy haciendo algo malo? ¿Estoy meramente mintiéndome a mí mismo o haciendo trampas otras vez? Seguro que soy un fracaso». Entonces su corazón clama: «¡Enséñame a discernir! No estoy acostumbrado a este nuevo sistema».

Déjeme empezar diciendo que es posible que durante todos estos años le hayan lavado el cerebro haciéndole creer que el éxito es una cierta cantidad de gramos de grasa o que hacer trampa es cuando se ha comido un pedazo grande de pizza. Estas reglas son gravosas y producen un sentimiento de culpa innecesario.

El Curso de la Dieta Weigh Down[t] le brinda libertad en cuanto a lo que come, pero hay una estructura muy clara que está volviendo a aprender. Al principio, puede ser muy torpe, pero su concentración se hará más y más fuerte hasta llegar a ser instintivo a medida que pasa el tiempo, a diferencia de las reglas pesadas de las dietas. En realidad, existe bastante estructura en el Curso Weigh Down[t]. Efectivamente, cualquier comida es aceptable, pero permanezca solo entre la luz verde del apetito y la luz roja de la satisfacción. Así como las relaciones sexuales fuera del matrimonio causan desastres, y así como demasiadas vacaciones y poco trabajo son infructuosos, así también la comida fuera del contexto de tener hambre y estar lleno no satisface. Las relaciones sexuales no son malas, las vacaciones no son malas y la torta de cumpleaños no es mala siempre y cuando se mantengan dentro del contexto para el que fueron diseñados.

A veces el «hambre» es poco claro pero, si espera lo suficiente, será más claro que el agua. A veces «lleno» puede resultar confuso. Aun los que comen delgadamente cometen errores y se pasan de llenos o comen cuando realmente no tienen hambre. No sea legalista. Cuando los que comen delgadamente comen hasta la saciedad, sencillamente esperan una señal fuerte de hambre antes de volver a comer y, con eso, vuelven al curso correcto. El objetivo es librarse de la gula. Si lo logra, los detalles no importan.

Efectivamente, aun los que comen delgadamente cometen errores, aunque estoy segura de que son la excepción y no la

regla general; pero no siguen pensando en sus errores. Sencillamente vuelven al curso correcto. De la misma manera, usted no
puede empezar un programa para cambiar su corazón y esperar que toda la gula en su corazón desaparezca de la noche a la
mañana. Dele tiempo. Dios le estará quitando la gula poquito a
poco, remplazándola con la fe en su habilidad de alimentarle. Si
ya ha rebajado diez libras, ¡es posible que diez libras de gula ya
se hayan ido de su corazón, para nunca volver!

No quiero que juegue con la idea del fracaso, sintiéndose
frustrado o dándose por vencido. He visto a tanta gente tomando el Curso de la Dieta Weigh Down[t] que todavía está
tratando de usar las reglas anteriores para medir su éxito. A
cinco semanas de haber empezado el programa, algunos se
deprimen o se sienten culpables porque no han escrito nada
en su Diario de Viaje (vea el Apéndice D), y se sienten que se
han portado «mal» toda la semana.

Les digo a estos que los que comen delgadamente no ne-
cesariamente tienen un Diario de Viaje. No hay nada mágico
en ninguna de las pautas que hemos sugerido. Estas pautas se
ofrecen únicamente con la esperanza de que puedan ayudarles en su viaje. Les ayudan a enamorarse de Dios. Ultimadamente usarán solo su corazón y su estómago para guiarle.

Después de explicar ese importante principio, les aliento
a que me dejen a mí decidir si se han portado «mal» o no, ya
que la mayoría de los participantes tienen una definición inco-
rrecta de lo que es portarse «mal». Empiezo a reprogramarlos
haciéndoles algunas preguntas:

P: ¿Esperó hasta tener apetito varias veces esta semana?

R: Bueno, sí, pero no usé platos más chicos.

P: No importa. Estoy contentísima de que encontró el
   apetito. Ahora bien, ¿dejó algo de comida en su plato
   esta semana?

R: Bueno, sí. Pensándolo bien, varias veces.

P: ¡Magnífico! Dígame, ¿en general comió menos esta semana de lo que hubiera comido normalmente?

R: Bueno, sí, ¡comí menos!

P: ¿Se sintió un poquito más en control al concentrarse en Dios en lugar de la comida?

R: Sí, sí, me parece que entiendo lo que me quiere decir. Bueno, ¡quizá después de todo no me porté tan «mal»!

¡Claro que esta persona no se portó mal! Tuvo una semana fantástica. No estaba haciendo estas cosas antes de empezar el programa. Más bien, si la mayoría piensa en los días antes de iniciar el Curso Weigh Down[†], recordarán que empezaban a comer cuando estaban llenos y paraban cuando estaban atiborrados. En apenas unas cortas semanas, han llegado al punto en que se han acostumbrado a comer menos cantidad de comidas regulares. Les trae recuerdos de cómo comían de niños cuando disfrutaban de los alimentos. No habrán rebajado de peso todas las semanas pero, a mi criterio, han sido un éxito porque han comenzado a cambiar su conducta pareciéndose más a la de los que comen delgadamente.

Esta persona es exitosa a los ojos de Dios, y también lo es usted. Corazón, alma, mente y fuerzas están siendo entregados a Dios como nunca lo fueron antes.

Es posible que usted pudiera darme una lista entera de los maravillosos cambios en su corazón, por ejemplo, de cómo se dio cuenta que pensaba menos y menos en la comida y que dejó en su plato un cuarto de su hamburguesa. Quizá se haya comido, por primera vez, solo la mitad de una barra de chocolate. Y ha comprobado que ya no come según el reloj. Antes de iniciar este programa, nunca había dejado que su cuerpo se vaciara del todo hasta sentir hambre, pero ahora sí. Quizá esta semana siguió comiendo después de llenarse, pero nunca había percibido lo doloroso que era un estómago atiborrado. Se comió un poco de torta de cumpleaños, un pedazo respetable, pero antes del programa no se hubiera detenido después de un solo pedazo. No hubiera parado hasta haber acabado con muchos más o la torta entera.

Usted es exitoso porque ha cambiado la actitud de su corazón hacia la comida, y esto está empezando a afectar su manera de comer. Es exitoso debido a sus cambios de conducta.

Aun si sabe que en su corazón tiene que haber más confianza de que Dios no lo va a hacer morir de hambre, su fe está aumentando por su habilidad de renunciar a unos bocados más de este almuerzo o de aquella cena.

El éxito radica en que, por primera vez en su vida, está calificando la comida. Los cambios son que tiene conciencia de su conducta y las cantidades son más pequeñas que antes. La victoria es que ha tomado unos sorbos entre bocados. Levantó la vista, eran las 3.30 de la tarde, y ni siquiera había pensado en el almuerzo. El plato de comida que está empezando a comer le parece enorme. Su estómago ahora parece contener menos comida antes de sentirse incómodo. Está dejando la comida en el plato cuando se siente satisfecho; se está poniendo exigente sobre cada bocado que se lleva a la boca, y está usando un vaso común en lugar de uno de sesenta y seis onzas. Y, lo mejor de todo, ¡es que le lleva quince minutos para comer quince M&M! Sencillamente no se está atiborrando tanto como antes. En suma, está viendo cambios concretos en su corazón, su alma, su mente y sus fuerzas.

A la vez, se siente más en paz. Alguien en el trabajo le dijo que su rostro se ve distinto, está leyendo más su Biblia y se está comunicando mucho más con Dios. El enojo se está yendo, y su matrimonio anda mejor a medida que puede amar más y pensar más en las necesidades de los demás. Empieza a volver a la iglesia y, de pronto, el predicador ha mejorado sus sermones. Aun la creación de Dios parece más hermosa, especialmente las puestas de sol.

¿Se da cuenta de lo que sucede? Está haciendo cambios permanentes en su corazón y cada uno de ellos es un cambio que conduce a menos alimento, menos comer, más deleite en la comida y un yo delgado para siempre. Estos cambios son fáciles de aceptar, y resultan más naturales cada día. Colocan la gula bajo su control. Los alimentos están comenzando a perder su control sobre usted.

La única vez cuando pierde terreno ahora es cuando le ataca el pánico y mira la báscula. En sus momentos de debilidad piensa: «Ay, tengo que rebajar más ligero», y cree que tiene que volver a ponerse en dieta. Pero yo le pido que se controle, apártese de esa tentación y permanezca en el camino correcto del cambio seguro de corazón. Lo que necesita hacer es escribir sus cambios positivos de conducta en su *Lista de los Cambios de Corazón y Conducta* (véase el final de este capítulo). Pegue una copia de ellos en el espejo de su baño y use su balanza con menos frecuencia. Muestre los cambios en su conducta a sus parientes interesados que están buscando (sin encontrar) alimentos de pocas grasas en su refrigerador.

La habilidad de medir la actitud del corazón hacia la comida no es tan visible ni tangible como usar la balanza o la tacita de medir. Permanecer en la Palabra de Dios le ayuda a tener una norma de acuerdo con la cual vivir. Dios hará que el corazón se sienta mal si no obedece. Hay personas que han rebajado de peso esta semana, pero no porque tengan menos gula en su corazón. Hay personas que definitivamente son menos golosas, pero la balanza no lo muestra esta semana. Haga un inventario de su corazón; tarde o temprano la balanza coincidirá con él.

Así que éxito es cuando el corazón cambia y, entonces, el cuerpo le seguirá.

¡Qué pronto nos olvidamos! Si usted es dado a olvidarse enseguida, ponga un marcador en este capítulo y léalo todos los días. Esta actitud es un ingrediente esencial para el éxito de este curso. Tenemos que mirar más adentro y volver a aprender a medir el éxito en la vida. Lo *que* usted come no debe ser su juez, *cómo* come debe serlo. Los pequeños cambios de hoy serán cambios tremendos dentro de seis meses o un año. Así que, éxito *no* es medir un pancito de maíz de tres por tres pulgadas. El éxito en el Curso Weigh Down[t] es tan simple como volver su corazón hacia Dios, ¡y usted puede hacerlo! Su corazón se apartará de la comida. Rebajará de peso como un beneficio secundario. El mayor beneficio será saber cuán bueno es Dios con nosotros. El único error que usted puede cometer en el Curso Weigh Down[†] es darse por vencido. Nunca se dé por vencido, aun cuando se sienta tentado a hacerlo. Quiero que todos alcancen esta meta lograble. Esto es muy importante para mí. Lo único que tiene que hacer para volver al curso correcto es esperar el próximo apetito clamando a Dios. Le ha sido de ayuda a muchos participantes del Curso Weigh Down[†] usar la lista *Buscad primeramente* (veáse una muestra al final de este capítulo).

Hemos de buscar a Dios primero en todo; nuestro mandato es «buscad primeramente el reino de Dios». La mayoría nos inclinamos a buscar «quintamente» o «sextamente». «Buscad primeramente» no es lo instintivo que debiera ser. Pero una vez que se ha formado el hábito, significará una gran diferencia en su pérdida de peso y en toda su vida. Siga preparando su corazón.

Así que aléjese de la báscula, una herramienta defraudadora e inexacta para medir el cambio de conducta. Aléjese de las conversaciones contraproducentes. Aléjese de los juicios innecesarios que no llevan a ninguna parte. Empiece hoy a buscar cambios de corazón y conducta que vienen ocurriendo desde que empezó el Curso Weigh Down[†] y no deje de anotarlos en su lista.

En suma, si medir el éxito depende de la habilidad de cambiar el corazón, debemos concentrarnos en el corazón. Esta *actitud* lo impulsará a cumplir sus metas respecto a su pérdida de peso. Así que éxito es cuando el corazón cambia y, entonces, el *cuerpo* le seguirá.

LISTA DE CAMBIOS DEL CORAZÓN Y LA CONDUCTA

Anote sus cambios de conducta positivos. Algunos cambios serán emocionales o mentales, algunos serán espirituales, algunos se relacionarán con su fuerza física y espiritual, y algunos serán cambios en su peso. Piense y escriba, y piense y escriba. Deje que Dios le abra los ojos a como el método de la Dieta Weigh Down[†] le está afectando a usted y a los que le rodean. También la puede usar para listar lo que Dios ha hecho conforme usted le ha dado su corazón.

Ejemplos: *Deseo menos comida. Leo más la Biblia.*

1. _____

2. _____

3. _____

4. _____

5. _____

6. _____

7. _____

8. _____

9. _____

10. _____

11. _____

12. _____

13. _____

14. _____

15. _____

*La mayor parte de las tormentas del desierto suceden porque no «buscamos instin-
tivamente a Dios primeramente». En lugar de tratar de hacer cosas o preocuparse
por cosas que no son parte de la descripción de trabajo dada por Dios, practique diariamente lo que sigue:*

CURSO WEIGH DOWN †

BUSCAR PRIMERAMENTE

Preocupaciones que entrego hoy a Dios

Áreas de obediencia a Dios

Cosas que debo hacer hoy

- ☐
- ☐
- ☐
- ☐
- ☐
- ☐
- ☐
- ☐

«Bienaventurado el hombre que me escucha, velando a mis puertas
cada día, aguardando a los postes de mis puertas. Porque el que me
halle, hallará la vida, y alcanzará el favor de Jehová. Mas el que peca
contra mí, defrauda su alma; todos los que me aborrecen aman la
muerte».

—*Proverbios 8.34-36.*

VERDADERO ARREPENTIMIENTO

El camino angosto

Existen muchas manifestaciones externas cuando un corazón no está implantado en la Roca. Abundan las listas en el Nuevo Testamento que demuestran que los actos de la naturaleza pecadora empiezan en nuestro propio corazón y mente. «Y como ellos no aprobaron tener en cuenta a Dios, Dios los entregó a una mente reprobada, para hacer cosas que no convienen; estando atestados de toda injusticia, fornicación, perversidad, avaricia, maldad; llenos de envidia, homicidios, contiendas, engaños y malignidades; murmuradores, detractores, aborrecedores de Dios, injuriosos, soberbios, altivos, inventores de males, desobedientes a los padres, necios, desleales, sin afecto natural, implacables, sin misericordia» (Romanos 1.28-31).

Estas conductas compulsivas pueden manifestarse como actitudes carentes de amor hacia los demás y en demostraciones externas de la carne. En realidad, una manifestación parece ser más visible. Por ejemplo, los tipos Hijo Pródigo exteriorizan codicia, excesos sensuales, pereza, etc. Allí están, para

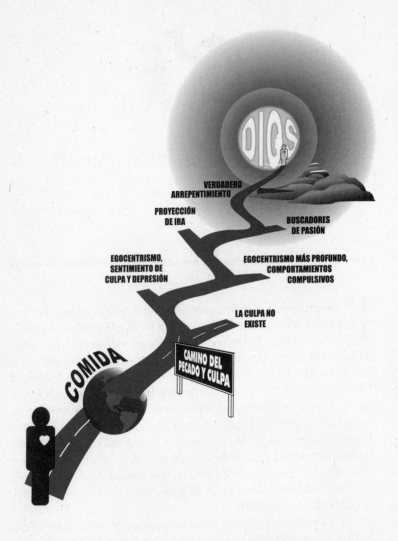

Ilustración 18-1: Enfocar nuestra mirada en el mundo inevitablemente nos conducirá al pecado, el cual nos hace sentir el dolor de la culpabilidad. Cinco sendas sin salida ofrecen la falsa esperanza de escapar el camino del pecado y la culpabilidad, pero podemos escapar genuinamente ese camino sólo a través del verdadero arrepentimiento que lleva a Dios.

que todos los vean. Después están los tipos hermano mayor que aparentan estar haciendo todo bien (son puntuales, productivos, disciplinados) pero adentro, las características de su personalidad son odio, antipatía, crueldad, celos, desconfianza, ira, mal humor, fariseísmo, y son constantes aguafiestas. Qué aguafiestas fue el hermano mayor en ocasión del banquete especial en que el becerro gordo fue matado en honor de su hermano menor que se había arrepentido (Lucas 15). Ambas manifestaciones son igualmente malas. Aunque una de las manifestaciones de un corazón torcido parece más visible que la otra, dé por seguro que el corazón no arrepentido se dará a conocer. «No puede el buen árbol dar malos frutos, ni el árbol malo dar frutos buenos» (Mateo 7.18). El corazón bueno que se ha vaciado y vuelto a llenar con el carácter y la naturaleza amante del Padre será tanto amante como sobrio.

Si la mente y el corazón siguen por su propia senda impenitente (siguen comiendo demasiado, atracándose de comida, etc.), la senda del pecado, culpa, depresión e ira es inevitable. Nos encontramos en un cruce de caminos. Mientras no nos arrepintamos, seguiremos en el estado de culpabilidad, y eso es doloroso. El dolor tiene como fin instarnos a arrepentirnos. Desafortunadamente, muchas veces nuestro propio corazón, o nuestros consejeros bien intencionados, nos han alentado a tomar una o más de estas sendas equivocadas que presentaremos en las próximas páginas. Estas sendas son obviamente calles sin salida de círculos viciosos destructivos.

Algunos asesores han brindado consejo bueno, eficiente, que lleva al arrepentimiento. Pero, dado que cada vez es mayor la cantidad de personas deprimidas, obesas, llegamos a la conclusión de que estos consejeros sabios constituyen una minoría. Nosotros tenemos tanta culpa como los consejeros. Nosotros fuimos los que anduvimos en busca del consejo que nos llevaría a las píldoras para adormecer nuestro sentimiento de culpa o que nos diría de todo menos que comiéramos menos y que nos arrepintiéramos de habernos concentrado en nosotros mismos. Preferimos sentarnos en un pequeño grupo año tras año y justificar las razones por las cuales no hemos cambiado.

Existe una sola senda para librarnos del sentimiento de culpa: la senda del verdadero arrepentimiento que conduce hasta Dios. Los principios del Curso Weigh Down* están ayudando a miles de miles a tomar la senda del verdadero arrepentimiento. Esperamos que este capítulo nos abra los ojos para exponer cinco sendas engañosas que acaban de ser pavimentadas y que nos atraen con la esperanza de que demoremos o prescindamos del verdadero arrepentimiento. No importa quién tiene la culpa: expongamos esas sendas sin salida para que podamos dar media vuelta, salir de ellas y volver a tomar la senda correcta.

Callejón sin salida: «La culpa no existe»

La primera senda equivocada que expondremos es la senda de «La culpa no existe».

Esto es más como una carretera que una senda, porque la toman muchas personas tanto dentro como fuera de la iglesia. La mayoría de los que pesan de más reportan que se encuentran en un persistente estado de sentirse culpables y deprimidos, y que estos sentimientos vienen acompañados de fatiga. A menudo estos sentimientos se entrelazan; la persona no puede recordar qué fue lo que empezó el círculo vicioso destructivo. ¿Fue el comer demasiado lo que llevó al sentimiento de culpa, o fue la depresión lo que le llevó a comer demasiado?

Por supuesto, existen distintas opiniones y mucha confusión. Sabemos, en lo profundo de nuestro ser, que nos sentimos mal y tristes si seguimos arrodillándonos ante el ídolo de la comida, gritándoles a nuestro cónyuge e hijos, controlando nuestra familia, dependiendo de las drogas o repitiendo pecados secretos. ¿Es legítimo este gran sentimiento de culpa-depresión o es un sentimiento falso que viene de Satanás, el acusador? ¿Hemos de hacerle caso omiso o afirmar, como lo sugieren algunos teólogos, que el sentimiento de culpa deja de ser un problema en cuanto uno cree en Jesús, ya que Él murió por nuestros pecados? Algunos predicadores/pastores creen que es una blasfemia o insulto decirle a alguien que no necesita preocuparse del pecado o la desobediencia después que ha sido rescatado de Egipto. Pero observe este pasaje de Hebreos 3.7—4.1.

Por lo cual, como dice el Espíritu Santo: Si oyereis hoy su voz, no endurezcáis vuestros corazones, como en la provocación, en el día de la tentación en el desierto, donde me tentaron vuestros padres; me probaron, y vieron mis obras cuarenta años. A causa de lo cual me disgusté contra esa generación, y dije: Siempre andan vagando en su corazón, y no han conocido mis caminos. Por tanto, juré en mi ira: No entrarán en mi reposo.

Mirad, hermanos, que no haya en ninguno de vosotros corazón malo de incredulidad para apartarse del Dios vivo; antes exhortaos los unos a los otros cada día, entre tanto que se dice: Hoy; para que ninguno de vosotros se endurezca por el engaño del pecado. Porque somos hechos participantes de Cristo, con tal que retengamos firme hasta el fin nuestra confianza del principio, entre tanto que se dice: Si oyereis hoy su voz, no endurezcáis vuestros corazones, como en la provocación. ¿Quiénes fueron los que, habiendo oído, lo provocaron? ¿No fueron todos los que salieron de Egipto por mano de Moisés? ¿Y con quiénes estuvo él disgustado cuarenta años? ¿No fue con los que pecaron, cuyos cuerpos cayeron en el desierto? ¿Y a quiénes juró que no entrarían en su reposo, sino a aquellos que desobedecieron? Y vemos que no pudieron entrar a causa de incredulidad. Temamos, pues, no sea que permaneciendo aún la promesa de entrar en su reposo, alguno de vosotros parezca no haberlo alcanzado.

Entonces, nuestro corazón nos dice que algo anda mal al sentarnos en el banco del templo semana tras semana envueltos y arropados en las mismas conductas destructivas que hemos tenido durante años. ¿Cómo, entonces, hemos de manejar estos sentimientos de culpa?

Algo en que podemos coincidir es que no queremos sentirnos culpables-deprimidos. El sentimiento de culpa es real. No procede de Satanás. Él no está en el negocio de hacernos sentir culpables si hemos despreciado a Dios al rendirle culto al refrigerador. Satanás quiere que creamos que está bien que sigamos corriendo a la caja de chocolates en busca de consuelo. Más bien, es Dios quien ha programado nuestra conciencia para hacernos sentir culpables cuando actuamos incorrectamente, ya que hacer lo malo conduce a la muerte del corazón que le ama. Vea este pasaje en Romanos 6.16: «¿No sabéis que si os sometéis a alguien como esclavos para obedecerle sois esclavos de aquel a quien obedecéis, sea del pecado para muerte, o sea de la obediencia para justicia?»

Dios consigue que le prestemos atención cuando nuestra llama de amor por Él se está apagando, y aviva la llama de amor por Él recompensándonos cuando hacemos lo bueno, andando hacia Él por la senda del amor: ¡un camino hacia la vida! Si tiene usted apenas una llamita vacilante, o escasamente una mecha humeante, no se preocupe. Jesús mostró el amor de Dios amando a los individuos más difíciles de amar (aun a los que mataban a los cristianos) como el apóstol Pablo. Isaías 42.3 se refiere a Jesús, y este versículo se repite en Mateo 12.20: «La caña cascada no quebrará, y el pábilo que humea no apagará, hasta que saque a victoria el juicio». Así como usted tiene cuidado de no apagar un palo humeante a fin de poder luego encender un gran fuego, Dios o Jesús nunca harían nada para apagar el pedacito de amor que humea en su corazón.

Es verdad que usted no puede realizar obras y con ellas disimular la *falta* de amor en su corazón. Tratar de camuflar su corazón no lo pondrá en su presencia. ¿Quiere un cónyuge que hace cosas alrededor de usted y por usted, pero que realmente no lo ama? ¡Por supuesto que no! Dios no es distinto a nosotros en esto.

Las obras no pueden disimular un corazón carente de amor. ¿Y qué de amar a Dios a medias? ¿Eso está bien? ¿Debe seguir amando usted a sus amores mundanos mientras Dios está locamente enamorado de usted? En otras palabras, ¿ha de seguir pecando a fin de que la gracia abunde? «En ninguna manera», afirma Romanos 6.2. Dios se ha puesto de rodillas (por así decirlo) para declararse a nosotros. Especialmente si considera usted que sacrificó a su único Hijo para obtener nuestra mano en matrimonio o esta relación de pacto. Yo comparo esta gracia con el cuadro de una declaración matrimonial. ¿Podemos decirle que no? Y si lo aceptamos, ¿cómo podemos correr tras otro amor? Esta declaración por parte de Dios demanda por nuestra parte una respuesta de amor y fe incondicionales. Recuerde, la Biblia nos dice que para Dios nada vale, «sino la fe que actúa por medio del amor» (Gálatas 5.6b RVA).

En conclusión: cuando notamos que estamos siendo fieles al refrigerador en lugar de Él, es como si nos hubieran sorprendido en el acto de adulterio. No podemos amar a dos señores. Nos sentimos culpables cuando Dios nos descubre adorando a algo aparte de Él. ¿Cree usted que su cónyuge le dejaría amar a otro? Entonces, ¿cómo cree que Dios lo permitiría? A través del Antiguo y Nuevo Testamento, Dios se altera con sus hijos por el mero hecho de volverse a otro amor (ídolo), cuánto más que los tres se metan en la misma cama. Ese ha sido siempre nuestro problema: queremos ambas cosas.

¡Muchos ruegan a Dios que por favor los ame, pero que también les deje conservar sus otros amores! Si continuamos

en una conducta pecaminosa, tarde o temprano nos endurece-
remos, y ya no tendremos sentimientos de culpa porque nuestra conciencia se habrá cauterizado, lo cual es una idea que
asusta. Efesios 4.17-27 y 1 Timoteo 4.2.

Créame, no le conviene tratar de andar por los dos caminos, se sentirá desdichado. Tito 2.11-14 dice: «Porque la gracia de Dios se ha manifestado para salvación a todos los hombres, enseñándonos que, renunciando a la impiedad y a los
deseos mundanos, vivamos en este siglo sobria, justa y pia-
dosamente, aguardando la esperanza bienaventurada y la
manifestación gloriosa de nuestro gran Dios y Salvador Jesucristo, quien se dio a sí mismo por nosotros para redimirnos
de toda iniquidad y purificar para sí un pueblo propio, celoso
de buenas obras».

Jesús nos redimió y nos apartó para amar al Padre. La palabra *santo* significa «apartado». Y este grupo está *ansioso* por
serlo.

Pasaje tras pasaje la Biblia proclama el mensaje de que no
debemos seguir en el pecado (dando nuestro corazón a algo
que no sea Dios). Nuevamente en Colosenses 3.5-8,12-14 encontramos el lenguaje del arrepentimiento: «*Haced morir*, pues,
lo terrenal en vosotros: fornicación, impureza, pasiones desordenadas, malos deseos y avaricia, que es idolatría; cosas
por las cuales la ira de Dios viene sobre los hijos de desobediencia, en las cuales vosotros también anduvisteis en otro
tiempo cuando vivíais en ellas. Pero ahora *dejad* también vosotros todas estas cosas: ira, enojo, malicia, blasfemia, palabras
deshonestas de vuestra boca. *Vestíos*, pues, como escogidos de
Dios, santos y amados, de entrañable misericordia, de benignidad, de humildad, de mansedumbre, de paciencia; sopor-
tándoos unos a otros, y perdonándoos unos a otros si alguno
tuviere queja contra otro. De la manera que Cristo os perdonó,
así también hacedlo vosotros. Y sobre todas estas cosas *vestíos
de amor*, que es el vínculo perfecto».

Cuando encuentre usted esta gracia, la acepte y reciba,
tendrá una respuesta de amor en su corazón que se revelará

en sus acciones. Note que este pasaje bíblico usa solo verbos activos, no pasivos. Esas acciones no serán *penosas* si usted ama al Señor. Si no lo ama, no darán resultado, y Él ni siquiera quiere verlas. ¡Resultan fáciles si usted lo ama! Yo lo comparo con una reacción química, siendo el amor y sacrificio de Jesús el catalizador que hace que esto suceda.

Si no tenemos cuidado, podríamos terminar por sumarnos a las masas tanto dentro como fuera de la Iglesia que creen que no existe la culpa. O es que no quieren o no saben cómo aceptar esta declaración que les propone una relación (como declara la Biblia: «haced morir», «dejad», «vestíos de amor), ni rechazar la antigua manera mundana de amar. Repiten vez tras vez el mismo pecado. Siguen dando su corazón al otro amor.

Ay de los maestros de la Biblia o los líderes de la Iglesia que siguen presentando la descripción de un Dios que no es apasionado, que es un mojigato insensible. ¡Ay de los que afirman que la sangre de Jesús fue sacrificada para permitir que los hijos de Dios tengan dos amores!

Desafortunadamente, sé de personas cuyo pastor o predicador les ha hecho sentir culpables ¡por admitir que no se sienten bien ante Dios! En otras palabras, les han hecho sentir culpables por admitir que son culpables. Debían haber sido alentados a volver su corazón a Dios. Entonces la culpa hubiera desaparecido y en ellos se hubiera derramado la aceptación divina.

Así que, *sí*, hay culpa cuando no respondemos correctamente a esta gracia. Es un doloroso recordatorio de que estamos en la senda equivocada. Seguir la senda del engaño definitivo: «La culpa no existe», no lo llevará a ninguna parte. Salga ahora de ese camino.

No importa cuántas dietas ha probado, ni si pesa 300 kilos o más, su pasado no le impide volver su corazón a Dios ahora mismo, bebiendo profundamente de la fuente del agua viva, y encontrando la vida abundante. No debemos seguir comiendo demasiado porque creemos que Dios lo aprueba. Jesús vino para perdonar nuestros pecados, y luego nos llama a arrepentirnos de nuestros antiguos amores y a «casarnos» con el Padre. El arrepentimiento verdadero es fundamental.

Callejón sin salida: Concentrarse en el «yo»/culpa-depresión

La segunda senda es distinta de la primera. La primera senda es la creencia de que la culpa no existe. Los que andan por ella por lo general se rodean de personas que adoptan actitudes de: «Lo que yo hago está bien, lo que tú haces también está bien», para justificar sus excesos.

Esta segunda senda, la carretera de la depresión, es una muy transitada. Los viajeros en esta carretera no saben cómo girar e ir en otra dirección, ni que pueden hacerlo. Estos viajeros no están encallecidos; más bien sienten la culpabilidad que Dios les ha mandado. Pero han estado tratando de cambiar todo y a todos los demás y no a sí mismos, así que permanecen en un estado continuo de lo que yo llamo culpa-depresión.

Para salir del camino ancho de la culpa-depresión a la senda angosta del gozo y paz, tenemos que encontrar el origen de la culpa-depresión. Para empezar, observemos unas pocas palabras de Génesis 4.2b-8:

Y Abel fue pastor de ovejas, y Caín fue labrador de la tierra. Y aconteció andando el tiempo, que Caín trajo del fruto de la tierra una ofrenda a Jehová. Y Abel trajo también de los primogénitos de sus ovejas, de lo más gordo de ellas. Y miró Jehová con agrado a Abel y a su ofrenda; pero no miró con agrado a Caín y a la ofrenda suya. Y se ensañó Caín en gran manera, y decayó su semblante.

Entonces Jehová dijo a Caín: ¿Por qué te has ensañado, y por qué ha decaído tu semblante? Si bien hicieres, ¿no serás enaltecido? y si no hicieres bien, el pecado está a la puerta; con todo esto, a ti será su deseo y tú te enseñorearás de él.

Y dijo Caín a su hermano Abel: Salgamos al campo. Y aconteció que estando ellos en el campo, Caín se levantó contra su hermano Abel, y lo mató.

Culpa-depresión

Primero aprendemos de este pasaje sobre Caín y Abel, que el enojo y la depresión (sentirse decaído) acompañaron a este pecado y a todos los que le siguieron. Estos sentimientos son normales y fueron programados dentro de nosotros por Dios. Todos han pecado, así que todos han sentido, mucho o poco, esta *culpa-depresión*. Este pasaje contiene muchas respuestas sobre cómo ser libres de la depresión y el enojo.

Para empezar, vemos que si pecamos sin arrepentirnos, automáticamente nos sentimos enojados y decaídos o deprimidos. Dios en realidad está tratando de conseguir nuestra atención para que demos media vuelta en este callejón sin salida y tomemos la senda angosta del verdadero arrepentimiento. Si ponemos la mano en el fuego una vez, la mayoría no lo volveremos a hacer. Podemos aprender. Pero, desafortunadamente, aun con lo mal que nos hacen sentir la culpa y depresión, el consuelo que brinda se siente aún mejor... temporalmente.

Después de que los sentimientos de concentrarse en uno mismo y de tenerse lástima han pasado, quedamos con el verdadero sentimiento interior de culpabilidad, depresión, rechazo, aislamiento y soledad.

EGOCENTRISMO, SENTIMIENTO DE CULPA Y DEPRESIÓN

LA CULPA NO EXISTE

COMIDA

CAMINO DEL PECADO Y CULPA

Podemos encontrar a personas que nos dicen que sentirnos deprimidos es una enfermedad y que está fuera de nuestro control. Pero con la misma presteza que la depresión viene por el pecado, el gozo viene por el arrepentimiento. Hemos visto salir de la depresión a cientos que habían sido diagnosticados como sufriendo de «depresión clínica», sugiriendo una anomalía fisiológica. Lo lograron, no abrazando al botiquín sino, más bien, abrazando de todo corazón la voluntad de Dios. Es verdad que existen casos raros de toda clase de anomalías físicas, pero son justamente eso: raros.

La verdad os hará libres

Esta es una lección dura. Cuanto más se iba acercando Jesús a la cruz, menos eran los que le seguían. Muchas de sus enseñanzas eran duras y, en cierta oportunidad, sus discípulos le dijeron: «Dura es esta palabra; ¿quién la puede oír? Sabiendo Jesús en sí mismo que sus discípulos murmuraban de esto, les dijo: ¿Esto os ofende? ¿Pues qué, si viereis al Hijo del Hombre subir adonde estaba primero? El espíritu es el que da vida; la carne para nada aprovecha, las palabras que yo os he hablado son espíritu y son vida» (Juan 6.60b-63). Es difícil tener que admitir que tenernos lástima y concentrarnos en nosotros mismos, y que nuestros propios pecados son, todos, cuestión de opciones, pero así es. Dios no envió a Caín a una clase de terapia grupal para dialogar y justificar por qué se sentía deprimido. No le dio una aceptación falsa, más bien, le dio el consejo de arrepentirse y hacer lo bueno la próxima vez. ¡Lo amaba lo suficiente como para decirle esa verdad!

Quizá la depresión-culpa ha sido tan mal diagnosticada porque consejeros bien intencionados han tenido miedo de lastimar con la verdad. Quizá perderían un cliente, o lo más probable, la verdad no es explicada en los últimos libros de sicología.

Pero, aquí también observo el fruto. Veo a las masas que, liberadas por las verdades de Dios que aprenden en el Curso

Weigh Down[†], ya no se sienten deprimidas y ya no toman píldoras. ¿Hemos olvidado el hecho de que cuando le decimos la verdad a alguien, lo hacemos libres (Juan 8.32)? ¿Puede imaginarse a un cirujano negándose a operar a su paciente si esto es lo que se requiere para salvarle la vida? El cirujano tiene que cortar para exponer el cuerpo a fin de extirpar el cáncer. A la persona deprimida le puede doler que le digan la verdad para extirparle su mal. Pero mire este pasaje: «Porque la palabra de Dios es viva y eficaz, y más cortante que toda espada de dos filos; y penetra hasta partir el alma y el espíritu, las coyunturas y los tuétanos, y discierne los pensamientos y las intenciones del corazón» (Hebreos 4.12,13).

La verdad es como un cuchillo, pero la mentira o el diagnóstico equivocado hace que la depresión sea más crónica y más desdichada.

Esta culpa-depresión a la cual nos referimos no tiene sus raíces en lo fisiológico, como el decaimiento que experimenta la mujer antes de la menstruación. Tampoco es una tristeza piadosa que aun el perfecto Jesús sintió, sino más bien es un sentimiento que tiene su raíz en querer mantener a la comida como un primer amor y la aprobación de Dios al mismo tiempo. Dios quería que Caín renunciara a sus primicias, pero Caín estaba triste y enojado y deprimido. Hay una diferencia entre una tristeza piadosa y una tristeza mundana. «Porque aunque os contristé con la carta, no me pesa, aunque entonces lo lamenté; porque veo que aquella carta, aunque por algún tiempo, os contristó. Ahora me gozo, no porque hayáis sido contristados, sino porque fuisteis contristados para arrepentimiento; porque habéis sido contristados según Dios, para que ninguna pérdida padecieseis por nuestra parte. Porque la tristeza que es según Dios produce arrepentimiento para salvación, de que no hay que arrepentirse; pero la tristeza del mundo produce muerte. Porque he aquí, esto mismo de que hayáis sido contristados según Dios, ¡qué solicitud produjo en vosotros, qué defensa, qué indignación, qué temor, qué ardiente afecto, qué celo, y qué vindicación!» (2 Corintios 7.8-11a.)

¡Nos enojamos con Dios cuando no podemos comer y también ser delgados! Nos enojamos cuando Dios no cambia sus leyes para que tengamos aceptación y el amor a la comida al mismo tiempo. Estamos esforzándonos por controlar a Dios y cambiar sus leyes, y necesitamos desesperadamente controlar nuestra propia gula y amar sus leyes.

Paz y gozo son los resultados de una tristeza piadosa y de un auténtico arrepentimiento porque la aceptación de Dios inunda el alma. Aun su semblante cambiará. Note qué fácil es hacer esta conexión de la que estamos hablando. Observe qué deprimido se siente cuando hace lo malo y qué bien se siente cuando obedece a Dios y come correctamente y rebaja de peso. ¡Usted puede dominar esto!

Familias disfuncionales y vidas maltratadas

Refiriéndonos nuevamente al pasaje de Caín y Abel, vemos que podemos aprender muchas cosas. Como lo hemos dicho antes, la primera familia del mundo era disfuncional: ¡Caín mató a su hermano con una piedra! Cualquier pecado de un integrante de la familia afecta a los demás integrantes. Todos han pecado, por lo tanto, todas las familias son disfuncionales. Ya no tenemos que seguir dejando que la palabra «disfuncional» sirva como excusa para nuestra conducta.

Hay más. Siempre ha sido contra mi consejo que la gente siga hablando, se obsesione y en cualquier manera use sus antecedentes como excusa para justificar su conducta presente. En otras palabras, no es lógico creer que el hecho de que alguien fuera molestado sexualmente en su niñez explica por qué siguen adorando sus excesos al comer. No veo la conexión, pero sí veo la «excusa», así como veo la excusa en eso de «No quiero ser delgada porque tengo miedo de que los hombres se fijen en mí». Los que se expresan así simplemente no quieren soltar la comida, porque aman su relación con la comida más que su relación con su prójimo o Dios. Es una opción. Si tiene usted antecedentes especiales, un haber genético, un i familia disfuncional o una crisis que le *obliga* a aferrarse al refrigerador, no lo he visto en nadie. Nos aferramos porque nos encanta hacerlo.

Los participantes del Curso Weigh Down[†] que no han querido revolcarse en el pasado y que se han quedado en el presente son los que han comido menos ¡y han rebajado de peso! Casi todos los que se suman al Curso Weigh Down[†] habían previamente recibido ayuda sicológica para que pasaran horas resucitando a sus antepasados disfuncionales. Muchos querían contarme que recién se habían enterado por medio de la ayuda sicológica que un familiar había abusado sexualmente de ellos y que ¡por eso eran gordos! Mi consejo era siempre el mismo, sea o no que la revelación de su pasado resultara ser cierta. Fíjese en el apóstol Pablo. En qué horribles antecedentes podía haberse revolcado. Dio muerte a inocentes no solo eso sino ¡a los hijos inocentes de Dios! Encarceló a muchos, y esas cárceles no tenían grandes pantallas de TV, cancha de básquetbol ni patios para recrearse. El apóstol Pablo nunca se revolcaba en todos sus homicidios, nunca hablaba de ellos, sino que reflexionaba brevemente en el pasado y reconocía que, entre los pecadores, «yo soy el primero». No describió los detalles ni resucitó los sentimientos del pasado. Sencillamente se refirió a la gracia salvadora y al perdón de Jesucristo. Cambió el tema dejando de hablar de sí mismo para hablar del presente o el futuro, nunca historias en que se enfocaba cómo había sido él en el pasado. Ahora bien, si así es como el apóstol Pablo manejó sus horribles antecedentes que podían haberle obsesionado, nosotros también, por favor, dejemos en paz al pasado ¡especialmente porque Dios lo ha borrado de su cuenta!

Veo a personas que, siguiendo el consejo de sus consejeros, dan gran importancia a pedirle perdón a quienes ni sabían que las habían ofendido o a confrontar a alguien que las había ofendido cuando tenían trece años (hace veinticinco años). Aun así, ellas mismas no se habían arrepentido de su propio pecado. ¡Qué lío!

Jesús no le dijo a la mujer adúltera: «Ve y arregla todo y a todos los que has ofendido». ¡No! Dijo simplemente: «Ve y no peques más». Este es el asunto: una cosa es enfocar a los demás y sus pecados y otra es enfocar nuestros propios pecados y nuestra propia relación con Dios. La reconciliación con Dios es la meta.

Una relación concentrada en Dios resultará automáticamente en una mejor relación con nuestros semejantes. Al enfocarse usted en renunciar a sus propios bastiones, será compasivo porque ve el grado de dificultad. La naturaleza perdonadora nace en el corazón de una persona verdaderamente arrepentida. Una vez que usted verdaderamente se ha arrepentido y vuelto al Señor, Dios lo guiará a restaurar relaciones. El cobrador de impuestos arrepentido se ofreció a buscar y pagar a la gente que había cobrado de más. Pero, mayormente, a los pecadores no se les pedía que miraran el pasado. Esto es lo que Juan el Bautista les dijo a los pecadores: «Y la gente le preguntaba, diciendo: Entonces, ¿qué haremos? Y respondiendo, les dijo: El que tiene dos túnicas, dé al que no tiene; y el que tiene qué comer, haga lo mismo. Vinieron también unos publicanos para ser bautizados, y le dijeron: Maestro, ¿qué haremos? Y les dijo: No hagáis extorsión a nadie, ni calumniéis; y contentaos con vuestro salario» (Lucas 3.10-14). Les pidió que empezaran ese día siendo diferentes.

Esta gente estaba concentrada en el hecho de que habían ofendido al Padre. Si nosotros somos la víctima, necesitamos saber que todo lo que nos sucede pasa por el tamiz del Padre.

Yo supongo que todos hemos, en algún momento, jugado tanto el papel de víctima como de abusador. Sea que usted es la víctima o el abusador, arrepiéntase de sus propios pecados pasados y presentes. La reconciliación con Dios será lo primero y, lo segundo, inevitablemente, la reconciliación con sus semejantes, no viceversa. Dios cuida de las víctimas. Tema por el corazón de los abusadores y ore por ellos porque este Dios nuestro se vengará de los que nos ofenden. Él ama la justicia.

Librémonos de la depresión

En conclusión, la culpa-depresión es real. Pero tenerse lástima no es el camino para salir de esta senda. Tenerse lástima es un sentimiento que uno se busca, y nos sentimos bien (creemos) cuando nos tenemos lástima. Pero los que quieren librarse de esto, pueden arrepentirse y pedirle a Dios que les quite este sentimiento de depresión. Aférrese a Él momento a momento, y podrá salir de este pozo negro.

Se puede reaccionar a esta información yendo en una de dos direcciones. Puede o volverse a Dios, decidir no tomar la senda de la depresión y ser sano, o puede tomar la senda de «Es imposible que ella pueda entender lo que he pasado así que ¡qué puede decirme!» O sea que esta segunda senda es la de «Yo quiero volver a tenerme lástima».

La persona que está tomando la decisión de disfrutar del sentimiento de enfocarse en sí misma y de sentirse lástima, con la combinación del exceso de comida y los antidepresivos, está haciendo justamente eso: tomando la decisión y disfrutando del sentimiento resultante. Disfruta de su autoconmiseración y de estar enojado con alguien y de recetarse comidas y drogas. Para algunos, es correcto entrar en un mundo de «ninguna responsabilidad» al quedarse en la cama todos los días hasta el mediodía. ¡Por supuesto que esto es incorrecto! Lo repetimos: buscar un sentimiento no es malo, pero hay que acercarse a Dios porque Él es quien le puede dar el sentimiento de satisfacción que está buscando, sin efectos secundarios de culpabilidad ni físicos aparte de los positivos.

La conversación o el proceso mental de muchas de las personas que toman la decisión en pro de la depresión es previsible. Quieren creer que los demás pueden superar la depresión, pero no ellos. Se ponen en una posición de no poder arrepentirse, porque «los demás no han tenido una vida tan dura como la mía».

He hablado con mucha gente deprimida y en quienes no quieren soltar su depresión he notado una modalidad basada en excusas. «La felicidad, las cosas buenas y la ropa fina son para otros, no para mí. Soy un perdedor. Mi pasado es peor que el de los demás. Soy un fracaso en el trabajo. Me siento como que he arruinado mi vida. Nunca soy digno de ninguna bendición. Rara vez me siento como que alguien quisiera conocerme o que le importara lo que yo pienso. Pensándolo bien, nunca he podido complacer a mi cónyuge o mis hijos. Mi papá y mamá nunca me han elogiado por hacer algo bien, y nunca han comentado que se sienten orgullosos de mí. No quiero salir de casa, y no creo tener las fuerzas para vencer la depresión. Me siento muy insignificante».

La mayoría de las personas atrapadas en este círculo vicioso de depresión siente que la culpa de su depresión la tienen sus circunstancias. «Mi depresión es el resultado de quedarme sin trabajo, o de hacer trabajo que no me gusta porque en el trabajo se aprovechan de mí. Mi depresión viene de una vida familiar decepcionante o porque le resulté antipático a alguien... me siento olvidado».

Sí, algunos tienen más problemas que otros. Pero si la depresión fuera circunstancial, hubieran sido muchas más las personas deprimidas durante la Gran Depresión de la década de 1930, pero no fue así. Había mucha pobreza y casi nada de carne para comer, ni zapatos para ponerse. Estas circunstancias no fomentaron el crimen ni la depresión por parte de la gente. El libro El Refugio Secreto es la famosa historia de Corrie Ten Boom y su hermana Betsy y sus experiencias en los campos de concentración nazis. En uno de ellos, Betsie encontró lo positivo en la plaga de pulgas en su camastro. Notó que por las pulgas las guardias evitaban entrar en la habitación. Sabía que esto era de Dios, porque les daba la oportunidad de compartir la Biblia con las otras prisioneras. Nunca perdió de vista el hecho de que Dios estaba con ella, aun sufriendo la tortura de esa situación infernal. Las palabras finales de Betsie, antes de morir, fueron: «Corrie, tenemos que volver para contarles que no hay un pozo tan profundo que Jesús no sea aun más profundo. Nos escucharán, porque lo hemos experimentado».[1] Betsie se concentró en Dios y en su obrar a su alrededor, dejando que Dios la cuidara. Su cuerpo exterior murió, pero su interior era el tallado de un alma más hermoso que el más hermoso diamante.

La gente puede creer que el origen de la depresión es circunstancial. La mayoría de las personas deprimidas con las que me ha tocado conversar sentía que la depresión era mayormente causada por circunstancias en que los demás no les brindaban su aprobación. Nunca se sentían lo suficientemente buenos, suficientemente lindos, suficientemente inteligentes. Todo esto es un enfoque horizontal en el hombre y no un enfoque vertical en Dios. Es todo un enfoque sobre una comparación entre el yo y los demás y las normas de estos. El bastión o ídolo es la aprobación de sus semejantes. El dios falso de esta persona es la búsqueda de satisfacción en otras personas y no en Dios.

Dios no permitirá que sus ídolos la alimenten, y dicha persona nunca contará con la aprobación de los demás hasta que la suelte y deje de desearla. En otras palabras, si desea y procura la aprobación de Dios primero, Él le devolverá la aprobación de sus semejantes. Eso es algo que solo Dios puede dar, y Él lo puede quitar. ¡No se puede obtener con el propio poder!

Si esto parece describirlo a usted, el próximo paso es descubrir cómo puede soltar ese bastión. Acercarse a Dios es la respuesta. Vuelva a leer los capítulos «A Superarnos» y «Permanezca Despierto». Si está concentrado usted en Dios, no tiene tiempo para concentrarse en sí mismo. Concentrarse en sí mismo y en la aprobación de los demás es un pecado. Pidiendo la ayuda de Dios, puede terminar con el deseo de comer, de tomar drogas y de contar con la aprobación de sus semejantes. Este versículo en Proverbios así lo destaca: «El temor del

---

[1] Corrie Ten Boom, *The Hiding Place*, Inspirational Press, New York, 1983, p. 171. Es traducción para esta obra.

hombre pondrá lazo, mas el que confía en Jehová será exalta-
do» (Proverbios 29.25).

No espere que la depresión desaparezca si renuncia a solo
uno de sus ídolos. Puede usted afirmar que ha renunciado a la
aprobación de sus semejantes y, aún así, no se siente bien, por
eso, sigue con los antidepresivos. Mi pregunta para usted es:
¿Ya rebajó de peso? Bueno, no espere que Dios le quite la culpa-depresión mientras no haya rebajado. Entonces es posible
que pueda también renunciar a los antidepresivos. Dios lo
sostendrá momento a momento al ir escogiendo renunciar a
estas muletas momento a momento. Después de años de excesos de comida y de drogas, es posible que tenga que adaptarse
fisiológica y emocionalmente. ¡Manténgase de rodillas en oración, y Dios lo levantará!

En definitiva, si seguimos valiéndonos de cualquier excusa, tenemos que enfrentar la realidad que no queremos renunciar a nuestro ídolo que es la comida o la depresión.

Callejón sin salida:
Egocentrismo más profundo/depresión más profunda.

Posesión demoníaca

Quiero mencionar brevemente algunas conductas que pueden resultar de la posesión demoníaca. No creo en la práctica
de ir por todas las habitaciones en una casa y echar fuera demonios. Ni Jesús ni sus discípulos echaron fuera demonios en
las habitaciones de la gente. Juan dijo: «Para esto apareció el
Hijo de Dios, para deshacer las obras del diablo» (1 Juan 3.8b).
Yo le creo en esta cuestión. Satanás ha acusado a Dios y lo ha
caracterizado como un ser con el cual no queremos tener una
relación. Jesús ha destruido esas malas obras. Dios es el Ser
con quien quiere usted andar bien. Creo que existe una diferencia entre idolatría y posesión demoníaca y, por lo tanto, las
encararemos cada una de una manera distinta.

Mi experiencia me dice que la mayoría de nuestros problemas surgen de la idolatría, la decisión de dar nuestro corazón a algo sobre esta tierra. El origen de este mal lo constituye nuestros propios malos deseos. «Bienaventurado el varón que soporta la tentación; porque cuando haya resistido la prueba, recibirá la corona de vida, que Dios ha prometido a los que le aman. Cuando alguno es tentado, no diga que es tentado de parte de Dios; porque Dios no puede ser tentado por el mal, ni Él tienta a nadie; sino que cada uno es tentado, cuando de su propia concupiscencia es atraído y seducido. Entonces la concupiscencia, después que ha concebido, da a luz el pecado; y el pecado, siendo consumado, da a luz la muerte» (Santiago 1.12-15).

Encontramos, a través de toda la Biblia, casos de posesión por parte de un espíritu maligno. En el Antiguo Testamento, el jovencito David tocaba y cantaba salmos, y eso apartaba del rey Saúl los malos espíritus. En el Nuevo Testamento, Jesús y sus discípulos echaban fuera demonios. Pero por lo que puedo ver, en casi todos los casos, alguien llevaba al endemoniado a la presencia de Jesús en lugar de ser la persona misma la que se acercaba a Él. Una excepción donde el endemoniado se acercó a Jesús es el caso de Legión, relatado en Marcos 5.2-20 y Lucas 8.26-39. Estos poseídos por los demonios fueron descritos así: «Le sacude con violencia... a duras penas se aparta de él» (Lucas 9.39).

Jesús no le pedía al poseído que hiciera nada o que tuviera fe o que contestara a preguntas como: «¿Crees?», como sucedía en los casos de sanidad o perdón de pecados. Después que Jesús decía una palabra, los demonios, sujetos a Él, salían. «Y cuando llegó la noche, trajeron a él muchos endemoniados; y con la palabra echó fuera a los demonios, y sanó a todos los enfermos; para que se cumpliese lo dicho por el profeta Isaías, cuando dijo: Él mismo tomó nuestras enfermedades, y llevó nuestras dolencias» (Mateo 8.16,17). La persona era restaurada sin que se les mandara otra cosa, como «Ve y no peques más».

Quizá la desgracia de la posesión demoníaca no viene de
nuestros propios deseos pecaminosos (por ejemplo, la idolatría), sino por dejar vacío un corazón que no está consagrado a
nada, y mucho menos a Dios. Satanás mete un pie, y entra. Los
relatos bíblicos indican que la juventud era uno de sus blancos
ya que los jóvenes, siendo impresionables, son más propensos
a tener este corazón de tipo «libro abierto». Y, por supuesto el
Evangelio de Mateo advierte: «Cuando el espíritu inmundo
sale del hombre, anda por lugares secos, buscando reposo, y
no lo halla. Entonces dice: Volveré a mi casa de donde salí; y
cuando llega, la halla desocupada, barrida y adornada. Entonces va, y toma consigo otros siete espíritus peores que él, y en-
trados, moran allí »(Mateo 12.43-45a).

Este tipo de tema por lo general nos asusta porque sentimos que es algo que escapa a nuestro control. No tenga miedo.
He descubierto que si uno sospecha que hay posesión demoníaca en uno mismo o un ser querido, lo que tiene que hacer es
ponerse de rodillas y colocarse o colocar a la persona que ama,
a los pies de Jesús en su oración. Jesús sanaba y todavía sana a
muchos. Nunca alcanzaremos a cantar todas las alabanzas
que merece Jesucristo el Salvador.

Así que cuando los seguidores de Jesús descubrieron que
«aun los demonios se nos sujetan en tu nombre» Jesús les contestó: «Yo veía a Satanás caer del cielo como un rayo. He aquí
os doy potestad de hollar serpientes y escorpiones, y sobre
toda fuerza del enemigo, y nada os dañará» (Lucas 10.17b-19).
Dios está en control de cada minucia.

Culpa y depresión más profundas

Pero, si seguimos en la senda de la idolatría y no damos marcha atrás al pecado, esta separación de Dios o este sentimiento
de aislamiento sin esperanza, nos puede llevar a una depresión más profunda y cambios serios en nuestro estado de ánimo debido, en parte, a los altibajos que producen los antidepresivos. El pecado continuo y no solucionado resultará en

una incapacidad para concentrarse, una disminución en la capacidad de actividad, desasosiego y problemas con el sueño.

La sección de Salud Familiar de la Clínica Mayo reporta que *más* de 1,5 millones de personas toman tranquilizantes regularmente. También reporta que los que los toman por más de cuatro meses seguidos se convierten en adictos.[2] Fíjese en este pasaje de los salmos, escrito por el rey David cuando había pecado: «Jehová, no me reprendas en tu furor, ni me castigues en tu ira. Porque tus saetas cayeron sobre mí, y sobre mí ha descendido tu mano. Nada hay sano en mi carne, a causa de tu ira; ni hay paz en mis huesos, a causa de mi pecado. Por mis iniquidades se han agravado sobre mi cabeza; como carga pesada se han agravado sobre mí. Hieden y supuran mis llagas, a causa de mi locura. Estoy encorvado, estoy humillado en gran manera, ando enlutado todo el día. Porque mis lomos están llenos de ardor, y nada hay sano en mi carne, estoy debilitado y molido en gran manera; gimo a causa de la conmoción en mi corazón... Pero yo estoy a punto de caer, y mi dolor está delante de mí continuamente. Por tanto, confesaré mi maldad, y me contristaré por mi pecado» (Salmo 38.1-8,17,18).

Sendas de superación

El pecado continuo puede llevar a un aislamiento más profundo de Dios, y la persona necesitada puede recurrir a muchas cosas en un intento por sobrellevar lo que la vida le depara sin contar con las paredes que se levantan sobre el fundamento y la estructura que Dios provee. Esta persona puede tratar de arreglárselas aferrándose a una atención o una aceptación falsa: la atención y aceptación de los demás.

Los esfuerzos por llamar la atención y obtener la aceptación de los demás (el reemplazante falso de la verdadera

---

[2] Mayo Foundation for Medical Education and Research (Fundación Mayo para educación e investigación médica), *Mayo Clinic Family Health*, Rochester, Minn.: IVI Publishing Inc., 1996.

aceptación de Dios) se pueden manifestar de muchas maneras. Por ejemplo, anorexia nerviosa es una condición en la
que la persona se niega a comer cuando el cuerpo le pide alimento, de manera que cae en un enflaquecimiento extraordi-
nario. Esta conducta logra llamar la atención; pero el anoréxico necesita saber que esta conducta no será recompensada
por Dios con la aceptación que está necesitando. (Véase el
testimonio sobre anorexia en el Apéndice A.) Este método de
control no lleva fruto. Despiértese. ¿Ha podido «hacer» que
su vida sea mejor? No, pero el Señor sí puede. Obedézcale a
Él al comer. Luego acérquese a Él con sus necesidades.

Un andar que frecuentemente revela al corazón enfocado
en la lascivia es la senda de las conductas compulsivas, que incluyen los «hábitos nerviosos». Estos varían en su intensidad
y son, en algunos casos, graves. Algunos ejemplos son: «comerse» las uñas, tironearse el cabello, chuparse el dedo y ras-
carse la piel hasta producir lastimaduras. Estas son manifestaciones externas de un corazón trastornado al que le falta la paz
y confianza del Espíritu de Dios, es un corazón enfocado en el
ego. He visto a gente que se «come» las uñas al punto de que
les sale sangre, o que se arrancan el pelo hasta quedar calvos y
gente con costras persistentes en la piel por estar siempre ras-
cándose, y a adultos que todavía se chupan el dedo. Las personas automutiladoras, que se arañan o lastiman a sí mismas
para llamar la atención, pueden ultimadamente llegar al extremo de intentar o lograr quitarse la vida. No es la voluntad
de Dios que estemos esclavizados; su meta es ser nuestro Salvador, librarnos de conductas esclavizadoras.

Muchas personas están muy necesitadas. Algunas emi-
gran permanentemente hacia siquiatras, sicólogos, clínicas o
doctores buscando ayuda para aliviar el dolor en sus vidas,
pero todo es inútil. A veces no saben que están buscando que
sus semejantes les den atención o comprensión, cuando lo que
realmente necesitan es la aceptación de Dios.

El que cae en conductas enfocadas en el yo sabe que
algo anda mal, pero sigue buscando diagnósticos físicos. S

consigue que le ordenen suficientes exámenes médicos o si hace suficientes consultas con el doctor, puede conseguir que alguien le encuentre algo que no anda bien. Es asombroso ver qué pronto una familia sin simpatía (a los que en casa les es difícil sentir lástima por lo gordo que es cuando ven las comilonas que se da todas las noches antes de irse a dormir) de pronto es comprensiva cuando aparece un diagnóstico que ayuda a «justificar» la gula o los cambios en su estado de ánimo. La familia, con su flamante comprensión, impresionada por el diagnóstico largo y que parece tan técnico, y las píldoras recetadas, está convencida de que su ser querido tiene un problema fisiológico, que su desgracia crónica y clínica es legítima. Esta senda cuesta dinero y, aún así, no logra lo que necesita: una aceptación que empieza con el arrepentimiento por la conducta errada. Lo falso, la comprensión, no llenará el corazón adolorido.

Esta persona definitivamente *sí* tiene un mal en su vida. *No* es hipocondríaca. Es solo que ha estado buscando diagnósticos y curas en hospitales que tratan condiciones físicas mientras que lo que realmente necesita se encuentra más pronto en la Iglesia.

Fobias egocéntricas

Otro aspecto preocupante es este sentimiento de aislamiento sin esperanza que puede incidir sobre fobias y causar toda clase de temores egocéntricos. Quienes sienten la falta de aceptación por parte de Dios, como le pasaba a Caín, también temen que los demás no los aceptarán ni gustarán de ellos. Este temor se puede manifestar en ataques de paranoia o pánico, agorafobia, automutilación, tendencias suicidas y manías (sentirse «en la cumbre») y luego depresión (sentirse muy «caído»). Esta conducta de la manía depresiva con sus altibajos en el estado de ánimo tarde o temprano empeora debido a los altibajos causados por los antidepresivos y píldoras recetadas. El paciente toma un estimulante, y limpia la casa o le pasa

el rastrillo al césped hasta las dos de la mañana (hiperactivo).
Después quiere somníferos para poder dormir. Esta no es
una modalidad a la que conviene acostumbrarse. Los efectos
secundarios son por los medicamentos, no por un problema
genético crónico. En otras palabras, los estimulantes dan una
explosión de energía hasta que se «gastan», meramente agregando más desequilibrio a un estilo de vida desequilibrado.
La solución es dejar de depender del botiquín para que le
haga sentir bien o le dé energías y le ayude a dormir. Dios le
puede dar todo esto sin los costosos efectos secundarios,
«pues que a su amado dará Dios el sueño» (Salmo 127.2).

Las personas cargadas de pecado sienten que «están fuera
de control». Nada parece salirles bien, y entre más se esfuerzan
por «controlar», peor se pone el ambiente. No han tenido la experiencia de entregar su corazón a Dios al punto de poder pedirle lo que quieren ¡y les será dado! Si no han tenido con frecuencia la experiencia de oraciones contestadas, no nos
asombre que se sienten «fuera de control». Las oraciones son
contestadas a aquellos cuyos corazones «permanecen en Jesús».
«Amados, si nuestro corazón no nos reprende, confianza tenemos en Dios; y cualquiera cosa que pidiéramos la recibiremos
de Él, porque guardamos sus mandamientos, y hacemos las cosas que son agradables delante de Él» (1 Juan 3.21,22). Podría
escribir un libro entero con ejemplos de oraciones contestadas;
no que todas las oraciones resulten en que uno obtenga lo que
pide en oración, pero existe una correlación definitiva entre la
oración contestada y la completa obediencia a Dios. Así como
parece que conseguimos más colaboración de nuestro cónyuge
cuando damos el primer lugar a sus necesidades, también sucede con Dios. Es sencillamente cuestión de lógica.

Las personas cargadas de pecado no han tenido la experiencia de depender de Dios para todo, así que sienten que no
tienen control sobre su ambiente, algunos tratan de sobrellevar la situación achicando más y más su mundo. Si se ven im-
pulsados fuera de su ambiente, pueden sufrir ataques de pánico. Para subsistir, achican tanto su mundo, en un intento

por mantenerlo de un tamaño manejable, que se encierran en sus casas. Tarde o temprano, algunos llegan al punto de sentirse seguros únicamente dentro de los confines de su propia habitación. Muchos pasan horas preocupándose por su seguridad. A veces su condición se manifiesta en una fobia a las «bacterias», que tiene su raíz en el temor de que le pase algo y un intento por «controlar» el ambiente. Esto puede resultar en conductas de limpieza obsesiva-compulsiva. También puede llevar a la purificación obsesiva-compulsiva del interior del cuerpo, resultando en limpiezas semanales del colon con combinaciones de laxantes. Esto puede ser perjudicial para los intestinos.

> *El consuelo no puede sustituir la aceptación y el bienestar que Dios da.*

A veces los que andan por esta senda pueden llegar a ser tan egocéntricos que pareciera que no aguantan estar más de unos minutos sin volver a su egocentrismo. El corazón sufriente en esta senda puede probar conductas maniáticas, luego pasar a conductas depresivas para que lo consuelen. El consuelo le hace sentir bien por un tiempo, pero termina haciendo que se sienta como un niño y bastante vacío. El consuelo no puede sustituir la aceptación y el bienestar que Dios da.

Las personas en esta senda pueden ponerse muy charlatanas y ruidosas, luego quedarse muy, muy quietas. Lloran, ponen mala cara, después tienen ataques de furia. El tema de la ira se encara en este libro en la siguiente senda equivocada. Los que han sido maltratados sexualmente a menudo se aferran a su historia, porque siempre genera simpatía y una falsa justificación de su gula. Para conseguir la aceptación de Dios, necesitan saber lo que Dios quiere, y necesitan hacer lo que Dios quiere que hagan. El egocentrismo puede quitarse con el arrepentimiento. Entonces el pecado principal puede ser llevado ante el Señor con arrepentimiento, y la aceptación de Dios inunda el alma como un torrente. Por último, los trastornos generados por el egocentrismo empiezan a desaparecer.

Hemos visto a muchos devolver sus corazones a Dios, y Él ha borrado sus molestos ataques de pánico inundándolos de confianza en Él. *La mente se enfoca hacia arriba —¡no hacia adentro!* Los que querían tener todo el control empiezan a dejar que Dios sea Dios.

Ansiedad crónica

Están los que no han sabido qué hacer con su vida sobre esta tierra, y menos con sus sentimientos de culpabilidad. Están apresados en un callejón de ansiedad crónica. Buscan algo de qué preocuparse. Se preocupan de cosas que pueden o no ser reales. Se preocupan por el pasado, el presente y el futuro. Se preocupan por cosas que nunca pasarán. Si fuera usted a hacer un sondeo de estas preocupaciones, se encontraría con que solo un pequeño número de ellos tiene motivos auténticos de preocupación. Se sienten ansiosos por su vida, y si esto no les da suficiente razón para estarlo, se preocupan por los asuntos de su vecino. Mantienen todo alborotado. «Paz» no está en su vocabulario. Dejar de concentrarse en sí mismos es casi imposible: es un bastión del enemigo.

La carretera llena de ansiedades es la más transitada y ha provisto los fondos para varias industrias multimillonarias en este país. Tabaco, vino, cerveza, bebidas fuertes, tranquilizantes y antidepresivos se venden por camionadas. Usamos estas sustancias para adormecer nuestros sentidos, y luego se las damos a nuestros hijos. El exceso de abusos no solo nos ha vaciado los bolsillos, sino que ha dejado a nuestros cuerpos físicos en mal estado.

Como población, ¿somos menos ansiosos? ¡No! Sentimos más ansiedad que nunca, y nos hemos convertido en esclavos de las sustancias. Sí, logran cubrir el sentimiento de culpa que no queremos tener; no obstante, el efecto del trago o de la droga tarde o temprano desaparece, y nos sentimos peor que antes. Aumentar la dosis es inevitable si queremos lograr el mismo efecto. Cuando los efectos van desapareciendo, vemos que estamos más atrasados en nuestros proyectos en el trabajo, y la casa está más desordenada que nunca. Estamos más atrasados con nuestras cuentas, y la familia está más decepcionada con nosotros que lo que estaba hace unos meses. La ira se profundiza. Muchas veces las familias se desintegran debido al abismo creado por el uso de un agente adormecedor. Nuestros hijos sufren por esta senda que hemos elegido. Cuando vemos a adultos chuparse el dedo o mordiéndose las uñas hasta sangrar, tironeándose el cabello para consolarse, logrando adormecerse con el alcohol ya para la media mañana, o atragantándose con aun más comida cuando su peso excede de sesenta libras de más, sabemos que el mundo sufre, pero estas sustancias mundanas no le llegan ni al tobillo a los sentimientos de energía y consuelo que Dios puede brindar.

Una manifestación muy común de una conducta compulsiva es fumar cigarrillos. A pesar de las investigaciones, no creo que sea solo el cuerpo que se hace adicto a la nicotina sino, también, el espíritu ansioso. Como lo hemos dicho antes, creo que la adicción del alma es más fuerte que la del cuerpo. El cuerpo está contento que baje menos monóxido de carbono por los pulmones. Pero que el alma se desgarre del mundo afecta al cuerpo y al alma. Dejar de fumar es espiritualmente difícil de medir y varía de un alma a otra.

Si la persona cambia la dirección de su enfoque desde sí mismo hacia Dios y deja que Dios le ayude a vencer las tentaciones, puede ser liberado de ese bastión. Esto se aplica no solo al abuso del tabaco, sino también al alcohol y las píldoras. En lugar de ser el cuerpo dependiente de la nicotina, da inmediatamente señales de que le encanta cualquier disminución y aun el dejar la adicción «en seco». No he visto morir a nadie por comer menos comida, fumar menos cigarrillos, beber mucho menos alcohol o tomar menos antidepresivos. No obstante, veo que la abstinencia es grave si este vacío no se llena con Dios. La abstinencia es el alma desgarrándose para separarse del mundo. Duele. Solo el Salvador puede disolver este tipo de superpegamento.

Cómo «separarse» de las sustancias adictivas

Por favor no me mal interprete en este punto: para vencer al mundo tiene usted que simultáneamente darle la espalda al mundo y volverse a Dios. Las medidas tomadas a medias le dejará más vacío y más deprimido si estaba usted firmemente plantado en el mundo.

En cierta oportunidad, Jesús le pidió a un joven rico que regalara todas sus posesiones y lo siguiera. (Véase Lucas 18.) Nunca encontraría total satisfacción en sus posesiones materiales. Eso solo se encuentra en Jesús. Lamentablemente, el joven rechazó el consejo de Jesús; no podía soportar arriesgar el estilo de vida que ya conocía, aun ante la oportunidad de llenarse con Jesús. ¿Se puede imaginar cómo se hubiera sentido si hubiera seguido la mitad del consejo de Jesús, regalando todo lo que tenía pero no siguiendo a Jesús? ¡Sin el consuelo de sus posesiones ni del Señor, hubiera sido absolutamente infeliz! De la misma manera, renunciar a los antidepresivos y la comida y no remplazarlos con el amor de Dios puede hacerle sentir totalmente hundido. Tiene que depender de Dios e invitarle a su corazón, y valerse de los principios que hemos bosquejado en este libro.

Si se decide que está listo para renunciar a su senda de culpa-depresión egocéntrica que por lo general incluye antidepresivos, recuerde: no trate de solo renunciar a ellos; renuncie a ellos y, a la vez, remplácelos con una relación íntima, cariñosa, con Dios. De otra manera, puede irse a pique en el agua.

Reglas generales para renunciar a cualquier abuso de sustancias:

1. No haga las cosas a medias. No solo deje las píldoras; déjelas y remplácelas con una dependencia de Dios para tener fuerzas, ánimo y energía que usted cree las píldoras le dan. Si está tomando muchas dosis, permanezca bajo cuidado médico y consiga que Él le indique una progresión razonable para ir reduciendo su dependencia de las píldoras. Recuerde, cuando renuncie

a sus ídolos inútiles, la depresión se irá. «Los que siguen vanidades ilusorias, su misericordia abandonan» (Jonás 2.8). La depresión es debido a aferrarse a la comida, etc. Así que necesita renunciar a la comida. Su corazón estará feliz al ir usted rebajando de peso, y la necesidad de tomar píldoras disminuirá.

2. Acérquese a Dios para que lo consuele. Segunda de Corintios 1.3,4 dice: «Bendito sea el Dios y Padre de nuestro Señor Jesucristo, Padre de misericordias y Dios de toda consolación, el cual nos consuela en todas nuestras tribulaciones, para que podamos también nosotros consolar a los que están en cualquier tribulación, por medio de la consolación con que nosotros somos consolados por Dios». Dios puede dar consolación mejor que nada y nadie. Quizá ponga a alguien en su camino, o quizá reciba una llamada telefónica alentadora o un versículo positivo. Pida su consuelo y Él se lo dará. Los seres humanos tenemos una necesidad abrumadora de ser consolados. Necesitamos que nos calmen y nos den seguridad. Esto es normal.

3. Asegúrese de pedirle a Dios que lo guíe hacia el consejo o pequeño grupo enfocado en Dios. Muchos grupos enseñan lo contrario a Weigh Down[†] y no harán más que confundirlo. Muchos grupos pequeños tratan de lograr que dependa de ellos, no de Dios. Algunos tratan de que se haga socio de por vida. Siempre hay participantes de las clases de Weigh Down[†] graduándose. ¡Dios puede liberarlo! Cuídese de las personas que dicen: «La solución es...» Por ejemplo, algunos dicen que la «solución» es el ejercicio. Puede ayudar, pero no es la solución. No se vaya por las ramas de las carencias (carencia de padre, carencia de madre u otras). Dios es la solución. Hemos visto adelantos asombrosos de gente que sale de la esclavitud de las drogas antidepresivas.

Cómo superar los temores

> Dios es amor; y el que permanece en amor, permanece en
> Dios, y Dios en él. En esto se ha perfeccionado el amor en
> nosotros, para que tengamos confianza en el día del jui-
> cio; pues como Él es, así somos nosotros en este mundo.
> En el amor no hay temor, sino que el perfecto amor echa
> fuera el temor; porque el temor lleva en sí castigo. De
> donde el que teme, no ha sido perfeccionado en el amor (1
> Juan 4.16b-18).

Desafío a todos los que nos sentimos atrapados por el temor a
dedicar algo de tiempo a conocer a Dios. La Biblia dice que
Dios quiere que tengamos sabiduría y entendimiento. Nos
insta a conocerlo y, cuando lo logremos, le amaremos. El amor
al Padre quita el temor. Proverbios 3.21-26 nos da seguridad al
afirmar: «Hijo mío, no se aparten estas cosas de tus ojos; guarda la ley y el consejo y serán vida a tu alma, y gracia a tu cuello. Entonces andarás por tu camino *confiadamente*, y tu pie no
tropezará. Cuando te acuestes, no tendrás temor, sino que te
acostarás, y tu sueño será grato, no tendrás temor de pavor re-
pentino, ni de la ruina de los impíos cuando viniere, porque
Jehová será tu confianza y Él preservará tu pie de quedar preso».

Si sufre usted de ataques de pánico y surge la necesidad
de tener que salir de su casa, encárelos con oración. Diga:
«Dios, necesito ir hoy a la tienda, y le tengo miedo al gentío y
al tráfico. Pero, Señor, tu estás en control de todo lo que me
pasa, y confiaré en ti. Dame fuerzas». Cuando va a la tienda,
vaya confiando que Dios estará con usted. La vez siguiente,
confiará más pronto en Él, y aun más pronto la vez siguiente a
esa. Pronto estará saliendo por la puerta sintiéndose libre y en
paz. ¡Se terminaron los ataques de pánico! Las drogas recetadas ya no serán su confianza, el pequeño grupo de apoyo ya
no será su confianza: ¡el Señor será su confianza!

Por ahora, no tenga miedo. Sepa esta realidad: clame al
Señor y Él lo ayudará a pasar por esto. Cuando menos lo

piense, irá dejando su dependencia en los agentes adormecedores, las conductas compulsivas, el egocentrismo y la depresión. Con la ayuda de Dios, ¡puede superar esto! Jesús nos
dejó un continuo sacrificio para todo lo malo que hay en nuestro corazón. Jesús vino para mostrarnos como ser Abel. Y lo
ansiamos como un pez en la orilla ansía el agua.

Con demasiada frecuencia, los médicos y consejeros meramente responden a lo que les exigimos: un simple diagnóstico, una solución rápida y una píldora para adormecer nuestro dolor. En realidad, dudamos de su eficiencia y nos vamos
del consultorio ¡sin una receta! Tenemos que tener la valentía
necesaria para hacerle frente al verdadero problema y confe-
sar que la solución se encuentra en buscar primeramente a
Dios. Si Él quiere que nos valgamos de un médico o consejero,
nos conducirá hacia el que nos dará el consejo o tratamiento
que Dios quiere que recibamos. Entonces, ¡cualquier atención
sustitutiva o terapia superficial pasará a la historia!

Callejón sin salida: Ira, proyección en los demás

Esta es la senda que posiblemente escojan los orgullosos.
Sus corazones a menudo pueden estar llenos de sentimientos
carentes de amor: odio, homicidios, engaño, furia incontrola-
da, ambición egoísta y enojo. Por lo general son manipulado-
res, y han aprendido cómo ejercer control sobre los demás.
Son expertos en proyectarse, es decir, que culpan a otros por
sus problemas. Deciden que su mejor defensa es una buena
ofensiva; ¡atacar a otros! Tratan de librarse de sus sentimientos de culpa enojándose y dirigiendo su enojo, sus enjuiciamientos, insultos y estocadas a los demás. Llegan al extremo
de calumniar, sabotear y difamar a sus semejantes. Es mucho
menos penoso echar la culpa de nuestra conducta a los demás o aun a Dios. Los que optan por esta senda a menudo se
quejan de que no pidieron estar sobre esta tierra, y culpan a
Dios del dolor de esta culpa. Pero, una vez más preste atención a estas palabras de las primeras páginas de la Biblia:

«Entonces Jehová dijo a Caín: ¿Por qué te has ensañado, y por qué ha decaído tu semblante? Si bien hicieres, ¿no serás enaltecido?» (Génesis 4.6,7a).

A los caínes de este mundo no les gusta la gente que es aceptada por Dios si ellos mismos no se sienten personalmente aceptados por Dios. Las personalidades tipo Caín preferirían creer que la gente que dice tener una relación con Dios la inventaron, están confundidos, engañados, son arrogantes, casi blasfemos y, evidentemente, necesitados de una muleta. Odian la palabra *favor*, y no quieren creer que Dios realmente favorezca a alguien. Como no han tenido la experiencia del favor de Dios, no quieren que nadie crea en eso. No quieren hacer lo que hay que hacer para lograr su favor así que, una vez más, tratan de borrar de sus vidas esta categoría «favor». Creen que mientras puedan burlarse exitosamente de la persona que adora a Dios y disfruta de su aceptación, quizá puedan demorar el tener que someter a Dios sus propios corazones, mentes y almas. La ira, al punto de albergar pensamientos asesinos,

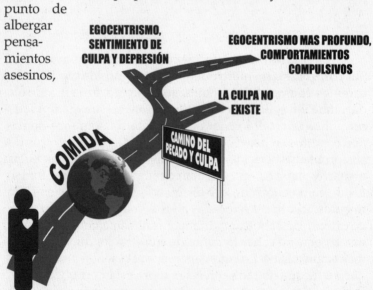

comenzó con la primera unidad familiar y sigue siendo común en la actualidad.

¿Cuántas veces se ha repetido la historia? Considere los relatos de personas que han sido maltratadas, torturadas, encarceladas o matadas porque eran visiblemente aceptadas por Dios en esta tierra: Abel asesinado por Caín, Daniel arrojado al foso de los leones, Esteban apedreado a muerte. Los capítulos 37 al 50 de Génesis cuentan la historia del José favorecido, un muchacho pastor vendido como esclavo por sus hermanos. Décadas después, cuando José había avanzado a la posición de segundo en comando sobre todo Egipto, el sentimiento de culpa de sus hermanos por lo que le habían hecho todavía los obsesionaba.

Los hombres celosos, obsesionados con sus propios intereses hicieron matar al favorecido Jesús sobre una cruz. Librarse de Jesús no les hizo sentir mejor, ni Caín se sintió mejor después de matar a Abel, el hermano favorecido. ¿Qué podía haber hecho Caín para sentirse mejor? Dios tenía la respuesta para él: no «Líbrate del que me es aceptable y serás promovido» sino «¡Si haces lo correcto serás aceptado!»

Existen caínes en la actualidad a quienes les gustaría convencernos que Dios mostraba su favor solo a los que lo amaban en las épocas bíblicas. «Dios dejó de mostrar su favor personal hace dos mil años. ¿Cierto?» ¡No, no es cierto! Hoy sigue demostrando su favor hacia los que siguen la rectitud y justicia. Vemos que lo hace de muchas maneras.

La gente prueba «la solución de Caín» en el trabajo todos los días. Tratan de sabotear al preferido del jefe para «promoverse» o conseguir el favor del jefe. Tengo buenas nuevas para los que practican esta conducta. Pueden dar marcha atrás. ¡Ya no tienen que andar por esta senda putrefacta del proyectarse para librarse de su sentimiento de culpa!

El problema que origina esta senda es que la persona no quiere dar sus primicias al Padre Celestial. No le importa recibir el amor del Padre, y no le importa darle una porción de su dinero, su domingo a la mañana y toda una lista de cosas que le resulta natural dar. Por ejemplo, le gusta el mandato de ir a la iglesia porque personalmente le encanta el compañerismo. Pero cuando Él le pide lo que está en contra de su propia voluntad (por ejemplo, su comida) las cosas cambian. Nadie le había dicho que Dios le iba a pedir que demostrara su amor por Él renunciando a sus primeros frutos (sus otros amores). No nos gusta entregar los ídolos que hemos tenido toda la vida. Primera de Juan 2.15-17 dice: «No améis al mundo, ni las cosas que están en el mundo. Si alguno ama al mundo, el amor del Padre no está en él. Porque todo lo que hay en el mundo, los deseos de la carne, los deseos de los ojos, y la vanagloria de la vida, no proviene del Padre, sino del mundo. Y el mundo pasa, y sus deseos; pero el que hace la voluntad de Dios permanece para siempre».

Repitámoslo, no nos resulta fácil la renuncia al bastión mundanal que Él nos pide, de la misma manera como a muchos casados no les resulta fácil dar a sus cónyuges lo principal que quieren. Les darán cosas buenas, decentes, pero no las cosas principales que sus cónyuges realmente quieren. Lo que hace usted con las primicias afectará su bastión y, en última instancia, su relación con Dios, su cónyuge y su familia. Muchas veces, lo que Dios y su cónyuge quieren que deje, son los mismos bastiones.

Caín, no Abel, tenía este problema. Ambos hermanos ofrecieron sacrificios de la obra de sus manos. Su comportamiento exterior era el mismo. Al hombre le puede resultar difícil comprender por qué Dios aceptó una ofrenda y no la otra ya que a primera vista, es imposible notar una diferencia.

Y Abel fue pastor de ovejas, y Caín fue labrador de la tierra. Y aconteció andando el tiempo que Caín trajo del fruto de la tierra una ofrenda a Jehová. Y Abel trajo también de los primogénitos de sus ovejas, de lo más gordo de ellas. Y miró Jehová con agrado a Abel y a su ofrenda; pero no miró con agrado a Caín y la ofrenda suya. Y se ensañó Caín en gran manera, y decayó su semblante (Génesis 4.2b-5).

Fíjese en la diferencia entre ambos: Abel dio exactamente lo que Dios quería porque no adoraba eso que él quería, pero Caín trajo lo que él (Caín) quería traer y retuvo lo que amaba. Muchos de nosotros tenemos lo que llamo el *Síndrome de Caín*. Es decir, le damos a Dios lo que nosotros queremos darle, ¡no lo que Él nos pide! Nos enojamos con Dios porque nos pide que sacrifiquemos lo que amamos. Además, tal como lo hizo Caín, nos enojamos con Dios porque no está contento con lo que le damos. Por ejemplo, muchos dicen: «Bueno, esta mañana le di a Dios mi desayuno». Pero en realidad, no habían tenido ganas de tomar el desayuno. Pero cuando llega la merienda de la tarde, ¡ni locos se la van a perder aunque no tengan hambre! Hojean el libro del Curso Weigh Down[*] buscando alguna idea de sacrificios que ellos *quieren* hacer. Sí, cortan en dos la comida. Pero probablemente terminen comiéndose las dos mitades, pero *sí* la cortan por la mitad ¡y se enojan con Dios porque no rabajan de peso!

Adivino que si usted sufre del Síndrome de Caín también se comportará con su compañero de trabajo, jefe, pastor o cliente de la misma manera que con Dios. Les dará a ellos lo que tiene ganas de darles o lo que usted ha decidido que ellos necesitan, aunque en realidad no lo sea.

El Síndrome de Caín también se hace evidente en muchos matrimonios. Los casados pueden hacer lo mismo con sus cónyuges pretendiendo que se están sacrificando. Por ejemplo, un esposo puede consentir en agradar a su esposa con una salida, pero después considera sus propias preferencias, no las de su esposa, al trazar los planes para dicha salida.

Una esposa puede preparar una comida maravillosa, supuestamente para complacer a su esposo, pero negarse a someterse a los deseos sexuales de él. Tal como Caín, está enojada por la aparente ingratitud de su marido por el sacrificio que ella había decidido hacer por él.

Considérelo de esta manera. Si un oficial del ejército obedeciera ocho de diez órdenes recibidas, ¿diría usted que era obediente? Después de todo, cumplió con ochenta por ciento de los requerimientos de su comandante. La respuesta es negativa. Las ocho órdenes cumplidas fueron solo las que le resultaba natural hacer. No obedecer dos de las diez órdenes revela un espíritu rebelde, desobediente en ese oficial (sacrificios de conveniencia).

La obediencia se pone a prueba sólo cuando enfrentamos algo que no queremos hacer. Primera de Samuel 15.7-23 cuenta de como Dios ordenó al rey Saúl que aniquilara totalmente a un enemigo. En todo el libro de Samuel, Dios mandó a Saúl:

> Ve, pues, y hiere a Amalec, y destruye todo lo que tiene, y no te apiades de él; mata a hombres, mujeres, niños, y aun los de pecho, vacas, ovejas, camellos y asnos (1 Samuel 15.3).

Saúl, efectivamente, fue a la batalla. Hizo la *mayor parte* de lo que Dios le había ordenado, pero perdonó la vida de Agag, el rey, y se llevó a casa algo del ganado vacuno y ovino. ¿Obedeció o desobedeció Saúl a Dios? Vea lo que dice el pasaje:

> Y vino palabra de Jehová a Samuel, diciendo: Me pesa haber puesto por rey a Saúl, porque se ha vuelto de en pos de mí, y no ha cumplido mis palabras (1 Samuel 15.10, 11a).

Samuel encaró a Saúl preguntando: «¿Por qué, pues, no has oído la voz de Dios?» y Saúl quiso pretender que sus acciones habían sido obedientes. «Y Saúl respondió a Samuel: Antes bien he obedecido la voz de Jehová, y fui a la misión que Jehová me envió» (1 Samuel 15.19,20a).

¿Se da cuenta? Saúl sufría del Síndrome de Caín. Cumplió parte del mandato que le resultaba natural, ir a la guerra, pero donde la voluntad de Saúl difería con el mandato de Dios, Saúl hizo lo que él mismo quería. Dios no le atribuyó obediencia a Saúl, aunque había sido victorioso en batalla y había cumplido la mayor parte de su mandato.

De la misma manera, Dios no reconoció la ofrenda de Caín. Dios conoce nuestros corazones. Aunque le demos a Dios algo de la comida, la comida conveniente que queremos darle, eso no es serle obediente. *Él le pide que suba al próximo nivel*. No se guarde nada. Más bien, dele todo lo que Él quiere. Teniendo esto como la meta de su corazón, no querrá «matar» a los Abeles de este mundo. Querrá encontrarlos e imitar su conducta. Honrará a los que han dado sus primicias a Dios y han obtenido su favor. ¡Usted también puede obtener esta aceptación! No tenemos que enojarnos con alguien, odiar a alguien, burlarnos de alguien o asesinar a alguien. En lugar de sabotear a un compañero de trabajo o de encontrar alguna manera de que la persona que tiene pasión por Dios se sienta estúpida, nosotros mismos podemos entregar nuestro corazón, mente, alma y fuerzas a Dios. Entonces también nosotros encontraremos esta misma aceptación.

El bastión del control

A veces es difícil reconocer cuando los que ejercen control no están en el lugar correcto. Parecen los más justos de los pecadores. Después de todo, consagran su corazón y alma a limpiar al «mundo». Objetan la música mala y se niegan a comprar en negocios que apoyan actividades inmorales. Tratan de conseguir que sus cónyuges realicen actividades «rectas y justas» y llegan al punto de explotar si no pueden ir a la iglesia. Controlan todos los alimentos en la casa y lo que se llevan a la escuela o el trabajo. ¡*Tienen que* ser rectos! Pan casero, filtros para el agua, y las cosas «no limpias» es el próximo tema para estudiar. A los chicos se les enseña muy bien.

También controlan las fiestas y los feriados. Y por lo general se retraen del mundo y adoptan un estilo de vida puritano. Después de limpiar el ambiente en casa, les sobra energía para limpiar la escuela, la iglesia y el gobierno.

Ahora bien, cualquiera de estas actividades puede estar bien, pero es el corazón lo que debemos examinar. La persona consagrada a limpiar lo que está fuera de su propio corazón no está haciendo lo que hizo Cristo. Cristo amaba y obedecía al Padre y enseñaba a los demás a hacer lo mismo. Un camino aleja a los demás del cristianismo y genera rebelión en el cónyuge e hijos. El camino correcto, quedarse concentrados en amar a Dios con todo nuestro corazón y a nuestro prójimo como a nosotros mismos, hará que sea un imán y convertirá a muchos.

«La mujer sabia edifica su casa; mas la necia con sus manos la derriba» (Proverbios 14.1).

Usted puede, silenciosamente, alentar el cambio. Dios mismo ha permanecido invisible. ¿Por qué no podemos dar un poquito de marcha atrás y confiar que Dios cambiará el corazón de los demás? «Y que procuréis tener tranquilidad,... y trabajar con vuestras manos...a fin de que os conduzcáis honradamente para con los de afuera...» (1 Tesalonicenses 4.11,12). «Asimismo vosotras, mujeres, estad sujetas a vuestros maridos; para que también los que no creen a la palabra, sean ganados sin palabra por la conducta de sus esposas, considerando vuestra conducta casta y respetuosa. Vuestro atavío no sea el externo de peinados ostentosos, de adornos de oro o de vestidos lujosos, sino el interno, el del corazón, en el incorruptible ornato de un espíritu afable y apacible, que es de grande estima delante de Dios. Porque así también se ataviaban en otro tiempo aquellas santas mujeres que esperaban en Dios, estando sujetas a sus maridos; como Sara obedecía a Abraham, llamándole señor; de la cual vosotras habéis venido a ser hijas, si hacéis el bien, sin temer ninguna amenaza»(1 Pedro 3.1-6).

Déjese ya de tratar de arreglar cualquier cosa fuera de sí mismo. Tome todas esas energías y concéntrese en darle una buena estregadura a su propio corazón. Luego, enseñe este mismo principio a otra persona. Si está seguro de haberse quitado la viga de su ojo, quizá, en amor, puede quitar la paja del ojo ajeno.

Callejón sin salida: Buscadores de pasión

Este camino atrae al viajero cansado que está buscando una pasión o tratando de adormecer la senda de la culpa usando

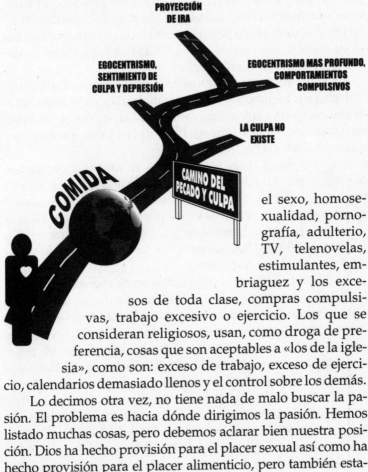

el sexo, homose-
xualidad, porno-
grafía, adulterio,
TV, telenovelas,
estimulantes, em-
briaguez y los exce-
sos de toda clase, compras compulsivas, trabajo excesivo o ejercicio. Los que se
consideran religiosos, usan, como droga de preferencia, cosas que son aceptables a «los de la iglesia», como son: exceso de trabajo, exceso de ejercicio, calendarios demasiado llenos y el control sobre los demás.

Lo decimos otra vez, no tiene nada de malo buscar la pasión. El problema es hacia dónde dirigimos la pasión. Hemos
listado muchas cosas, pero debemos aclarar bien nuestra posición. Dios ha hecho provisión para el placer sexual así como ha
hecho provisión para el placer alimenticio, pero también esta-
blece límites. Hacer más de lo que está dentro de estos paráme-
tros muestra lascivia y gula. También revela nuestra falta de
confianza en que Dios supla nuestras necesidades y nuestros
deseos. Si estos deseos no están encaminados en la dirección correcta, tendremos conductas que demuestran la falta de contentamiento en nuestro corazón. Es como si nuestras manos quisieran agarrar más, en lugar de esperar tranquilamente, con las

palmas hacia arriba, que nuestra porción sea provista por Dios.
Job era un hombre justo. Amaba a Dios y confiaba mucho en Él.
En Job 31.1 dijo: «Hice pacto con mis ojos; ¿Cómo, pues, había
yo de mirar a una virgen?» En la Biblia hay varias listas de deseos pecaminosos. Aquí va uno:

Y manifiestas son las obras de la carne, que son: adulterio,
fornicación, inmundicia, lascivia, idolatría, hechicerías, ene-
mistades, pleitos, celos, iras, contiendas, disensiones, herejías,
envidias, homicidios, borracheras, orgías, y cosas semejantes
a estas (Gálatas 5.19-21a).

No podemos dejar estos deseos en nuestros corazones.
No hay lugar para ambos. Dios no puede morar con deseos
impuros. Son como aceite y agua: no se mezclan. No se puede
poner vino nuevo en odres viejos porque explotarán. La casa
tiene que ser limpiada antes de que Dios pueda morar en ella.
En otras palabras, Dios es amor, y el amor no se mezcla con el
odio que queda en su corazón.

Efesios 4 se refiere al ciclo continuo de excesos que se van
haciendo más y más fuertes. La persona puede llegar a endure-
cerse al punto de que nada le importa. Muchas veces empieza a
ansiar más excesos y termina comprando compulsivamente,
adicto a las telenovelas, adicto al dinero, la pornografía, pecados y lascivias sexuales, adulterio, televisión, computadoras o
su trabajo. Algunos terminan más enraizados en un solo exceso.
Muchas de estas conductas son engañosas porque pensamos
que ellas no nos controlan, pero llevan por un camino de muerte del deseo del corazón por tener a Dios. Es difícil verlo nosotros mismos. La Biblia es uno de los pocos espejos que quedan
en este mundo para mostrarnos qué aspecto tenemos en nuestro corazón.

La senda más engañosa es el muy transitado camino
«Estoy ocupado, ocupadísimo». Casi parece justo. Usamos
nuestras fuerzas para estar lo más ocupados posible a fin de
adormecer los sentidos. Si hacemos una pausa, sentimos dolor. Así que lo arreglamos asegurándonos de estar más ocupados, lo cual es nuestra droga de preferencia. Si Dios nos

detiene y nos manda a la cama de modo que no podemos estar ocupados, aflora el dolor y nos remuerde la conciencia.

Otros son adictos a los chismes. Nos hace sentir tan bien destrozar a los demás a fin de sentirnos mejor. Los chismosos tienen la tendencia a sentirse más perfectos que sus amigos que han elegido otras sendas equivocadas, por ejemplo, tomar drogas, para sobrellevar su sentimiento de culpa.

La parábola de los cuatro suelos nos advierte: «La que cayó entre espinos, éstos son los que oyen, pero yéndose, son ahogados por los afanes y las riquezas y los placeres de la vida, y no llevan fruto» (Lucas 8.14).

No queremos que las preocupaciones, riquezas y placeres de la vida vengan y nos roben de la aceptación de Dios y nos impidan madurar.

La senda angosta

Todo se resume en el hecho que estamos buscando aceptación, lo cual es un sentimiento. Es un sentimiento cálido, cariñoso muy arriba en nuestro corazón. El sentimiento de culpa es un sentimiento feo, y es posible que estemos probando todas las cosas equivocadas para librarnos de él.

Volvernos a Dios nos inunda de gozo; donde antes dominaba la depresión, en su lugar hay ahora un corazón lleno de felicidad indescriptible. Siempre habrá una proporción uno-por-uno entre el gozo y la obediencia a Dios. Los antidepresivos no son la receta que recomiendo. Tiene que ser un auténtico arrepentimiento que nace de un corazón puro.

El corazón puro

Uno de los problemas que aflora de nuestro corazón, debido al calor del desierto es la falta de un corazón puro. ¿Es posible que haya procurado usted tener una relación con Dios sin un corazón puro? ¿Hemos buscado a Dios con el solo fin de que hiciera lo que nosotros queríamos que hiciera?

¿Llegó usted a este programa estableciendo sus propias condiciones, decidido a hacer solo las cosas que quería hacer esperando, no obstante, que Dios le rebajara el peso? Cuando ya se había librado de una cantidad decente de gordura, ¿perdió su concentración en Él porque concentrarse en Él no era su meta, sino más bien un medio para llegar a un fin: rebajar de peso? Sin un corazón puro, usted es el amo de la relación, ¡no Dios! Si la relación es con un perro, usted es el amo. Pero si tiene una relación con un dios, especialmente *el* Dios, Él es su amo y usted es su esclavo.

Algunos aman las cosas y usan a las personas; otros aman a las personas y usan las cosas. Algunos aman a Dios y disfrutan de las cosas de Él; otros aman las bendiciones de Dios y lo usan a Él. Dios sabe cuando usted no tiene un corazón puro. Rebajar de peso es buenísimo pero, más que eso, Dios quiere que se dirija a Él como su libertador. Su meta es usar su deseo de ser libre de la esclavitud de la comida como base para una relación permanente con Él. Quiere que usted le dé todo su corazón a Él; no que se aleje de su amor (la comida) por unos días, sino para siempre. Quiere que emprenda un ayuno auténtico, *espiritual*, que significa librarse para siempre de esta prostitución de su corazón hacia la comida. Véase Isaías 58 un diálogo sobre esto.

Los que están en esta categoría, pueden haber rebajado de peso y luego parado antes de alcanzar su meta de lo que pensaban rebajar. Dicen que han bajado de peso lo suficiente como para ser socialmente aceptables; por lo tanto el exceso de libras que les queda ya no les preocupa. Esa actitud es equivocada por dos razones.

1. Estas personas se acercaron al Señor por lo que ellos querían: rebajar de peso, no por lo que Él quería: la obediencia de un corazón puro motivada por el amor a Él.

2. Les importaba más la alabanza de los hombres que la alabanza de Dios, así que cuando llegaron a la meta de su corazón (la alabanza, o por lo menos ya no el reproche, del hombre), perdieron su motivación.

Los de corazón puro seguirán rebajando de peso, porque dejan de concentrarse en su peso y comida y, en cambio, se deleitan en complacer a Dios siendo obedientes y concentrándose únicamente en su aprobación. De la misma manera, cuando se equivocan, se arrepienten inmediatamente y empiezan de nuevo porque, lo decimos nuevamente, aman a Dios tanto que temen su desaprobación (que aparte su rostro de ellos) tanto como aman su aprobación. Pierden sus sentimientos de culpa siendo obedientes. De hecho, se pierden en Dios.

¿Qué habría pasado si Caín hubiera cambiado su manera de ser? ¿Cuál habría sido su conducta si hubiera decidido cambiar (arrepentirse y volverse con su corazón a Dios)?

Habría reconocido que él tenía la culpa, no Dios, y ciertamente no Abel. Habría entonces observado detenidamente el corazón de Abel y tratado de imitar el corazón que estaba puramente enamorado de Dios. Entonces le habría pedido a Dios que perdonara su antiguo corazón de amor egoísta. Por último, habría dado pruebas del cambio en su corazón trayéndole el sacrificio correcto la próxima vez. Nada de ira contra Dios y Abel. Nada de hacerse el dios asesinando literalmente a su hermano con un arma mortal, ni figuradamente, con palabras odiosas. Nada de celos hacia el hombre que inocentemente dio su corazón y, por lo tanto, su sacrificio puro a Dios. Nada de ocuparse más en los campos solo para librarse del dolor del rechazo de Dios, y nada de creer que no tenía culpa. No habría abuso de sustancias ni agentes adormecedores. No habría la búsqueda de una falsa aceptación a través de la lástima o la aprobación de los hombres.

No habría pesar mundano (el pesar de que lo «pescaron») sino un pesar piadoso que produce un cambio de 180 grados de manera que su mente y corazón vuelvan al Padre y dejen de amar la comida.

No, el resultado habría sido un arrepentimiento auténtico que trae la aceptación del más apuesto, más talentoso, más rico, más poderoso ser del universo, el Gran Yo Soy. Ahora bien, ¡es *así* como se construye una autoestima sólida! Puede

usted lograr el dominio de esta opción de verdaderamente
arrepentirse y entregar su corazón al Padre. Tiene usted que
lograr el dominio, porque fue hecho para ir por el camino angosto y por la puerta estrecha, lo cual se hace más fácil con
cada libra que rebaja, porque ahora, ¿ve?; estas eran verdaderamente ¡libras de desobediencia!

Entrad por la puerta estrecha; porque ancha es la puerta,
y espacioso el camino que lleva a la perdición, y muchos
son los que entran por ella; porque estrecha es la puerta, y
angosto el camino que lleva a la vida, y pocos son los que
la hallan (Mateo 7.13,14).

LA TENTACIÓN

¿Sigue todavía luchando con la tentación de comer demasiado? La tentación no se basa en una ansiedad o un sentimiento fisiológico. Más bien, es ese querer *comer por el deseo de comer*. Si está luchando aún, por favor, dé marcha atrás y lea el capítulo: «¡Socorro! Siempre tengo hambre». Esto le ayudará. Recuerde, usted tiene hambre de algo más profundo que los alimentos. La comida nunca satisfará este anhelo de gozo y consuelo y de significado que tiene el alma. La razón por la cual lo salado y lo dulce son, por lo general, las preferencias para atiborrarse, es que el cuerpo está lleno; por lo tanto, las papilas gustativas en la lengua están embotadas. Lo salado y lo dulce son casi los únicos alimentos a los que les puede sentir el gusto. A medida que su atracón está llegando de 2.000 a 10.000 calorías usted, literalmente, no puede sentirle gusto a nada. En un atracón, ni siquiera puede sentirle gusto al tocino más sabroso. La comida no le satisfará. Debe procurar acercarse a Dios.

Recuerdo la última vez que tuve una verdadera tentación de atiborrarme de comida. Yo la llamo el cuento del ballet. Era un fin de semana, estaba cansada y sola. Esta es la situación

perfecta para Satanás y para una verdadera prueba del corazón. Me sentía tentada a excederme en la comida porque estaba aburrida y deprimida, y tenía un fuerte sentimiento de vacío. Puedo recordar el poder de atracción de esta tentación. La
contracorriente del deseo de darse el gusto o consentirse tiene
un poder de atracción increíble si le damos lugar.

Yo hice lo correcto: clamé a Dios y le conté todo. «Dios, lo
que realmente quiero hacer es ir a la cocina y cocinar una
fuente de galletitas dulces y comerme un plato grande de helado bañado con miel de chocolate y nueces y la fuente llena
de galletitas dulces. Y me gustaría comer las tostaditas con
salsa mientras se cocinan las galletitas. Ahora bien, Señor, en
caso que no hayas comido estas comidas hace un tiempo, me
gustaría recordarte que las tostaditas y la salsa son grandiosas. Las galletitas dulces saben bien tanto crudas como cocidas. Y medio galón de helado de chocolate y vainilla es sencillamente maravilloso. Y qué feliz soy haciendo esto mientras todos están fuera de casa. Entonces, mi pregunta es: *Dios
¿puedes tú hacerme sentir mejor que todo eso? ¿Puedes hacerme sentir mejor que un atracón?*» Bueno, antes de que la oración saliera de mi boca me pasó lo de
Isaías 65.24: «Y antes que clamen, responderé yo; mientras
aún hablan, yo habré oído». En fin, antes de que las palabras
salieran de mi boca, sonó el teléfono. Estaba cansada pero decidí contestarlo de todas maneras. No había nadie en la línea.
Me resultó extraño, pero después recordé mi oración y supe
que Dios me estaba dando una vía de escape exclusivamente
para mí, según su promesa en 1 Corintios 10.13:

«No os ha sobrevenido ninguna tentación que no sea humana; pero fiel es Dios, que no os dejará ser tentados más
de lo que podéis resistir, sino que dará también juntamente con la tentación la salida, para que podáis soportar».

Comencé a llorar porque Dios me había provisto muchas vías originales de escape, pero nunca me había llamado por teléfono. Lo sucedido me conmovió. (¡Mis buenos amigos en el Curso Weigh Down[†] me hicieron ver que aunque era posible que Dios me haya llamado por teléfono, también me colgó!) ¡En fin...! Pero hubo más. Me vino a la mente: «Prende un casete de música». Sentía que era Dios guiándome; por lo tanto, asumí que la única música que Él escuchaba era cristiana, pero no podía encontrar ningún casete cristiano en la pila de casetes. Me fijé que había un casete en el suelo y, sin más, supe que este era el que tenía que escuchar. Ni siquiera me fijé en el título. En cuanto puse el casete, comenzó a tocar el principio de una canción que mencionaba un amor que ha existido desde antes de la creación **antes que los peces, pájaros o estrellas. Dios no solamente había inspirado esta canción** sé que estaba cantando de su amor por mí.

Bueno, seguí llorando mientras mi corazón se llenaba de emoción. Bailé mi ballet, que no era ballet en realidad, pero era mi ballet que tenía para ofrecer al Señor. Hice una reverencia ante Él y me imaginé vestida de un blanco inmaculado. Lo imaginé a Él extendiendo el cetro real en señal de aprobación.

Esta canción, de título «Longer» (Desde antes) por Dan Fogelberg se encontraba a la mitad del casete. ¿Qué probabilidades hay de que, al poner el casete, comenzara con esa canción y que este equipo nuevo, que todavía es demasiado técnico para mí, estuviera trabado para que siguiera repitiendo esta misma canción.

¿Fue Dios mejor que la comilona? Dígamelo usted. Mi corazón rebosaba de amor. No

Antes de que pudiera expresar mi oración, ¡Dios me estaba mostrando cómo puede proveer una gratificación instantánea mejor que la del mundo!

tenía sentimientos de culpa porque no me había vuelto a exceder comiendo cuando sabía que no necesitaba comer. Dicho sea de paso, el sentimiento de culpa está localizado en las entrañas, bien abajo, y es una sensación horrible. El sentimiento que tenía era de felicidad. Ese sentimiento está arriba, cerca del corazón, y da energía. Tenía mucha energía para bailar y cantar a Dios y después limpiar la cocina y quitar las decoraciones de Halloween.

Tengo que decirle sencillamente que se acerque a Dios y le pida al Creador de los sentimientos si puede darle mejores sentimientos que los que el mundo puede dar. Lo que Dios puede proveer es tan instantáneo como la comilona. Antes de que pudiera expresar mi oración, ¡Dios me estaba mostrando cómo puede proveer una gratificación instantánea mejor que la del mundo!

Oh, si pudiera persuadirle que se acerque a Dios y dependa de Él para que le dé todo lo que desea y necesita, en lugar de depender de la comida, el alcohol, las drogas, los tranquilizantes, los antidepresivos, la TV, la pornografía, el poder, los chismes, las compras, el materialismo, el amor al dinero o el elogio de los demás. Cuando dejamos a Dios fuera de nuestra vida, lo que nos queda es un hueco oscuro y sin fondo. La comida nunca le devuelve nada: solamente quita. Dios siempre reintegra.

Así que el mejor consejo para el momento de tentación es: acérquese a Dios, pídale su ayuda y ruéguele que lo llene de cosas mejores que las que el mundo ofrece (alcohol, antidepresivos, comida, le atención de los demás, etc.). ¡Lo que he descubierto es que a Él le encanta el desafío y le gusta demostrar lo que puede hacer! Después de todo, Él tiene mucho para dar.

Oye, pueblo mío, y te amonestaré. Israel, si me oyeres, no habrá en ti Dios ajeno, ni te inclinarás a Dios extraño. Yo soy Jehová tu Dios, que te hice subir de la tierra de Egipto; *abre tu boca, y yo la llenaré* (Salmo 81.8-10).

Abre bien tu boca, y yo la llenaré, y ese *sentimiento* que buscas será perfecto. Precisamente como el acto sexual dentro del matrimonio, comer dentro del entorno del hambre y la satisfacción, es perfecto. ¡Acercarse a Dios para obtener este *sentimiento* que todos buscamos es *totalmente correcto*!

Después de clamar a Dios, el deseo de comer había desaparecido. Esta es la *gracia* que Dios nos ha ofrecido tan libremente: que si le queremos a Él, Él quitará «de su boca los nombres de los baales» [dioses falsos] (Oseas 2.17a).

«Y te desposaré conmigo para siempre, te desposaré conmigo en justicia, juicio, benignidad y misericordia» (Oseas 2.19).

La gracia de Dios de prestarse a una relación de pacto ejerce tanta atracción que quitará de su corazón el amor que usted tenía por la comida, y le dará un nuevo corazón de amor por Él. Si lo considera desde este punto de vista, la comida deja de tener su cautivante tentación.

Usted me ha escuchado decir cuál es su responsabilidad. «Por tanto, yo os juzgaré a cada uno según sus caminos, oh casa de Israel; dice Jehová el Señor. Convertíos, y apartaos de todas vuestras transgresiones, y no os será la iniquidad causa de ruina. Echad de vosotros todas vuestras transgresiones con que habéis pecado, y haceos un corazón nuevo y un espíritu nuevo. ¿Por qué moriréis, casa de Israel?» (Ezequiel 18.30-32.)

Pero también, si usted quiere tener este corazón de amor, esta pasión y este sentimiento dirigido hacia Él, ¡pídaselo en oración! Dios puede *darle* un «nuevo corazón». Sí, *darle a usted*, un nuevo corazón si usted lo desea. «Y circuncidará Jehová tu Dios tu corazón, y el corazón de tu descendencia, para que ames a Jehová tu Dios con todo tu corazón y con toda tu alma, a fin de que vivas» (Deuteronomio 30.6).

Él puede dar vida a los huesos de muertos...

Y me dijo: Hijo de hombre, ¿vivirán estos huesos? Y dije: Señor Jehová, tú lo sabes. Me dijo entonces: Profetiza sobre estos huesos, y diles: Huesos secos, oíd palabras de Jehová. Así ha dicho Jehová el Señor a estos huesos: He aquí, yo hago entrar espíritu en vosotros, y viviréis. Y pondré tendones sobre vosotros, y haré subir sobre vosotros carne, y os cubriré de piel, y pondré en vosotros espíritu, y viviréis; y sabréis que yo soy Jehová.

Profeticé, pues, como me fue mandado; y hubo un ruido mientras yo profetizaba, y he aquí un temblor; y los huesos se juntaron cada hueso con su hueso. Y miré, y he aquí tendones sobre ellos, y la carne subió, y la piel cubrió por encima de ellos; pero no había en ellos espíritu. Y me dijo: Profetiza al espíritu, profetiza, hijo de hombre, y di al espíritu: Así ha dicho Jehová el Señor: Espíritu, ven de los cuatro vientos, y sopla sobre estos muertos y vivirán. Y profeticé como me había mandado, y entró en ellos, y vivieron, y estuvieron sobre sus pies; un ejército grande en extremo.

Me dijo luego: Hijo de hombre, todos estos huesos son la casa de Israel. He aquí, ellos dicen: Nuestros huesos se secaron, y pereció nuestra esperanza, y somos del todo destruidos. Por tanto, profetiza, y diles: Así ha dicho Jehová el Señor: He aquí yo abro vuestros sepulcros, pueblo mío, y os haré subir de vuestras sepulturas, y os traeré a la tierra de Israel. Y sabréis que yo soy Jehová, cuando abra vuestros sepulcros y os saque de vuestras sepulturas, pueblo mío. Y pondré mi Espíritu en vosotros, y viviréis, y os haré reposar sobre vuestra tierra; y sabréis que yo Jehová hablé, y lo hice, dice Jehová.

¡Al final, todos sabremos que la gracia es tal que Dios lo ha hecho todo! Dios no solo puede dar vida a nuestros huesos, sino que ¡puede ser mejor que un atracón de comida!

Al encarar las tentaciones

Situaciones

Reacciones

1. Aparece cuando menos la esperamos...

así que aprenda a esperarla y ore el Padre nuestro todos los días. (No me dejes caer en tentación, mas líbrame del malo.)

2. Aparece cuando usted es vulnerable...

así que trate de mantenerse descansado. Huya del lugar. Sepa cuándo y dónde ocurre la tentación. Conozca las «mentiras» que lo atrapan.

3. Aparece cuando usted ha perdido su concentración con propósito (en Dios y su voluntad) y la ha remplazado con depresión y con tenerse lástima...

así que deje de pensar en sí mismo y en suplir sus propias necesidades; más bien, piense en alabar a Dios porque suple sus necesidades.

Si usted se ha apartado hora tras hora, día tras día de buscar y recibir la aceptación del Padre, se hará vulnerable y será tentado fuertemente. (La carencia que usted siente es normal si se ha apartado.)

Despierte, y esté listo para el cruce de caminos.
Tiene dos opciones: una conduce a la vida y una conduce a la muerte.

Corra en pos de la comida

Correr en pos de la comida no hará más que impedir que entregue su corazón a Dios.

Resultará en culpa-depresión.
Resultará en ira y desesperación.
Resultará en que la balanza le diga que pesa más.
La comida nunca suplirá esta necesidad.
Seguirá necesitando, porque la comida es incapaz de devolver su amor.

Corra en pos de Dios

Clame a Dios. Busque su vía de escape.
Él le llenará, y el comer por el deseo de comer desaparecerá. Una Palabra de la Biblia (Dios) hará estremecer su corazón.

Tendrá un pulso y un latido del corazón fuerte que sigue fortaleciéndose para el Señor.
Busque sus joyas.
Resultará en que la balanza le diga que pesa menos.
La aceptación entra como un torrente y, por ahora, la tentación ha pasado.

FOTOCOPIE Y LLEVE ESTO CONSIGO COMO UN RECORDATORIO

VÍAS DE ESCAPE

Dios sabe cosas que solo usted y Él saben: cosas privadas, secretas, extremadamente especiales, personales. El desierto es un lugar tremendo para aprender, crecer y ver la gracia y misericordia de Dios. Algunos de los testimonios más emocionantes de su presencia y de su amor por nosotros vienen en la forma de *vías de escape* y joyas.

Una vía de escape se basa en el versículo de 1 Corintios 10.13 que dice: «No os ha sobrevenido ninguna tentación que no sea humana; pero fiel es Dios, que no os dejará ser tentados más de lo que podéis resistir, sino que dará también juntamente con la tentación la salida, para que podáis soportar». Tomamos este versículo literalmente; creemos que Dios proveerá una vía de escape de la tentación. Por lo tanto, cuando sé que no tengo hambre pero quiero comer, una de las cosas ingeniosamente creativas que Dios hace es darme una vía de escape. ¡Mi parte es permanecer alerta y aprovecharla! Al principio, es posible que ni siquiera reconozca que Dios le ha ayudado hasta después de que lo ha hecho. Pero, con el correr del tiempo, irá mejorando su habilidad y será más perceptivo.

Algunas de las vías de escape que los participantes del Curso Weigh Down[†] comparten son muy graciosas. Pero creo que Dios tiene un gran sentido de humor, y disfruta de esas búsquedas creativas tanto como usted. Una señora nos escribió para contarnos de una aventura que tuvo cierto día. No tenía hambre pero, a pesar de eso, decidió comer una barrita de chocolate. Cuando estaba a punto de comerla, sonó una alarma. Vino una ambulancia, un camión de bomberos, después un policía y evacuaron su casa. Esperó afuera mientras determinaban que era una falsa alarma de una pérdida de monóxido de carbono. Después que las autoridades dejaron a todos volver a entrar, ¡descubrió que el gato se había comido el chocolate! Qué maravilla, ¿no? Dios hará mucho para ayudarnos en este camino, y nos ama tanto que nos brinda estas segundas y, a veces, terceras oportunidades de obedecer. Desafortunadamente, aún así podemos seguir siendo tercos y empecinados en comer. Entonces, Él se resigna.

Hay muchos ejemplos más: cigarrillos que se mojan, la tienda a la que se le acabó la mercancía que alguien iba a comprar pero que realmente no necesitaba, el auto que se queda sin gasolina o se descompone camino a hacer algo que uno no debe hacer.

La lista sigue y sigue, pero aquí va otro ejemplo original de alguien tentado por una comida.

Una señora me contó la anécdota de una reunión de familia. Dijo que era famosa por su helado casero de durazno. Era tan famosa que tenía miedo que no le tocara ni probarlo. Sabía lo pronto que desaparecería así que, con disimulo, se acercó a la mesa donde estaba el helado con la intención de servirse la primer bola. Tenga en cuenta que no tenía apetito, tenía simplemente miedo de que se acabara antes de poder servirse. Pero su movida no pasó desapercibida, y antes de que pudiera servirse, detrás de ella se había formado una fila. ¡Terminó sirviendo veintiocho bolas de helado! Reía cuando me contaba la anécdota, pero también alababa a Dios por su originalidad al ayudarla.

Las vías de escape casi parecen caer en categorías. Algunas vías le distraen de la comida, como cuando sus hijos lo necesitan, el teléfono interrumpe o llegan visitas inesperadas. Le daré un par de ejemplos de la categoría «distracción». Una señora se había preparado un plato de sopa y acababa de sacar al perro afuera. Justo cuando tomaba el primer bocado, el perro empezó a ladrar y a pelearse con otro perro (¡cosa que nunca había pasado!). En cuanto volvió a entrar después de atender al perro, se dio cuenta que lo sucedido le había dado una vía de escape. Tapó el plato de sopa y lo puso en el refrigerador. Aquí va otra que cae dentro de esta categoría. Una mamá cuenta que se preparó un helado bañado en Coca Cola cuando en realidad no tenía apetito. Pero antes de poder comerlo, sonó el teléfono. Luego, su hija, que necesitaba ayuda, la llamó desde la bañera. Para cuando volvió a tomar su helado bañado en Coca Cola, este no era más que un líquido oscuro, espumoso. Así que lo tiró por el desagüe de la pileta.

Este ejemplo del helado arruinado nos lleva a una segunda categoría en que la comida de veras es mala y le brinda una vía de escape: la categoría «repugnancia». Por ejemplo, cierto hombre de negocios nos contó de una vez que había viajado fuera de la ciudad. Comentó que esta siempre era una ocasión de tentación porque su compañía pagaba la comida, y él se sentía solo. Comer afuera le daba la oportunidad de salir de la habitación del hotel y estar con gente, aun sin conocerla. Una noche, para terminar con su aburrimiento decidió ir a un restaurante. No tenía apetito, simplemente estaba aburrido. Ordenó un bistec, una papa al horno y ensalada. Cuando le trajeron la comida, el bistec estaba medio crudo, la papa dura y la ensalada tibia. En lugar de enojarse con los empleados del restaurante, dice que simplemente sonrió y les dejó

Algunos se rebelan y vuelven por otra porción de helado, diciendo: «No me importa si esto es querer comer por el deseo de comer. Sea como sea, yo me sirvo otra porción».

una buena propina. Hemos tenido tantos relatos de comidas que estaban demasiado calientes, demasiado frías, no era la que se había ordenado, la máquina para hacer batidos de leche se había roto o simplemente ya no quedaba más del platillo ordenado. Aquí comparto un gran ejemplo de eso mismo. Una señora cuenta que iba rumbo al retiro anual de su iglesia. Conocía bien el área del retiro porque había ido varias veces. De hecho, conocía tan bien el área que sabía exactamente dónde podía comprar la mejor tarta de zarzamora que había comido en su vida. Camino al retiro, paró en el restaurante donde hacían la tarta y se compró una entera, no solo una porción. Llegó al retiro, se llevó la tarta a su habitación y se sumó a los demás en el comedor. Después de la cena, volvió a su habitación sabiendo que estaba demasiado llena para comer, pero decidida a comerse esa tarta. Cuando llegó a la habitación, ¡un mapache se estaba comiendo la tarta!

Algunos se rebelan y vuelven por otra porción de helado, diciendo: «No me importa si esto es querer comer por el deseo de comer. Sea como sea, yo me sirvo otra porción». Para cuando se dan cuenta, esa segunda bola de helado, por primera vez en su vida, se les caía al suelo.

Aquí va otro ejemplo, esta vez de una ocasión cuando simplemente el alimento no está disponible: la categoría «dislocada». Un señor decidió prepararse una pizza. Sin fijarse si tenía todos los ingredientes, hizo la masa. Cuando fue a buscar la salsa, no tenía más. Así que decidió arreglárselas y se hizo una con concentrado de tomates y especias. Cuando fue a buscar los ingredientes para ponerle a la pizza, no había nada en el refrigerador. Muy decidido, se dijo que simplemente le pondría queso. Desafortunadamente, ¡se le había acabado el queso! Bueno, finalmente se dio por vencido y descartó la masa. A veces Dios nos da más de una oportunidad para que nos percatemos de lo que estamos haciendo.

Sé que algunos pensarán que estas anécdotas son solo coincidencias, pero estoy convencida de que a Dios sí le importan las victorias, aun las más pequeñas, sobre los alimentos. Nos revela su amor por nosotros en estos hechos pequeños, y pronto lo podemos ver en todas partes y en todas las cosas.

Nos revela su amor por nosotros en estos hechos pequeños, y pronto lo podemos ver en todas partes y en todas las cosas.

Otra categoría de escape es el hecho de que a veces no podemos valernos de la comida: la categoría «incapacidad». Me acuerdo una vez cuando por más que trataba no podía abrir un frasco de jarabe de chocolate para echarle encima a un helado. Nunca me había resultado tan difícil abrir un frasco. De pronto, se me ocurrió que aquí tenía una vía de escape y que podía esperar un poco más para comer. Algunos me han contado anécdotas graciosas de no poder abrir algún paquete. Pero tan decididos estaban en abrirlo que, cuando por fin lo lograban, lo que tenía adentro salía volando por todas partes. Esto justamente le pasó a una señora con una bolsa de M&M's. Iba manejando el auto y los M&M saltaron de la bolsita y se desparramaron por todo el auto. Como iba manejando, no pudo recogerlos hasta llegar a su destino. Para entonces, ya no tenía ganas de comerlos, ¡y menos ya que estaban en el piso del auto! Este incidente cabe dentro de las dos categorías de «incapacidad» y «repugnancia», pero impidió que la mujer cayera en la categoría de «desobediencia». Dios sabe que es normal que no queramos comer comida del piso. Me han contado de bolsas de palomitas de maíz y de papitas que se han roto derramando su contenido en el suelo. Hay gente que me ha contado que el restaurante donde pensaban comer se cerraba cuando llegaban a la puerta. Una señora me contó que fue a una heladería para comprar yogurt helado, entró, no había nadie trabajando detrás del mostrador, nadie trabajando adentro y ningún cliente. Comenta que lo primero que pensó fue que había sucedido un robo o que habría pasado algo. Decidió que el yogurt helado podía esperar, y salió alabando a Dios por librarla de la tentación.

Dios es muy bueno con nosotros y permanece atento a nuestras necesidades específicas. Ingeniosamente, se vale de distintas cosas para obtener nuestra atención y ayudarnos a encontrarle y a ver cómo se involucra en nuestras vidas. Esta relación se va fortaleciendo a medida que confiamos más y más en Él. Quiero darle otro ejemplo que una participante del Curso Weigh Down* contó de cómo se dio cuenta que estaba dependiendo del ejercicio físico para adelgazar. Sabía, en su corazón, que no quería comer menos, y no quería apartar su corazón de la comida y volverse a Dios. Estaba comiendo demasiado pero, para compensar, corría en el «treadmill» todos los días. Aclaremos que usar un «treadmill» no tiene nada de malo, pero lo estaba usando en un intento por conservar su peso a la vez que seguía en su desobediencia. Decía que le faltaba poco para llegar a la convicción de dejar el ejercicio y simplemente confiar en Dios, pero le daba miedo. Un día llegó a casa de su trabajo y oyó ruidos raros de la habitación del sótano. Al bajar las escaleras, vio que era el «treadmill», andando solo, a toda velocidad, quemando el motor. Un relámpago había caído sobre la casa, y la corriente se había desplazado directamente al «treadmill», prendiéndolo.

Como ve, el desierto no tiene que ser un lugar de constante sufrimiento. Puede ser una aventura. Todos los días me despierto y pienso: «Oh, Dios, ¿qué cosa linda me mostrarás hoy?» El camino con Dios será un viaje que recordará el resto de su vida. ¿Quiere saber algo más increíble todavía? No tiene que esperar hasta el final del camino para sentir el amor y las recompensas de Dios. Él está a la espera de la oportunidad para consentirle y bendecirle. Si usted obedece, Él lo reconocerá. ¿Cómo? ¡Con joyas o momentos felices! Cada vez que pasa una prueba, recibirá una joya. Algunas son sutiles; puede ser sencillamente la paz de estar dentro de su voluntad. Algunas son extravagantes, como una fuerte suma de dinero de origen inesperado o un embarazo largamente esperado. Las joyas de las cuales dan testimonio los participantes del Curso Weigh Down* incluyen desde tener más energía, usar ropa más chica

y comer comidas regulares, a tener la experiencia de sentirse
libres y de vivir un verdadero despertar espiritual. En el programa del Curso Weigh Down[†], hasta tenemos una clase dedicada a las *joyas*. Cada uno tiene que traer un objeto que representa una joya que Dios le ha dado desde que empezó la clase.
Algunos de los objetos que han traído son: pantalones gigantes que ya no le quedan bien, listas de dietas de intercambio
que ya no necesitan, frascos de antiácidos que ya no toman o
la mitad de una barrita de chocolate que ya no quisieron porque se llenaron con la otra mitad. Una señora trajo una toallita
de lavarse porque con todo el peso que rebajó ahora podía alcanzarse la espalda. Otra trajo un par de pantimedias porque
ahora se las podía poner sin tener que hacer una pausa y descansar. Una pareja trajo un par de tapones para los oídos; la
esposa los había usado de noche porque su esposo roncaba.
Pero dejó de roncar cuando rebajó de peso. Un adolescente
trajo una foto de él en la silla de la montaña rusa. En la visita
anterior al parque de diversiones, ¡era demasiado grande y no
cabía en esa silla!

Dice Mateo 7.9-11: «¿Qué hombre hay de vosotros, que si
su hijo le pide pan, le dará una piedra? ¿O si le pide un pescado, le dará una serpiente? Pues si vosotros, siendo malos, sabéis dar buenas dádivas a vuestros hijos, ¿cuánto más vuestro
Padre que está en los cielos dará buenas cosas a los que le pidan?» Dios sabe cuáles son los mejores regalos, sus cosas favoritas, y lo consentirá con ellas. Si es paciente y obediente, ¡las
joyas lo maravillarán! No tenga miedo de que si espera en
Dios, los resultados no serán los que usted espera. ¡Él le sorprenderá más allá de lo que haya soñado! Empiece hoy a buscar sus propias vías de escape y recompensas diseñadas por
Dios.

Fuerza exterior
contra fuerza interior

Una fuerza exterior es cualquier cosa fuera de nosotros que influye sobre lo que estamos haciendo. Es natural que todos dependamos de tal fuerza en distintas circunstancias. Esta fuerza exterior puede proceder de diversas fuentes para influenciar nuestro comportamiento. Lo que influye sobre nosotros cuando ya somos adultos puede variar. Cuando somos chicos, la influencia se inicia en el hogar. Es pensar en el padre mirando la boleta de calificaciones que influye sobre el tiempo que dedicamos a nuestras tareas escolares. Es la inspección de mamá, de nuestra habitación los sábados a la mañana, lo que nos ayuda a poner la ropa sucia en el canasto. Es la presencia del maestro que previene que los niños copien en un examen. Más adelante, es el auto patrullero junto al camino que nos hace levantar el pie del acelerador. Es la posibilidad de una auditoría de nuestros impuestos los que nos hace reportar la verdad en el informe anual de impuestos a los réditos. Es la fuerza del «qué dirán» o la fuerza del supervisor entrando en nuestro departamento lo que nos hace llegar a tiempo al trabajo y cumplir nuestras obligaciones en forma oportuna. Es el temor a la desilusión del entrenador que nos pesa o el club local para rebajar de peso que amenaza con colgarnos la foto de un cerdo alrededor del cuello si hemos aumentado de peso, lo que nos hace seguir con la dieta. Es un número en la balanza del baño lo que guía los alimentos que ingerimos en el día. Es el gurú del ejercicio físico que nos insta a correr solo una milla más o hacer diez ejercicios abdominales más. Es nuestro cónyuge que nos puede descubrir en la alacena a las 10 de la noche. Esta fuerza externa nos da palpitaciones cuando nos descubren.

Esta fuerza exterior es la ley del bien y del mal que Dios dispuso desde el principio del tiempo. Puede estar dentro o fuera de usted. No podemos escaparnos de estas leyes éticas y morales establecidas por Dios de la misma manera como no podemos escaparnos de la ley de gravedad. Dios nos inició sobre esta tierra dándonos una oportunidad de escoger la ley de la justicia, misericordia y del amor en nuestros corazones, junto con la habilidad de iniciarla nosotros mismos. Desaprovechamos la oportunidad en el huerto del Edén. En el ambiente del jardín, Adán y Eva no contaban con una fuerza exterior que los obligara a portarse bien. Lo que Dios descubrió cierto atardecer cuando paseaba en el jardín, desgraciadamente, fue que el corazón de los seres a quienes les había dado libre albedrío al crearlos, carecía de la iniciativa interior de ser puro.

Con el correr del tiempo, Dios encontró un hombre que sí tenía una confianza y un amor puros para con Él. Se llamaba Abraham. Lea Génesis capítulos 12-25. Este hombre amaba mucho a Dios y tenía una fe tan fuerte, que sabía que Dios podía hacer cualquier cosa. Dios estaba encantado de encontrar un hombre con un corazón dispuesto hacia Él y con confianza en Él. Pero no dije que Abraham fuera perfecto en *cómo* mostraba su amor a Dios. Trató de «hacer» que la voluntad de Dios se cumpliera por medio de acostarse con la sierva de su esposa. La manera en que se comportan los que aman a Dios puede no siempre coincidir con nuestras ideas de conductas detiene y nos manda a la cama de modo que no podemos estar ocupados, aflora el dolor y nos remuerde la conciencia.

Otros son adictos a los chismes. Nos hace sentir tan bien destrozar a los demás a fin de sentirnos mejor. Los chismosos tienen la tendencia a sentirse más perfectos que sus amigos que han elegido otras sendas equivocadas, por ejemplo, tomar drogas, para sobrellevar su sentimiento de culpa.

La parábola de los cuatro suelos nos advierte: «La que cayó entre espinos, éstos son los que oyen, pero yéndose, son ahogados por los afanes y las riquezas y los placeres de la vida, y no llevan fruto» (Lucas 8.14).

No queremos que las preocupaciones, riquezas y placeres de la vida vengan y nos roben de la aceptación de Dios y nos impidan madurar.

La senda angosta

Todo se resume en el hecho que estamos buscando aceptación, lo cual es un sentimiento. Es un sentimiento cálido, cariñoso muy arriba en nuestro corazón. El sentimiento de culpa es un sentimiento feo, y es posible que estemos probando todas las cosas equivocadas para librarnos de él.

Volvernos a Dios nos inunda de gozo; donde antes dominaba la depresión, en su lugar hay ahora un corazón lleno de felicidad indescriptible. Siempre habrá una proporción uno-por-uno entre el gozo y la obediencia a Dios. Los antidepresivos no son la receta que recomiendo. Tiene que ser un auténtico arrepentimiento que nace de un corazón puro.

El corazón puro

Uno de los problemas que aflora de nuestro corazón, debido al calor del desierto es la falta de un corazón puro. ¿Es posible que haya procurado usted tener una relación con Dios sin un corazón puro? ¿Hemos buscado a Dios con el solo fin de que hiciera lo que nosotros queríamos que hiciera?

¿Llegó usted a este programa estableciendo sus propias condiciones, decidido a hacer solo las cosas que quería hacer esperando, no obstante, que Dios le rebajara el peso? Cuando ya se había librado de una cantidad decente de gordura, ¿perdió su concentración en Él porque concentrarse en Él no era su meta, sino más bien un medio para llegar a un fin: rebajar de peso? Sin un corazón puro, usted es el amo de la relación, ¡no Dios! Si la relación es con un perro, usted es el amo. Pero si tiene una relación con un dios, especialmente *el* Dios, Él es su amo y usted es su esclavo.

Algunos aman las cosas y usan a las personas; otros aman a las personas y usan las cosas. Algunos aman a Dios y disfrutan de las cosas de Él; otros aman las bendiciones de Dios y lo usan a Él. Dios sabe cuando usted no tiene un corazón puro. Rebajar de peso es buenísimo pero, más que eso, Dios quiere que se dirija a Él como su libertador. Su meta es usar su deseo de ser libre de la esclavitud de la comida como base para una relación permanente con Él. Quiere que usted le dé todo su corazón a Él; no que se aleje de su amor (la comida) por unos días, sino para siempre. Quiere que emprenda un ayuno auténtico, *espiritual*, que significa librarse para siempre de esta prostitución de su corazón hacia la comida. Véase Isaías 58 un diálogo sobre esto.

Los que están en esta categoría, pueden haber rebajado de peso y luego parado antes de alcanzar su meta de lo que pensaban rebajar. Dicen que han bajado de peso lo suficiente como para ser socialmente aceptables; por lo tanto el exceso de libras que les queda ya no les preocupa. Esa actitud es equivocada por dos razones.

1. Estas personas se acercaron al Señor por lo que ellos querían: rebajar de peso, no por lo que Él quería: la obediencia de un corazón puro motivada por el amor a Él.

2. Les importaba más la alabanza de los hombres que la alabanza de Dios, así que cuando llegaron a la meta de su corazón (la alabanza, o por lo menos ya no el reproche, del hombre), perdieron su motivación.

Los de corazón puro seguirán rebajando de peso, porque dejan de concentrarse en su peso y comida y, en cambio, se deleitan en complacer a Dios siendo obedientes y concentrándose únicamente en su aprobación. De la misma manera, cuando se equivocan, se arrepienten inmediatamente y empiezan de nuevo porque, lo decimos nuevamente, aman a Dios tanto que temen su desaprobación (que aparte su rostro de ellos) tanto como aman su aprobación. Pierden sus sentimientos de culpa siendo obedientes. De hecho, se pierden en Dios.

¿Qué habría pasado si Caín hubiera cambiado su manera de ser? ¿Cuál habría sido su conducta si hubiera decidido cambiar (arrepentirse y volverse con su corazón a Dios)?

Habría reconocido que él tenía la culpa, no Dios, y ciertamente no Abel. Habría entonces observado detenidamente el corazón de Abel y tratado de imitar el corazón que estaba puramente enamorado de Dios. Entonces le habría pedido a Dios que perdonara su antiguo corazón de amor egoísta. Por último, habría dado pruebas del cambio en su corazón trayéndole el sacrificio correcto la próxima vez. Nada de ira contra Dios y Abel. Nada de hacerse el dios asesinando literalmente a su hermano con un arma mortal, ni figuradamente, con palabras odiosas. Nada de celos hacia el hombre que inocentemente dio su corazón y, por lo tanto, su sacrificio puro a Dios. Nada de ocuparse más en los campos solo para librarse del dolor del rechazo de Dios, y nada de creer que no tenía culpa. No habría abuso de sustancias ni agentes adormecedores. No habría la búsqueda de una falsa aceptación a través de la lástima o la aprobación de los hombres.

No habría pesar mundano (el pesar de que lo «pescaron») sino un pesar piadoso que produce un cambio de 180 grados de manera que su mente y corazón vuelvan al Padre y dejen de amar la comida.

No, el resultado habría sido un arrepentimiento auténtico que trae la aceptación del más apuesto, más talentoso, más rico, más poderoso ser del universo, el Gran Yo Soy. Ahora bien, ¡es *así* como se construye una autoestima sólida! Puede usted lograr el dominio de esta opción de verdaderamente arrepentirse y entregar su corazón al Padre. Tiene usted que lograr el dominio, porque fue hecho para ir por el camino angosto y por la puerta estrecha, lo cual se hace más fácil con cada libra que rebaja, porque ahora, ¿ve?; estas eran verdaderamente ¡libras de desobediencia!

Entrad por la puerta estrecha; porque ancha es la puerta, y espacioso el camino que lleva a la perdición, y muchos son los que entran por ella; porque estrecha es la puerta, y angosto el camino que lleva a la vida, y pocos son los que la hallan (Mateo 7.13,14).

LA TENTACIÓN

¿Sigue todavía luchando con la tentación de comer demasiado? La tentación no se basa en una ansiedad o un sentimiento fisiológico. Más bien, es ese querer *comer por el deseo de comer*. Si está luchando aún, por favor, dé marcha atrás y lea el capítulo: «¡Socorro! Siempre tengo hambre». Esto le ayudará. Recuerde, usted tiene hambre de algo más profundo que los alimentos. La comida nunca satisfará este anhelo de gozo y consuelo y de significado que tiene el alma. La razón por la cual lo salado y lo dulce son, por lo general, las preferencias para atiborrarse, es que el cuerpo está lleno; por lo tanto, las papilas gustativas en la lengua están embotadas. Lo salado y lo dulce son casi los únicos alimentos a los que les puede sentir el gusto. A medida que su atracón está llegando de 2.000 a 10.000 calorías usted, literalmente, no puede sentirle gusto a nada. En un atracón, ni siquiera puede sentirle gusto al tocino más sabroso. La comida no le satisfará. Debe procurar acercarse a Dios.

Recuerdo la última vez que tuve una verdadera tentación de atiborrarme de comida. Yo la llamo el cuento del ballet. Era un fin de semana, estaba cansada y sola. Esta es la situación perfecta para Satanás y para una verdadera prueba del corazón. Me sentía tentada a excederme en la comida porque estaba aburrida y deprimida, y tenía un fuerte sentimiento de vacío. Puedo recordar el poder de atracción de esta tentación. La contracorriente del deseo de darse el gusto o consentirse tiene un poder de atracción increíble si le damos lugar.

Yo hice lo correcto: clamé a Dios y le conté todo. «Dios, lo que realmente quiero hacer es ir a la cocina y cocinar una fuente de galletitas dulces y comerme un plato grande de helado bañado con miel de chocolate y nueces y la fuente llena de galletitas dulces. Y me gustaría comer las tostaditas con salsa mientras se cocinan las galletitas. Ahora bien, Señor, en caso que no hayas comido estas comidas hace un tiempo, me gustaría recordarte que las tostaditas y la salsa son grandiosas. Las galletitas dulces saben bien tanto crudas como cocidas. Y medio galón de helado de chocolate y vainilla es sencillamente maravilloso. Y qué feliz soy haciendo esto mientras todos están fuera de casa. Entonces, mi pregunta es: *Dios ¿puedes tú hacerme sentir mejor que todo eso? ¿Puedes hacerme sentir mejor que un atracón?*» Bueno, antes de que la oración saliera de mi boca me pasó lo de Isaías 65.24: «Y antes que clamen, responderé yo; mientras aún hablan, yo habré oído». En fin, antes de que las palabras salieran de mi boca, sonó el teléfono. Estaba cansada pero decidí contestarlo de todas maneras. No había nadie en la línea. Me resultó extraño, pero después recordé mi oración y supe que Dios me estaba dando una vía de escape exclusivamente para mí, según su promesa en 1 Corintios 10.13:

> «No os ha sobrevenido ninguna tentación que no sea humana; pero fiel es Dios, que no os dejará ser tentados más de lo que podéis resistir, sino que dará también juntamente con la tentación la salida, para que podáis soportar».

Comencé a llorar porque Dios me había provisto muchas vías originales de escape, pero nunca me había llamado por teléfono. Lo sucedido me conmovió. (¡Mis buenos amigos en el Curso Weigh Down[†] me hicieron ver que aunque era posible que Dios me haya llamado por teléfono, también me colgó!) ¡En fin...! Pero hubo más. Me vino a la mente: «Prende un casete de música». Sentía que era Dios guiándome; por lo tanto, asumí que la única música que Él escuchaba era cristiana, pero no podía encontrar ningún casete cristiano en la pila de casetes. Me fijé que había un casete en el suelo y, sin más, supe que este era el que tenía que escuchar. Ni siquiera me fijé en el título. En cuanto puse el casete, comenzó a tocar el principio de una canción que mencionaba un amor que ha existido desde antes de la creación **antes que los peces, pájaros o estrellas. Dios no solamente había inspirado esta canción** sé que estaba cantando de su amor por mí.

Bueno, seguí llorando mientras mi corazón se llenaba de emoción. Bailé mi ballet, que no era ballet en realidad, pero era mi ballet que tenía para ofrecer al Señor. Hice una reverencia ante Él y me imaginé vestida de un blanco inmaculado. Lo imaginé a Él extendiendo el cetro real en señal de aprobación.

Esta canción, de título «Longer» (Desde antes) por Dan Fogelberg se encontraba a la mitad del casete. ¿Qué probabilidades hay de que, al poner el casete, comenzara con esa canción y que este equipo nuevo, que todavía es demasiado técnico para mí, estuviera trabando para que siguiera repitiendo esta misma canción.

¿Fue Dios mejor que la comilona? Dígamelo usted. Mi corazón rebosaba de amor. No tenía sentimientos de culpa porque no me había vuelto a exceder comiendo cuando sabía que no necesitaba comer. Dicho sea de paso, el sentimiento de culpa está localizado en las

Antes de que pudiera expresar mi oración, ¡Dios me estaba mostrando cómo puede proveer una gratificación instantánea mejor que la del mundo!

entrañas, bien abajo, y es una sensación horrible. El sentimiento que tenía era de felicidad. Ese sentimiento está arriba, cerca del corazón, y da energía. Tenía mucha energía para bailar y cantar a Dios y después limpiar la cocina y quitar las decoraciones de Halloween.

Tengo que decirle sencillamente que se acerque a Dios y le pida al Creador de los sentimientos si puede darle mejores sentimientos que los que el mundo puede dar. Lo que Dios puede proveer es tan instantáneo como la comilona. Antes de que pudiera expresar mi oración, ¡Dios me estaba mostrando cómo puede proveer una gratificación instantánea mejor que la del mundo!

Oh, si pudiera persuadirle que se acerque a Dios y dependa de Él para que le dé todo lo que desea y necesita, en lugar de depender de la comida, el alcohol, las drogas, los tranquilizantes, los antidepresivos, la TV, la pornografía, el poder, los chismes, las compras, el materialismo, el amor al dinero o el elogio de los demás. Cuando dejamos a Dios fuera de nuestra vida, lo que nos queda es un hueco oscuro y sin fondo. La comida nunca le devuelve nada: solamente quita. Dios siempre reintegra.

Así que el mejor consejo para el momento de tentación es: acérquese a Dios, pídale su ayuda y ruéguele que lo llene de cosas mejores que las que el mundo ofrece (alcohol, antidepresivos, comida, le atención de los demás, etc.). ¡Lo que he descubierto es que a Él le encanta el desafío y le gusta demostrar lo que puede hacer! Después de todo, Él tiene mucho para dar.

Oye, pueblo mío, y te amonestaré. Israel, si me oyeres, no habrá en ti Dios ajeno, ni te inclinarás a Dios extraño. Yo soy Jehová tu Dios, que te hice subir de la tierra de Egipto; *abre tu boca, y yo la llenaré* (Salmo 81.8-10).

Abre bien tu boca, y yo la llenaré, y ese *sentimiento* que buscas será perfecto. Precisamente como el acto sexual dentro del matrimonio, comer dentro del entorno del hambre y la satisfacción, es perfecto. ¡Acercarse a Dios para obtener este *sentimiento* que todos buscamos es *totalmente correcto*!

Al encarar las tentaciones

Situaciones

Reacciones

1. Aparece cuando menos la esperamos...

así que aprenda a esperarla y ore el Padre nuestro todos los días. (No me dejes caer en tentación, mas líbrame del malo.)

2. Aparece cuando usted es vulnerable...

así que trate de mantenerse descansado. Huya del lugar. Sepa cuándo y dónde ocurre la tentación. Conozca las «mentiras» que lo atrapan.

3. Aparece cuando usted ha perdido su concentración con propósito (en Dios y su voluntad) y la ha remplazado con depresión y con tenerse lástima...

así que deje de pensar en sí mismo y en suplir sus propias necesidades; más bien, piense en alabar a Dios porque suple sus necesidades.

Si usted se ha apartado hora tras hora, día tras día de buscar y recibir la aceptación del Padre, se hará vulnerable y será tentado fuertemente. (La carencia que usted siente es normal si se ha apartado.)

Despierte, y esté listo para el cruce de caminos.
Tiene dos opciones: una conduce a la vida y una conduce a la muerte.

Corra en pos de la comida

Correr en pos de la comida no hará más que impedir que entregue su corazón a Dios.

Corra en pos de Dios

Clame a Dios. Busque su vía de escape. Él le llenará, y el comer por el deseo de comer desparecerá. Una Palabra de la Biblia (Dios) hará estremecer su corazón.

Resultará en culpa-depresión.
Resultará en ira y desesperación.
Resultará en que la balanza le diga que pesa más.
La comida nunca suplirá esta necesidad.
Seguirá necesitando, porque la comida es incapaz de devolver su amor.

Tendrá un pulso y un latido del corazón fuerte que sigue fortaleciéndose para el Señor.
Busque sus joyas.
Resultará en que la balanza le diga que pesa menos.
La aceptación entra como un torrente y, por ahora, la tentación ha pasado.

FOTOCOPIE Y LLEVE ESTO CONSIGO COMO UN RECORDATORIO

VÍAS DE ESCAPE

Dios sabe cosas que solo usted y Él saben: cosas privadas, secretas, extremadamente especiales, personales. El desierto es un lugar tremendo para aprender, crecer y ver la gracia y misericordia de Dios. Algunos de los testimonios más emocionantes de su presencia y de su amor por nosotros vienen en la forma de *vías de escape* y joyas.

Una vía de escape se basa en el versículo de 1 Corintios 10.13 que dice: «No os ha sobrevenido ninguna tentación que no sea humana; pero fiel es Dios, que no os dejará ser tentados más de lo que podéis resistir, sino que dará también juntamente con la tentación la salida, para que podáis soportar». Tomamos este versículo literalmente; creemos que Dios proveerá una vía de escape de la tentación. Por lo tanto, cuando sé que no tengo hambre pero quiero comer, una de las cosas ingeniosamente creativas que Dios hace es darme una vía de escape. ¡Mi parte es permanecer alerta y aprovecharla! Al principio, es posible que ni siquiera reconozca que Dios le ha ayudado hasta después de que lo ha hecho. Pero, con el correr del tiempo, irá mejorando su habilidad y será más perceptivo.

Algunas de las vías de escape que los participantes del Curso Weigh Down† comparten son muy graciosas. Pero creo que Dios tiene un gran sentido de humor, y disfruta de esas búsquedas creativas tanto como usted. Una señora nos escribió para contarnos de una aventura que tuvo cierto día. No tenía hambre pero, a pesar de eso, decidió comer una barrita de chocolate. Cuando estaba a punto de comerla, sonó una alarma. Vino una ambulancia, un camión de bomberos, después un policía y evacuaron su casa. Esperó afuera mientras determinaban que era una falsa alarma de una pérdida de monóxido de carbono. Después que las autoridades dejaron a todos volver a entrar, ¡descubrió que el gato se había comido el chocolate! Qué maravilla, ¿no? Dios hará mucho para ayudarnos en este camino, y nos ama tanto que nos brinda estas segundas y, a veces, terceras oportunidades de obedecer. Desafortunadamente, aún así podemos seguir siendo tercos y empecinados en comer. Entonces, Él se resigna.

Hay muchos ejemplos más: cigarrillos que se mojan, la tienda a la que se le acabó la mercancía que alguien iba a comprar pero que realmente no necesitaba, el auto que se queda sin gasolina o se descompone camino a hacer algo que uno no debe hacer.

La lista sigue y sigue, pero aquí va otro ejemplo original de alguien tentado por una comida.

Una señora me contó la anécdota de una reunión de familia. Dijo que era famosa por su helado casero de durazno. Era tan famosa que tenía miedo que no le tocara ni probarlo. Sabía lo pronto que desaparecería así que, con disimulo, se acercó a la mesa donde estaba el helado con la intención de servirse la primer bola. Tenga en cuenta que no tenía apetito, tenía simplemente miedo de que se acabara antes de poder servirse. Pero su movida no pasó desapercibida, y antes de que pudiera servirse, detrás de ella se había formado una fila. ¡Terminó sirviendo veintiocho bolas de helado! Reía cuando me contaba la anécdota, pero también alababa a Dios por su originalidad al ayudarla.

Las vías de escape casi parecen caer en categorías. Algunas vías le distraen de la comida, como cuando sus hijos lo necesitan, el teléfono interrumpe o llegan visitas inesperadas. Le daré un par de ejemplos de la categoría «distracción». Una señora se había preparado un plato de sopa y acababa de sacar al perro afuera. Justo cuando tomaba el primer bocado, el perro empezó a ladrar y a pelearse con otro perro (¡cosa que nunca había pasado!). En cuanto volvió a entrar después de atender al perro, se dio cuenta que lo sucedido le había dado una vía de escape. Tapó el plato de sopa y lo puso en el refrigerador. Aquí va otra que cae dentro de esta categoría. Una mamá cuenta que se preparó un helado bañado en Coca Cola cuando en realidad no tenía apetito. Pero antes de poder comerlo, sonó el teléfono. Luego, su hija, que necesitaba ayuda, la llamó desde la bañera. Para cuando volvió a tomar su helado bañado en Coca Cola , este no era más que un líquido oscuro, espumoso. Así que lo tiró por el desagüe de la pileta.

Este ejemplo del helado arruinado nos lleva a una segunda categoría en que la comida de veras es mala y le brinda una vía de escape: la categoría «repugnancia». Por ejemplo, cierto hombre de negocios nos contó de una vez que había viajado fuera de la ciudad. Comentó que esta siempre era una ocasión de tentación porque su compañía pagaba la comida, y él se sentía solo. Comer afuera le daba la oportunidad de salir de la habitación del hotel y estar con gente, aun sin conocerla. Una noche, para terminar con su aburrimiento decidió ir a un restaurante. No tenía apetito, simplemente estaba aburrido. Ordenó un bistec, una papa al horno y ensalada. Cuando le trajeron la comida, el bistec estaba medio crudo, la papa dura y la ensalada tibia. En lugar de enojarse con los empleados del restaurante, dice que simplemente sonrió y les dejó

Algunos se rebelan y vuelven por otra porción de helado, diciendo: «No me importa si esto es querer comer por el deseo de comer. Sea como sea, yo me sirvo otra porción».

una buena propina. Hemos tenido tantos relatos de comidas que estaban demasiado calientes, demasiado frías, no era la que se había ordenado, la máquina para hacer batidos de leche se había roto o simplemente ya no quedaba más del platillo ordenado. Aquí comparto un gran ejemplo de eso mismo. Una señora cuenta que iba rumbo al retiro anual de su iglesia. Conocía bien el área del retiro porque había ido varias veces. De hecho, conocía tan bien el área que sabía exactamente dónde podía comprar la mejor tarta de zarzamora que había comido en su vida. Camino al retiro, paró en el restaurante donde hacían la tarta y se compró una entera, no solo una porción. Llegó al retiro, se llevó la tarta a su habitación y se sumó a los demás en el comedor. Después de la cena, volvió a su habitación sabiendo que estaba demasiado llena para comer, pero decidida a comerse esa tarta. Cuando llegó a la habitación, ¡un mapache se estaba comiendo la tarta!

Algunos se rebelan y vuelven por otra porción de helado, diciendo: «No me importa si esto es querer comer por el deseo de comer. Sea como sea, yo me sirvo otra porción». Para cuando se dan cuenta, esa segunda bola de helado, por primera vez en su vida, se les caía al suelo.

Aquí va otro ejemplo, esta vez de una ocasión cuando simplemente el alimento no está disponible: la categoría «dislocada». Un señor decidió prepararse una pizza. Sin fijarse si tenía todos los ingredientes, hizo la masa. Cuando fue a buscar la salsa, no tenía más. Así que decidió arreglárselas y se hizo una con concentrado de tomates y especias. Cuando fue a buscar los ingredientes para ponerle a la pizza, no había nada en el refrigerador. Muy decidido, se dijo que simplemente le pondría queso. Desafortunadamente, ¡se le había acabado el queso! Bueno, finalmente se dio por vencido y descartó la masa. A veces Dios nos da más de una oportunidad para que nos percatemos de lo que estamos haciendo.

Sé que algunos pensarán que estas anécdotas son solo coincidencias, pero estoy convencida de que a Dios sí le importan las victorias, aun las más pequeñas, sobre los alimentos. Nos revela su amor por nosotros en estos hechos pequeños, y pronto lo podemos ver en todas partes y en todas las cosas.

Nos revela su amor por nosotros en estos hechos pequeños, y pronto lo podemos ver en todas partes y en todas las cosas.

Otra categoría de escape es el hecho de que a veces no podemos valernos de la comida: la categoría «incapacidad». Me acuerdo una vez cuando por más que trataba no podía abrir un frasco de jarabe de chocolate para echarle encima a un helado. Nunca me había resultado tan difícil abrir un frasco. De pronto, se me ocurrió que aquí tenía una vía de escape y que podía esperar un poco más para comer. Algunos me han contado anécdotas graciosas de no poder abrir algún paquete. Pero tan decididos estaban en abrirlo que, cuando por fin lo lograban, lo que tenía adentro salía volando por todas partes. Esto justamente le pasó a una señora con una bolsa de M&M's. Iba manejando el auto y los M&M saltaron de la bolsita y se desparramaron por todo el auto. Como iba manejando, no pudo recogerlos hasta llegar a su destino. Para entonces, ya no tenía ganas de comerlos, ¡y menos ya que estaban en el piso del auto! Este incidente cabe dentro de las dos categorías de «incapacidad» y «repugnancia», pero impidió que la mujer cayera en la categoría de «desobediencia». Dios sabe que es normal que no queramos comer comida del piso. Me han contado de bolsas de palomitas de maíz y de papitas que se han roto derramando su contenido en el suelo. Hay gente que me ha contado que el restaurante donde pensaban comer se cerraba cuando llegaban a la puerta. Una señora me contó que fue a una heladería para comprar yogurt helado, entró, no había nadie trabajando detrás del mostrador, nadie trabajando adentro y ningún cliente. Comenta que lo primero que pensó fue que había sucedido un robo o que habría pasado algo. Decidió que el yogurt helado podía esperar, y salió alabando a Dios por librarla de la tentación.

Dios es muy bueno con nosotros y permanece atento a nuestras necesidades específicas. Ingeniosamente, se vale de distintas cosas para obtener nuestra atención y ayudarnos a encontrarle y a ver cómo se involucra en nuestras vidas. Esta relación se va fortaleciendo a medida que confiamos más y más en Él. Quiero darle otro ejemplo que una participante del Curso Weigh Down[†] contó de cómo se dio cuenta que estaba dependiendo del ejercicio físico para adelgazar. Sabía, en su corazón, que no quería comer menos, y no quería apartar su corazón de la comida y volverse a Dios. Estaba comiendo demasiado pero, para compensar, corría en el «treadmill» todos los días. Aclaremos que usar un «treadmill» no tiene nada de malo, pero lo estaba usando en un intento por conservar su peso a la vez que seguía en su desobediencia. Decía que le faltaba poco para llegar a la convicción de dejar el ejercicio y simplemente confiar en Dios, pero le daba miedo. Un día llegó a casa de su trabajo y oyó ruidos raros de la habitación del sótano. Al bajar las escaleras, vio que era el «treadmill», andando solo, a toda velocidad, quemando el motor. Un relámpago había caído sobre la casa, y la corriente se había desplazado directamente al «treadmill», prendiéndolo.

Como ve, el desierto no tiene que ser un lugar de constante sufrimiento. Puede ser una aventura. Todos los días me despierto y pienso: «Oh, Dios, ¿qué cosa linda me mostrarás hoy?» El camino con Dios será un viaje que recordará el resto de su vida. ¿Quiere saber algo más increíble todavía? No tiene que esperar hasta el final del camino para sentir el amor y las recompensas de Dios. Él está a la espera de la oportunidad para consentirle y bendecirle. Si usted obedece, Él lo reconocerá. ¿Cómo? ¡Con joyas o momentos felices! Cada vez que pasa una prueba, recibirá una joya. Algunas son sutiles; puede ser sencillamente la paz de estar dentro de su voluntad. Algunas son extravagantes, como una fuerte suma de dinero de origen inesperado o un embarazo largamente esperado. Las joyas de las cuales dan testimonio los participantes del Curso Weigh Down[†] incluyen desde tener más energía, usar ropa más chica y comer comidas regulares, a tener la experiencia de sentirse libres y de vivir un verdadero despertar espiritual. En el programa del Curso Weigh Down[†], hasta tenemos una clase dedicada a las *joyas*. Cada uno tiene que traer un objeto que representa una joya que Dios le ha dado desde que empezó la clase. Algunos de los objetos que han traído son: pantalones gigantes que ya no le quedan bien, listas de dietas de intercambio que ya no necesitan, frascos de antiácidos que ya no toman o la mitad de una barrita de chocolate que ya no quisieron porque se llenaron con la otra mitad. Una señora trajo una toallita de lavarse porque con todo el peso que rebajó ahora podía alcanzarse la espalda. Otra trajo un par de pantimedias porque ahora se las podía poner sin tener que hacer una pausa y descansar. Una pareja trajo un par de tapones para los oídos; la esposa los había usado de noche porque su esposo roncaba. Pero dejó de roncar cuando rebajó de peso. Un adolescente trajo una foto de él en la silla de la montaña rusa. En la visita anterior al parque de diversiones, ¡era demasiado grande y no cabía en esa silla!

Dice Mateo 7.9-11: «¿Qué hombre hay de vosotros, que si su hijo le pide pan, le dará una piedra? ¿O si le pide un pescado, le dará una serpiente? Pues si vosotros, siendo malos, sabéis dar buenas dádivas a vuestros hijos, ¿cuánto más vuestro Padre que está en los cielos dará buenas cosas a los que le pidan?» Dios sabe cuáles son los mejores regalos, sus cosas favoritas, y lo consentirá con ellas. Si es paciente y obediente, ¡las joyas lo maravillarán! No tenga miedo de que si espera en Dios, los resultados no serán los que usted espera. ¡Él le sorprenderá más allá de lo que haya soñado! Empiece hoy a buscar sus propias vías de escape y recompensas diseñadas por Dios.

aceptables, pero Dios parece haber sido paciente con la decisión de Abraham de ayudarle a cumplir lo prometido. Dios conocía las motivaciones de Abraham. Abraham hasta estaba dispuesto a sacrificar su único hijo si Dios se lo pedía. Cualquier cosa que Dios quería, era una orden para él. Debido a esta clase de fe, Dios lo consideraba justo. Abraham tenía la fuerza interior: fe y amor. Fe significa que uno cree que todo lo que Dios hace está bien, y amor es comparable a la adoración que los fanáticos demuestran por su actriz favorita.

Cuando Dios vio el corazón de Abraham, selló la relación entre ellos con la circuncisión, sello de justicia. Era como un juramento entre hermanos de sangre a ser mutuamente fieles durante toda su vida. Era como los votos matrimoniales de devoción entre la novia y el novio. Después que Dios se consagró a Abraham, y Abraham al Padre, Dios prometió hacer toda una nación de «Abrahames». En otras palabras, Dios estaba tan complacido con el corazón amante de Abraham que decidió hacer muchos clones de Abraham, un grupo de personas que tuvieran el mismo corazón que Abraham. Esta nación espiritual no sería pequeña en cantidad; más bien, Dios dijo que habría tantos corazones igual al de Abraham como estrellas había en el cielo.

Lo llevó afuera y dijo: «Mira ahora los cielos, y cuenta las estrellas si las puedes contar. Y le dijo: Así será tu descendencia» (Génesis 15.5).

Leyes dietéticas: la fuerza exterior

Dios empezó a cumplir su promesa a Abraham dándole un hijo llamado Isaac. El hijo de Isaac fue Jacob, llamado más adelante Israel. Jacob fue el padre de José, a quien Dios envió a Egipto donde llegó a ser segundo en poder después de faraón. A través de circunstancias bajo el control de Dios, toda la familia se estableció en Egipto, donde se multiplicó. Después de estar allí cuatrocientos treinta años, Dios vio que esta multitud de descendientes de Abraham no tenía el mismo corazón que

Abraham. Se habían apartado del corazón puro de sus antepasados. Dios dijo que establecería una ley (una fuerza exterior) que les sirviera hasta que estableciera una fuerza interior (Cristo en el corazón humano). Si Dios no hubiera impuesto una fuerza exterior, quizá ni hubieran durado hasta la venida de Jesús. El apóstol Pablo escribió: «Entonces, ¿para qué sirve la ley? Fue añadida a causa de las transgresiones, hasta que viniese la simiente a quien fue hecha la promesa» (Gálatas 3.19a).

Justo antes de esto, Pablo había explicado:

No dice: Y a las simientes, como si hablase de muchos, sino como de uno: Y a tu simiente, la cual es Cristo. Esto, pues, digo: El pacto previamente ratificado por Dios para con Cristo, la ley que vino cuatrocientos treinta años después, no lo abroga, para invalidar la promesa (Gálatas 3.16b,17).

Los corazones del pueblo de Dios eran tan rebeldes, como potros desenfrenados, que corcovean, que Dios tuvo que «acorralarlos». Les puso riendas para que, al menos, hubiera un pedacito de cada corazón en que Cristo morara. La ley fue agregada para refrenar sus transgresiones, no porque Dios no cumpliera su parte de la promesa. La ley de Dios es a su pueblo desobediente, duro de corazón y rebelde lo que un corral y una brida son a un potro desenfrenado y rebelde. La ley de Dios decía algo así: «Bien, hay siete días en una semana... conságrenme por lo menos uno de los siete días a mí: el sábado. Ahora, veamos, yo les doy todo su dinero, así que aparten para mí el diez por ciento: el diezmo», etc.

El pueblo necesitaba un policía (la ley) para conseguir que demostraran algo de amor, misericordia y justicia. La sangre de Jesús dio inicio a un Nuevo Pacto. El Nuevo Pacto es que la ley estaría escrita en nuestra mente y corazón (véase Hebreos 8.7-11). Jesús hizo posible que entráramos al Lugar Santísimo para poder estar cerca de Dios.

Hasta que vino Jesús y sacrificó su vida para que hubiera un continuo perdón de pecados, Dios no podía vivir en nuestros corazones como la fuerza interior. Lo santo no puede mezclarse con lo impío. Gálatas 3.23-25 dice: «Pero antes que viniese la fe, estábamos confinados bajo la ley, encerrados para aquella fe que iba a ser revelada. De manera que la ley ha sido nuestro ayo, para llevarnos a Cristo, a fin de que fuésemos justificados por la fe. Pero venida la fe, ya no estábamos bajo ayo».

Esta es parte de las buenas nuevas de Jesucristo: ya no tenemos que tener un supervisor externo para indicarnos todo lo que hemos de comer, tomar y hacer. ¡Podemos usar nuestra propia conciencia y nuestra hambre y satisfacción para guiarnos el resto de nuestros días! Se convertirá en algo tan natural que ni siquiera tendremos que pensarlo.

La fuerza interior: Cristo

La fuerza interior es la conciencia que nos guía. Este espíritu de amor en nuestro interior es Cristo en nosotros. La ley está escrita en nuestro corazón, en nuestra mente. No tenemos que encontrar a nadie que nos instruya o motive desde el exterior para hacer lo que es correcto, pues ya está impreso en nuestro corazón.

Porque de la justicia que es por la ley Moisés escribe así: El hombre que haga estas cosas, vivirá por ellas. Pero la justicia que es por la fe dice así: No digas en tu corazón: ¿Quién subirá al cielo? (esto es, para traer abajo a Cristo); o, ¿quién descenderá al abismo? (esto es, para hacer subir a Cristo de entre los muertos). Mas ¿qué dice? Cerca de ti está la palabra, en tu boca y en tu corazón. Esta es la palabra de fe que predicamos: que si confesares con tu boca que Jesús es el Señor, y creyeres en tu corazón que Dios le levantó de los muertos, serás salvo (Romanos 10.5-9).

Está dentro de usted... Sí, de *usted*.

Las reglas dietéticas son la ley o el policía. Dios ha permitido estas fuerzas exteriores en hojas de papel que nos digan qué comer. Ha permitido el recuento de gramos de grasa y las

balanzas para guiarnos, los asesores dietéticos para regañar-
nos, nuestros familiares para avergonzarnos, hileras de asientos para limitarnos y ropa para frenarnos a fin de que ¡por lo
menos no sigamos comiendo hasta pesar seiscientas libras! Si
no fuera por las leyes dietéticas exteriores que nos mantienen
frenados, quién sabe de qué tamaño llegaríamos a ser algunos
de nosotros, especialmente porque nuestros corazones no han
sido domados. Pero, ahora conocemos las Buenas Nuevas de
Jesucristo: que su sacrificio hizo posible que Dios viva en
nuestro corazón para guiarnos. Usted puede deshacerse de las
leyes dietéticas. ¡No tiene que volver a contar un gramo de
grasa en su vida!

Cuando Michael y Michelle, mi hijo e hija que ahora son
más grandes que yo, eran pequeños, yo tenía leyes (reglas exteriores) para ayudarles a vestirse. Mi regla o ley principal era
que no podían usar más de cuatro colores a la vez sobre su
cuerpo. A Michelle le daba más trabajo que a Michael quedarse dentro de estos límites, así que la mandaba de regreso a su
habitación para que probara otra vez. Pero en otras áreas de
sus vida, por ejemplo, los alimentos, no tenía reglas exteriores,
porque había nutrido la fuerza interior (hambre y satisfacción) desde que nacieron. Podían llevar sus dulces de Navidad a su habitación, y, para Pascua de Resurrección, todavía
les quedaba algo. Yo no tenía que decir nada. Nada de fuerza
exterior: usaban sus propios controles interiores.

Hablando de guía interior, no hay otra forma de explicar
el hecho de que he sido delgada durante dieciocho años sin
pagar para que ninguna de las fuerzas exteriores me alentaran
u hojas de papel me guiaran. No me he subido a una balanza
para que me guíe desde principios de la década de 1980. Me
he olvidado dónde están todas las calorías y cuáles son los intercambios en los alimentos, ¡y eso que soy dietista certificada
y tengo una licenciatura en alimentos y nutrición! No puedo
decirle cuántos gramos de grasa hay en la mantequilla de ca-
cahuates. Pero, como estoy en mi peso ideal, le puedo ganar
una carrera a muchos. Me siento de maravillas. Estoy libre de

la ley. Elijo dejar entrar a Dios y su Espíritu Santo dentro de mi corazón. Este corazón dirigido por Dios me guía apartándome de la gula y hacia el uso del apetito y satisfacción como mis guías interiores. Ahora, mi voluntad y la voluntad de Dios no están en conflicto la una con la otra. No hay batallas, solo control interior.

¡Socorro! Ya no tengo fuerza de voluntad

El control interior no es fuerza de voluntad sino, más bien, fuerza de Dios. En la mayoría de nosotros hace rato que desapareció la fuerza de voluntad. Depender de la fuerza de Dios por medio de la oración, es totalmente distinto. Él hará que su corazón no desee esa segunda mitad de la barrita de chocolate si su estómago está lleno, ¡y se sentirá usted en completa paz desde adentro porque no la quiere! ¿Oye esto? ¡*No querrá* nada de comida extra! Los que usan su propia fuerza siguen ansiando tanto esa mitad de la barrita de chocolate que se les hace agua la boca. Es más, siempre tienen que actuar contra sus propios deseos, batalla tras batalla tras batalla.

Autodisciplina contra disciplina sometida a Dios

Muchos «so pretexto de una autodisciplina justiciera» tratan de ser los señores, no solo de su propia vida sino también la de los demás, porque creen que pueden serlo. Planifican sus dietas y se dicen «exitosos con la dieta», pero el fruto de esta vida forzada es estéril. Muchas veces su familia sufre, porque no pueden cambiar los planes del «autodisciplinado». Si tienen en su plan una comida de pocas grasas, nadie la puede cambiar, y mejor que uno no se le atraviese. Un ejemplo es el anoréxico. Son controladores «autodisciplinados» que no han probado del fruto del «control de Dios». Con el correr del tiempo, odian las «obligaciones» del régimen de ejercicios y de las reglas dietéticas. Se rebelan y empiezan a odiar a los tiranos llamados «Gramos de Grasa», «Ejercicio» y «Registro de

Alimentos». No es nada nuevo ver a personas que siguen usando su propia fuerza para arreglárselas. El profeta Isaías habló las palabras de Dios:

> En la multitud de tus caminos te cansaste, pero no dijiste: No hay remedio; hallaste nuevo vigor en tu mano, por tanto no te desalentaste... Yo publicaré tu justicia y tus obras, que no te aprovecharán. Cuando clames, que te libren tus ídolos (Isaías 57.10,12,13a).

Los que se valen de sus propias fuerzas, tarde o temprano quedan exhaustos. La obra de sus manos no da fruto que perdure, y se sienten frustrados porque no logran *sus* metas.

A recurrir a fuerzas interiores

¿Cómo dejar de usar su propia fuerza y fuerzas exteriores y empezar a ser impulsado por el poder de Dios? Hágalo con un clamor a Dios para que le ayude por medio de Jesucristo, su Salvador. No hay una fórmula para esto. Yo he orado: «Dios, ayúdame a superar esto... No lo puedo hacer sin ti, y sé que no tengo nada para ofrecerte a cambio». He estado con el rostro contra el piso, llorando. He orado para que Dios perdone cosas viejas en mi vida de joven. Me he presentado ante Él, comprometida a dejar mis antiguas costumbres, y le he obedecido. Pero, nadie es igual a otro en la forma de hacer estas cosas. A veces me llevaba solo un momento, y Dios escuchaba mi oración y me contestaba dándome paz a través de mis lágrimas y poder a través de su Espíritu. En momentos como estos, Dios me guió por medio del diálogo con su Palabra para asegurarme de su poder y bendiciones. Le oía susurrar: «Gwen...»

> Haré tus almenas de rubíes y tus puertas de berilo; y todo tu muro alrededor, de piedras preciosas. Todos tus hijos serán enseñados por Jehovah, y grande será la paz de tus hijos (Isaías 54.12,13 RVA).

Y lloraba más todavía cuando me daba cuenta de que era el mensaje exacto que necesitaba para ese día. Enseguida, la casa retumbaba con mis cantos de gozo a Dios.

Es verdaderamente cuestión del corazón. Como lo hemos dicho antes, dos pueden estar comiendo un trozo de pastel de chocolate; uno puede estar pecando y el otro no. Uno está obedeciendo al apetito y la satisfacción, y está en paz. La otra no tiene hambre y come igual. En este caso, no hay manera de ver su verdadero corazón en sus acciones. Es por eso que asear el exterior de la persona y vivir en una comunidad supuestamente esterilizada donde todas las mujeres son iguales, y todos los hombres son iguales, y el ambiente es superpulcro (nada de TV, alcohol, ni de abusar de comidas malsanas) no logrará que el corazón sea limpio. Alguien en ese ambiente puede tener un corazón impío y otro un corazón puro. Dos pueden estar en un bar, y uno tiene un corazón puro de amor por Dios y el que está a su lado, no.

Jesús trató de explicar esto a los fariseos, grupo que era experto en limpiar lo exterior, pero su interior era «huesos de muerto». Fíjese en este pasaje, donde Jesús trata de enfrentar este concepto:

> Porque vino Juan, que no comía ni bebía, y dicen: Demonio tiene. Vino el Hijo del Hombre, que come y bebe, y dicen: He aquí un hombre comilón, y bebedor de vino, amigo de publicanos y de pecadores. Pero la sabiduría es justificada por sus hijos aquí (Mateo 11.18,19).

Nunca logrará usted complacer a los que solo miran lo exterior. ¡Gracias a Dios, esa no es nuestra meta! Pero sí complacerá a los que tienen discernimiento y miran el corazón. No ven su apariencia, y las únicas acciones que sí ven son sus acciones de amor hacia el Padre Celestial. «Todas las cosas son puras para los puros, mas para los corrompidos e incrédulos nada les es puro; pues hasta su mente y su conciencia están corrompidas» (Tito 1.15a).

A desenredar los alimentos puros e impuros

Hay muchos hijos de Dios confundidos sobre lo que es puro o impuro para el Padre Celestial. Mantienen tanto sus ojos en los que los rodean que no pueden ver lo que el Padre piensa. Tenemos que tener ojos solo para Él. Como ya lo hemos destacado, a Dios le encanta la lasagna y la torta de queso de chocolate. ¡Si no hemos estudiado su personalidad, es posible que estemos comiendo todavía pollo al que le han arrancado la piel, y lechuga con un aderezo de bajas calorías! Demasiados buscadores de religión, solo dan una ojeada superficial a lo que el Padre quiere, para así poder ir y dedicar más tiempo a sus ídolos.

Si hemos juzgado mal a los alimentos, ¿es posible que hayamos hecho lo mismo en otros aspectos? Una mirada superficial puede hacerle entender mal los deseos del Padre. Por ejemplo, una mirada insustancial al Antiguo Testamento puede llevarle a pensar que a Dios solo le gustan los adinerados. Dios dio muchísimas, muchísimas riquezas a Abraham, Isaac, Jacob, al rey David, al rey Salomón, Job y a todos los reyes y a la mayoría de los grandes hombres y mujeres.

> Efraín dijo: Ciertamente he enriquecido, he hallado riquezas para mí; nadie hallará iniquidad en mí, ni pecado en todos mis trabajos (Oseas 12.8).

Parecer rico era equivalente a ser justo. Para romper con el estereotipo y ayudarnos a entender que no era hombre ni mujer, rico ni pobre o esclavo ni libre lo que caracterizaba a la justicia, Jesús nació en un pesebre. No tuvo una educación universitaria. Eligió a hombres sin escuela para que lo rodearan como discípulos. Todo lo que enseñó asombraba a las multitudes. Nunca habían escuchado una enseñanza tan perceptiva, y la escuchaban de alguien que no había ido a las escuelas. Su padre terrenal era un mero carpintero. El pueblo podía ver que Jesús contaba con el favor y el sello de aprobación de Dios y, sin embargo, era pobre. Vea esta enseñanza de Jesús:

> Entonces Jesús dijo a sus discípulos: De cierto os digo, que difícilmente entrará un rico en el reino de los cielos. Otra vez os digo, que es más fácil pasar un camello por el ojo de una aguja, que entrar un rico en el reino de Dios. Sus discípulos, oyendo esto, se asombraron en

gran manera, diciendo: ¿Quién, pues, podrá ser salvo? (Mateo 19.23-25).

¿Por qué se asombraban tanto de que ser rico no era un boleto para entrar al cielo? Es porque no sabían lo que Dios buscaba. Habían estudiado solo lo externo de hombres y mujeres aprobados por Dios, no sus corazones. Es fácil imitar las apariencias... lo exterior... el aspecto de los justos.

Pero note lo que el próximo versículo dice de Dios quien mira el corazón del hombre. En el versículo 26, Jesús dice: «Para los hombres esto es imposible; mas para Dios todo es posible».

Jesús básicamente se pasó la vida mostrando el camino de salvación o la senda al Padre. Desde que Jesús apareciera en escena hace dos mil años, nos hemos vuelto a desviar. Hemos estudiado su estilo de peinado, manera de vestir, el ambiente en que vivió y su ocupación, pero no su *corazón*. Algunos han llegado al extremo de imitar su exterior haciendo una cuestión del tema de vivir modestamente. Tratan de superarse los unos a los otros en sus rústicos estilos de vida y, para parecer aun más justos, se dejan crecer la barba y usan sandalias. Los padres no mandan a los chicos a la escuela sino que les enseñan en casa y las esposas no usan cosméticos. Algunos creen que si han memorizado pasajes de la Biblia, ¡son *muy* espirituales! ¡No cuente con que así sea!

En sí, algunos de los movimientos modernos de limpiar el medio ambiente y separarnos del mundo no tienen nada de malo, pero tampoco tienen nada de bueno.

La máscara exterior puede engañar a sus amigos, pero no engañará a Dios. Él mira el interior. Podría ser usted rico y justo porque Dios lo hizo rico. «Las riquezas de los sabios son su corona; pero la insensatez de los necios es infatuación» (Proverbios 14.24). Y «El mal

Tenemos que imitar en lo íntimo de su corazón, el cual dice: «Mas para que el mundo conozca que amo al Padre, y como el Padre me mandó, así hago»

perseguirá a los pecadores, mas los justos serán premiados con el bien» (Proverbios 13.21). Dios no busca a los ricos. Busca a los justos, y los bendice. No todos son ricos según los estándards modernos. Pero Él ha prometido cuidarlos y ha prometido que el justo nunca mendigará pan. Dios mira el corazón. Uno puede ser justo y vivir en circunstancias humildes porque allí es donde Dios lo puso. Dios quiere que estemos conformes donde nos coloca. «Sean vuestras costumbres sin avaricia, contentos con lo que tenéis ahora; porque Él dijo: No te desampararé, ni te dejaré» (Hebreos 13.5).

Repitámoslo, puede haber dos mujeres: una trabaja fuera de casa, otra se queda en casa. La que trabaja afuera puede ser justa y la que se queda en casa inicua, o viceversa. Una puede ser la mujer de Proverbios 31 quien «considera la heredad y la compra, y planta viña del fruto de sus manos... Ve que van bien sus negocios». Tiene también otro negocio: «Hace telas, y vende, y da cintas al mercader.» Esta es una mujer de negocios que se ocupa de las necesidades de su familia: «Considera los caminos de su casa, y no come el pan de balde».

Por otro lado, puede haber una mujer que trabaja fuera de casa porque sus chicos la vuelven loca... corazón errado. Dios puede tener a una mujer en su casa atendiendo las necesidades de su familia sin aportar una entrada, o una mujer puede quedarse en casa pero ser dejada en todo sentido, descuidando las necesidades de su familia. Dios quiere que el corazón de la mujer se vuelva a Él para recibir instrucción, no al ser humano.

La mujer siempre debe buscar la dirección de su esposo en cualquier asunto, y debe orar, porque Dios habla a través de la autoridad. ¡Dios sabrá si el corazón de la mujer está dedicado a su familia o a sí misma!

Dios, ingeniosamente, nos hizo de esta manera a fin de que todos, como individuos, tuviéramos que acercarnos a Él para tomar decisiones personales. Dios le mostrará las motivaciones de su corazón.

La respuesta: imitar a Jesús en lo íntimo

La justicia puede hacer muchas cosas o puede presentarse de distintas maneras en su aspecto exterior; pero su corazón nunca cambia: siempre espera en Dios. Jesús es la manifestación más parecida al Padre Celestial sobre esta tierra. Tenemos que imitar en lo íntimo de su corazón, el cual dice: «*Mas para que el mundo conozca que amo al Padre, y como el Padre me mandó, así hago*» Juan 14.31a. Eso es lo que necesitamos imitar. ¡Jesús simplemente amó al Padre!

Hemos aprendido que Dios quiere que sacrifiquemos nuestra vida por sus hijos, y a Jesús le pidió que se entregara a una muerte física. Ese es el corazón que Dios busca. Es divertido leer la Biblia al ir aprendiendo más y más de las actitudes del corazón y lo que llegan a ser nuestras acciones al ir cambiando nuestro corazón. Por ejemplo, al ir cambiando su corazón consagrado a la comida a una consagración a Dios, usted manejará la comida en una forma distinta de antes. La manera como come menos comida será diferente de como lo hace otra persona que está aprendiendo las enseñanzas de Weigh Down. Algunos quizás coman una vez, y otros comerán varias comidas pequeñas. Algunos usarán platos pequeños. Algunos usarán platos grandes, pero guardarán el resto de su comida para después. Algunos descartarán su comida, y otros la guardarán. Algunos comerán pequeñas cantidades rápidamente, y otros comerán pequeñas cantidades tomándose veinte minutos. Algunos se pondrán de rodillas antes de comer, y algunos alabarán a Dios silenciosamente en su corazón durante toda la comida. Habrá un solo común denominador entre todos ellos: ¡se habrán concentrado en Dios, con un corazón que anhela hacer la voluntad del Padre!

Muchos se pelean sobre lo que el culto a Dios debe ser externamente: la hora del día, el lugar de culto, la duración del culto, el tipo de música y lo que se debe o no se debe decir. Esto era un problema también en la época de Jesús. Lea como le contestó Jesús a una mujer samaritana:

Le dijo la mujer: Señor, me parece que tú eres profeta. Nuestros padres adoraron en este monte, y vosotros decís que en Jerusalén es el lugar donde se debe adorar. Jesús le dijo: Mujer, créeme, que la hora viene cuando ni en este monte ni en Jerusalén adoraréis al Padre. Vosotros adoráis lo que no sabéis; nosotros adoramos lo que sabemos; porque la salvación viene de los judíos. Mas la hora viene, y ahora es, cuando los verdaderos adoradores adorarán al Padre en espíritu y en verdad; porque también el Padre tales adoradores busca que le adoren. Dios es Espíritu; y los que le adoran, en espíritu y en verdad es necesario que adoren (Juan 4.19-24).

Dios ama al corazón amante y al corazón honesto. Las maneras como adoramos a Dios pueden ser diferentes en lo externo, pero los verdaderos adoradores adoran en un espíritu de amor hacia el Padre y en una forma genuina. Dicho de otra manera, los verdaderos adoradores tienen el mismo corazón, y verdaderos adoradores es lo que el Padre busca. Jesús podía haber establecido otra serie de leyes externas para la adoración, pero no lo hizo. Por lo tanto, alguien puede plantarse en la iglesia que parece de lo más espiritual y ser lo más falso que se puede ser; mientras que otro puede estar sentado en lo que parece una iglesia muerta y estar alabando a Dios hora tras hora en su corazón y vida. Jesús dijo: «El reino de Dios no vendrá con advertencia, ni dirán: Helo aquí, o helo allí; porque he aquí el reino de Dios está entre vosotros» (Lucas 17.20b,21).¡Es mejor que nos apresuremos a dejar de juzgar lo externo y a dedicar toda nuestra mente y energía a lograr un amor auténtico que sea correcto ante Dios!

No existe una fórmula para obtener un corazón correcto. Solo necesita quererlo. Lo demás será fácil. Dios le guiará. Es necesario que se acerque *usted mismo* al Padre para determinarlo. Nunca en toda la Biblia hubo profeta, ni Jesús, ni el apóstol Pablo, que presentara una fórmula de cinco pasos para entregar su corazón a Dios. Muchos, muchos mostraban sus intentos de entregar su corazón con testimonios, confesiones y bautismos públicos. Se juntaban en las orillas de los ríos o en casa de otros creyentes, y adoraban, y ofrendaban al Señor a distintas horas y de muchas maneras.

Si realmente adora al Señor, lo hará usted las veinticuatro horas del día. Yo me despierto con Dios en mi corazón, y hasta puede ser que mis sueños sean sobre servirle. No andará usted buscando un evento singular o una fórmula de dos horas semanales el domingo a la mañana. ¿Por qué? Porque habrá salido de debajo de estas leyes en cuanto tenga el amor de Él en su corazón. La ley (la fuerza exterior) proveía un requisito mínimo de Dios para santificar el sábado (el séptimo día). «Solo uno en siete», clamó Dios cuando tuvo que agregar la ley. Pero bajo la libertad que Cristo trajo, podemos ahora adorar en espíritu y en verdad los siete días. Usted podría adorar en una isla desierta. No existe una fórmula para leer la Biblia. Usted simplemente lo anhelará. Uno puede amarle, saber todo en cuanto a Él y tener su verdad pegada en todo su corazón y ser analfabeto. Uno puede dar el diez por ciento de su dinero o Dios le puede guiar a dar su dinero de alguna manera singular. El corazón de los que le adoran será el mismo, pero pueden estar haciendo cosas distintas en distintos momentos. Un corazón de amor por el Padre y por nuestros próximos producirá la unión entre los adoradores.

Piénselo, ¡¿no es encantador todo esto de servirle a Él?! El amor de Dios está a disposición de toda la humanidad. Él cumple su parte del pacto; nosotros tenemos que cumplir la nuestra. Entréguele su corazón, y Él lo purificará.

En conclusión, si usted lo pide y lo desea, Dios pondrá sus leyes en su mente y corazón, y usted será guiado por la conciencia interior. Ya no tenemos que recurrir a nuestras propias fuerzas ni a fuerzas que proceden del exterior. «Pero si sois guiados por el Espíritu, no estáis bajo la ley» (Gálatas 5.18). Está en su corazón y está en su boca. Usted tiene a Cristo dentro suyo, y puede pedirle al Señor que no lo deje caer en tentación, que lo libre de deseos inicuos. Por primera vez en su vida, se siente como un adulto al ya no depender de que le digan qué hacer y qué no hacer. Usted decidirá qué, cuándo y cómo comer, usando solo su estómago y su corazón para guiarle.

Ya que ha invitado a Cristo a entrar en su corazón, tendrá «amor, gozo, paz, paciencia, benignidad, bondad, fe, mansedumbre, templanza» (Gálatas 5.22,23). «Estad, pues, firmes en la libertad con que Cristo nos hizo libres, y no estéis otra vez sujetos al yugo de esclavitud» (Gálatas 5.1).

Oídme, los que seguís la justicia, los que buscáis a Jehová. Mirad a la piedra de donde fuisteis cortados, y al hueco de la cantera de donde fuisteis arrancados. Mirad a Abraham vuestro padre, y a Sara que os dio a luz (Isaías 51.1,2a).

Mire hacia la roca, Abraham, e imite su fe y su corazón para con Dios; ¡se estará sumando usted a una hueste tan numerosa como las estrellas en el cielo!

LA TIERRA PROMETIDA...
¿ES LO QUE USTED QUIERE?

Dios tomó una decisión sabia cuando nos hizo empezar con el desierto en lugar del jardín del Edén. Así, el corazón apreciaba de la naturaleza generosa de Dios y no abusaba de ella. Ya no más niños mimados. Después de cuarenta años en el desierto, Dios estaba preparado para que los que tenían el corazón correcto entraran a la Tierra Prometida que fluye leche y miel. Los que tienen el corazón correcto pueden vivir rodeados de abundancia, y adorar a Dios y no a las cosas que los rodean.

La parte más emocionante de todo este libro es que todos, ya sea leyéndolo o yendo a clases, pueden llegar a la Tierra Prometida. Dado que ha aprendido en el Curso Weigh Down† que no hay nada fuera de usted mismo (cónyuge, antecedentes familiares, abuso sexual, dificultades económicas o ninguna otra cosa) que obliga a su corazón a ser avaro o a sentir ira, usted tiene control sobre en qué investirá su amor. Tiene la opción de decirle adiós a su viejo amor, la comida, y volver su corazón hacia el cielo. En cuanto ha dejado ir a ese dios falso, la comida, nunca tendrá que volver a andar por la senda de las dietas. Nunca estará obligado a comer atún, a tomar jugo de toronja, comer ensaladas frías en el invierno, usar aderezos desgrasados, comer tortitas de arroz ni tomar ocho vasos de agua por día. Al usar su propio estómago y su corazón lleno de amor como guía, ya no se limitará a comer solo yogur congelado, pollo a la plancha o galletitas sin grasa y sin gusto. Ya no habrá sentimiento de culpa o privarse de comer en celebraciones de fechas especiales o en reuniones sociales. Ya no habrá reglas, ni lectura de etiquetas ni la compra de cada revista que contenga una nueva dieta. Ya no tendrá que comer distinto del resto de la familia o comprar comidas por separado en el supermercado. ¡Nada de buscar la dieta perfecta y nada de listas de intercambio!

La Tierra Prometida es donde su voluntad y la voluntad del Padre se desposan. Son la misma. No tiene deseo de comer la otra mitad de la comida en su plato. No tiene que preocuparse sobre cuál será el peso corporal ideal. Muchos siguen rebajando hasta llegar al peso más bajo, que no habían logrado desde que estaban en la escuela secundaria, si es que en aquel entonces no comían en exceso. La mayoría de los comentarios que escucho indican que el peso alcanzado en el Curso Weigh Down es aun más bajo de lo que esperaban. Si observa las fotos en la revista *National Geographic* tomadas en países del Tercer Mundo donde la comida no es una adicción (no me refiero a fotos de personas que sufren de inanición), verá que Dios hizo que el cuerpo del ser humano fuera delgado. Como es sabido, las mujeres tienen un porcentaje mayor de gordura que los hombres. No debemos preocuparnos por nuestro cuerpo.

Entonces, el quid de la cuestión es: ¿Es lo que usted quiere?

Si usted está luchando, ¡no es por falta de información! No necesita una revelación más ni una señal más de Dios para saber lo que tiene que hacer; cuenta con toda la información que necesita para rebajar de peso para siempre. Entonces, el quid de la cuestión es: *¿Es lo que usted quiere?*

Es fácil entender por qué muchos han rechazado la religión. Los falsos líderes religiosos han convertido a la religión en algo que resulta desagradable. ¿Quién va a querer agregar una larga lista de reglas a su rutina cotidiana? Esta distorsión es lo que el hombre ha establecido, y esa mentira es lo que Satanás susurra. Tenemos que dejar de escuchar a Satanás, criatura que nunca pudo tener una relación con Dios porque nunca obedeció. ¿Qué puede saber el espíritu depravado? Satanás está en el negocio de asegurarse de que Dios sea descrito como falto de amor, falto de misericordia e injusto. Y en el negocio de decirle a que usted sería un «dios» mejor si le dieran la oportunidad. No le escuche.

Escuche esto. ¡Dios es grande! Tomarse la costumbre de observar qué anda haciendo y cómo maneja la justicia, la misericordia y el amor es mejor que cualquier película o libro de mejor venta.

¿Tengo que ser perfecto en mi manera de comer?

¿Tiene que ser perfecto para completar el Curso Weigh Down[†]? ¿Qué si comete errores? ¡No se preocupe! Vuelva a mirar lo que Dios requiere y vuelva a mirar a la gente «que agarró la onda». Observemos a algunos de los favoritos de Dios y veamos por qué los quiere. Cuando lo descubra, comprenderá qué novedosamente atractivo es buscar a Dios y qué fácil es que usted llegue a ser uno de sus consentidos también, y que no tiene que preocuparse de ser perfecto.

A primera vista, puede cuestionar a esos señores «que agarraron la onda». Abraham, ¿no se acostó con la sierva de su esposa? Jacob, ¿no engañó, robó y mintió para obtener la primogenitura? Moisés, ¿no asesinó a un hombre?

Cuando hubo cumplido la edad de cuarenta años, le vino al corazón el visitar a sus hermanos, los hijos de Israel. Y al ver a uno que era maltratado, lo defendió, e hiriendo al egipcio, vengó al oprimido. Pero él pensaba que sus hermanos comprendían que Dios les daría libertad por mano suya: mas ellos no lo habían entendido así. Y al día siguiente, se presentó a unos de ellos que reñían, y los ponía en paz, diciendo: Varones, hermanos sois, ¿por qué os maltratáis el uno al otro? Entonces el que maltrataba a su prójimo le rechazó, diciendo: ¿Quién te ha puesto por gobernante y juez sobre nosotros? ¿Quieres tú matarme, como mataste ayer al egipcio? (Hechos 7.23-28.)

Bueno, si este señor mató a uno, David mató a cientos. Al final de una de sus batallas victoriosas, David se sacó la camisa y bailó para el Señor en las calles. ¿Dios aprueba de semejante conducta?

Rahab, la ramera, mintió a las autoridades; no obstante, se cuenta entre las personas de fe listadas en el capítulo once de Hebreos. El rey Salomón amasó una fortuna más grande que la de la familia Vanderbilt, y aunque dedicó siete años a la construcción del templo de Dios, dedicó catorce años a su propia casa. Para Dios, ¿eso está bien?

Desde Abraham a Salomón, ninguno de los favorecidos por Dios, ya sea que hubieran mentido, engañado o matado, fueron cuestionados por estas acciones en particular ni condenados por Dios. En realidad, cuando David fue cuestionado por la hija del rey Saúl al expresar su disgusto por la conducta de él, diciendo: «¡Cuán honrado ha quedado hoy el rey de Israel, descubriéndose hoy delante de las criadas de sus siervos, como se descubre sin decoro un cualquiera!» (2 Samuel 6.20), fue castigada por Dios de manera que nunca tuvo hijos. No solo no condenaba Dios a los que Él favorecía, los protegía castigando a sus enemigos. La respuesta de David explicaba la relación que tenía con Dios. «Fue delante de Jehová, quien me eligió en preferencia a tu padre y a toda tu casa, para constituirme por príncipe sobre el pueblo de Jehová, sobre Israel. Por tanto, danzaré delante de Jehová» (2 Samuel 6.21,22).

Entonces, ¿qué es pecado? ¿Cómo puede ser que uno mate y eso sea homicidio mientras que el hecho de que

Moisés matara a un hombre fuera justificado por Dios? El rey David escribió sobre este tipo de pecado justificado: «Bienaventurado aquel cuya transgresión ha sido perdonada, y cubierto su pecado. Bienaventurado el hombre a quien Jehová no culpa de iniquidad, y en cuyo espíritu no hay engaño» (Salmo 32.1,2).

La mejor manera de explicar esto es por medio de una analogía con el matrimonio. Después que uno se enamora, llega el momento cuando uno y su amado unen sus corazones públicamente en un compromiso matrimonial. Estos votos no deben ser tomados a la ligera pero, en realidad, no hay manera de que los dos sepan en lo que se están metiendo cuando dicen: «En escasez o en abundancia» o «Por tanto, lo que Dios juntó, no lo separe el hombre» (Marcos 10.9). Sencillamente se aman y sienten una pasión el uno por el otro. Con el correr del tiempo, la esposa quizá se olvide de lavar la ropa de su esposo o el esposo puede olvidarse de avisar por teléfono cuando va a llegar más tarde de lo previsto. ¿Ofende este error al otro? ¡Por supuesto que no! Se aman de corazón y el amor cubre una multitud de pecados. ¿Significa esto que la esposa que se olvidó de lavar la ropa ama menos a su esposo? Por supuesto que no.

Pero, pasa más tiempo y las cosas se ponen difíciles. El ambiente de la pareja puede ser tenso, con el esposo que pierde su empleo y la esposa que pierde una criatura que lleva en su vientre. En los momentos difíciles, el corazón de la esposa empieza a desviarse hacia el mejor amigo de su esposo, y este se da cuenta y, a la mañana siguiente cuando no tiene ropa limpia para ponerse, ¿el esposo estará ofendido? ¡Sí! Y está en su derecho. La ropa no lavada por el ser que ama, no hay problema. La ropa no lavada por un corazón adúltero, ¡problema grande!

¿Cuál es la diferencia? La diferencia es el corazón. Uno es espiritualmente sano, con un pulso maravilloso y, el otro, tiene endurecimiento de las arterias. Los tiempos difíciles revelan el corazón, igual como el desierto revela el nuestro.

Lo mismo sucede con nuestro comer. Los diálogos en nuestras clases giran a menudo alrededor de esta pregunta: «Si nos comemos un bocado después de estar llenos, ¿estamos pecando?» Nuestra respuesta es siempre la misma: Dios no nos llama a ser perfectos sino a no tener gula y a confiar en Él. Unicamente usted puede saber si ese bocado era la expresión de un corazón entregado a la comida o se trataba de un inocente bocado extra. Dios sabe cuando usted está hojeando este libro para encontrar cosas sencillas, naturales a fin de conseguir que todo sea más fácil. Él sabe cuando usted se ha posicionado para poder tenerlo todo.

El problema fundamental: Amor por la comida

Porque no quiero, hermanos, que ignoréis que nuestros padres todos estuvieron bajo la nube, y todos pasaron el mar; y todos en Moisés fueron bautizados en la nube y en el mar, y todos comieron el mismo alimento espiritual y todos bebieron la misma bebida espiritual; porque bebían de la roca espiritual que los seguía, y la roca era Cristo. Pero de los más de ellos no se agradó Dios, por lo cual quedaron postrados en el desierto.

Mas estas cosas sucedieron como ejemplos para nosotros, para que no codiciemos cosas malas, como ellos codiciaron. No seáis idólatras, como algunos de ellos, según está escrito: Se sentó el pueblo a comer y a beber, y se levantó a jugar. No forniquemos, como algunos de ellos fornicaron, y cayeron en un día veintitrés mil. Ni tentemos al Señor, como también algunos de ellos le tentaron, y perecieron por las serpientes. No murmuréis, como algunos de ellos murmuraron, y perecieron por el destructor.

Y estas cosas les acontecieron como ejemplo, y están escritas para amonestarnos a nosotros, a quienes han alcanzado los fines de los siglos (1 Corintios 10.1-11).

La idolatría y el adulterio constituyen el problema fundamental que Dios trata a lo largo de su Palabra. De la misma manera, parece que para nosotros como humanos nos es más

difícil perdonar dichos pecados.
Dios nos advierte que no demos
nuestro corazón a ídolos sin valor, y lo ha reforzado con el principio por el cual quiere que la
humanidad viva: «Por esto dejará el hombre a su padre y a su
madre, y se unirá a su mujer, y
los dos serán una sola carne; así

Pero Dios puede
(y lo hace) ignorar
nuestras imperfecciones
debido al amor
en nuestro corazón.

que no son ya más dos, sino uno. Por tanto, lo que Dios juntó,
no lo separe el hombre» (Marcos 10.7-9).

Todo esto es simbólico de la relación de amor que tiene
por nosotros. En el principio, Dios estableció una relación
Dios-humanidad. De la misma manera, dentro de la humanidad, creó la relación hombre-mujer. El propósito es que estas
entidades se unan en amor con la atracción que un negativo (-)
tiene por un positivo (+), como los polos opuestos de un imán.
Aunque no pareciera que seríamos una buena pareja para el
Dios Todopoderoso (somos de origen humilde, Él es rico y nosotros somos pobres, Él es educado y nosotros no) Jesús hace
que esta unión sea posible al ser un puente sobre el abismo y
cubrir nuestro corazón desviado del pasado.

Nos enamoramos de Dios, y la circuncisión (para el judío) o
el bautismo (para el creyente novotestamentario) es la ceremo-
nia pública que sella el amor entre nosotros y Dios. Es la señal
exterior de lo que hay en nuestro interior. Al principio, no sabemos en qué nos estamos metiendo. No sabemos, en el momento
de asumir nuestro compromiso, qué difícil será cumplirlo. Pero
Dios es perfecto en su compromiso. Por más que vayamos creciendo en esta relación de amor con Dios, no alcanzaremos la
perfección. Pero Dios puede (y lo hace) ignorar nuestras imperfecciones debido al amor en nuestro corazón. Cuando llegan los
momentos difíciles, y siempre llegan, no debemos dejar que
nuestro corazón se desvíe. El corazón adúltero es, sin lugar a
dudas, un pecado que Dios no pasa de largo. Si su corazón se
desvía, ha quebrantado el pacto con Él. Pero así como los votos

matrimoniales no impiden que los matrimonios se divorcien, la circuncisión o el bautismo no impide que su corazón no se desvíe. «Pues no es judío el que lo es exteriormente, ni es la circuncisión la que se hace exteriormente en la carne; sino que es judío el que lo es en lo interior, y la circuncisión es la del corazón, en espíritu, no en letra; la alabanza del cual no viene de los hombres, sino de Dios» (Romanos 2.28,29).

Tan firmemente se opone Dios a que el corazón se aparte de Él que nos ofrece muchas ilustraciones y ejemplos bíblicos para enseñarnos a nunca considerar esta alternativa. Cuando los hombres y las mujeres eran sorprendidos en adulterio en el Antiguo Testamento, eran ajusticiados a pedradas. Levítico 20.10 dice que si un hombre comete adulterio con la esposa de otro hombre, él y la mujer recibirán la pena de muerte. En los libros de Ezequiel, Oseas y Malaquías, Dios afirmó que «odia el divorcio». Odia la idea de que cortemos nuestra relación con Él.

Dios no quiere que dejemos por otro a nuestro cónyuge, y ciertamente no quiere que el adulterio lleve al divorcio. Dios odia que alguien renuncie a aquel con quien se hizo un pacto de por vida, porque es simbólico de quebrantar un pacto con Él. Pero también habrá notado usted que el adulterio es el gran «no, no» para los matrimonios.

Por lo tanto, tenemos que salir de la alacena. Amar la comida (idolatría y adulterio contra el Señor) sin arrepentimiento causará la rotura de la relación. ¿Esperaría usted que un hombre siguiera con una relación de pacto con su esposa si ella se hiciera una prostituta y no se arrepintiera? ¿Su esposo se iría a la cama con usted si usted estuviera en cama con otro? No lo creo. Con Dios es lo mismo, y sería un insulto pensar que lo haría. Recuerde, ¡Él se describe a sí mismo como un Dios celoso (véase Éxodo 20.1-5)!

La llave para abrir el corazón

La idolatría se presenta con vívidos detalles a lo largo del Antiguo y Nuevo Testamentos, siendo Ezequiel 23 el pasaje más explícito. En todos los relatos, Israel formaba relaciones adúlteras con dioses falsos. En el libro de Oseas, Dios repetidamente llamaba de vuelta a la adúltera y le daba muchas oportunidades para que volviera a la relación de pacto con Él. Seguidamente, la castigaba, y ella comprobaba que sus dioses falsos no podían salvarla. La adúltera regresaba, pero no genuinamente arrepentida. En todos los casos, Dios esperaba ansiosamente con los brazos abiertos a que la adúltera se arrepintiera y volviera al amor de Él, pero dejaba toda la decisión en manos de ella. Según lo interpreto, nosotros también tenemos en nuestras manos una opción y una oportunidad.

En cierta ocasión, cuando una mujer fue sorprendida en adulterio, los que la acusaban la trajeron a Jesús para probarlo, para ver si coincidía en que la apedrearan. El libro de Juan, capítulo ocho, contiene el relato de cómo Jesús dijo: «El que de vosotros esté sin pecado sea el primero en arrojar la piedra contra ella». Todos los acusadores se fueron retirando. Jesús le dijo a la mujer: «Ni yo te condeno; vete, y no peques más» (Juan 8.7,11b).

En otras palabras, deje inmediatamente su pecado y vuélvase arrepentido al Padre. En efecto, la mitad de la batalla es reconocer que, hablando figuradamente, uno ha caído en adulterio. Obviamente, una manera de descubrirlo es pescarlo con las manos en la masa, como le pasó a la mujer adúltera.

El verdadero arrepentimiento es el próximo paso necesario. Juan el Bautista precedió a Jesús por razones obvias. Tenemos que limpiar el corazón para poder recibir el espíritu de amor perfectamente recto, generoso, misericordioso de Jesucristo. El libro de Lucas da este relato de Juan el Bautista: Fue por todo el sector alrededor del Jordán, predicando un bautismo de arrepentimiento para perdón de los pecados. Como fuera anunciado en las palabras de Isaías, el profeta, Juan era:

> Voz del que clama en el desierto:
> Preparad el camino del Señor;
> Enderezad sus sendas.

Todo valle se rellenará,
y se bajará todo monte y collado;
Los caminos torcidos serán enderezados,
   Y los caminos ásperos allanados;
   Y verá toda carne la salvación de Dios
     (Lucas 3.4b-6).

El gentío que escuchaba a Juan preguntaba: «¿Qué tenemos que hacer?» ¡Juan les decía que se volvieran de lo que estaban haciendo! Volverse no es solo la llave para abrir el corazón, sino que es la llave para abrir el corazón de Dios.

El corazón que se desvía es devastador para Dios. El acto de traicionar a Dios es terrible. Él puede pasar por alto la imperfección por medio de la sangre de Cristo, siempre y cuando le amemos. Pero la rebelión descarada a su gracia y amor es diferente. El acto de dar su corazón a otra cosa sobre esta tierra es una violación directa del pacto «matrimonial» entre usted y Dios. Simboliza un amor por otro, y el adulterio va contra todo lo que usted y Dios representan como pareja. Este pacto puede ser renovado al haber arrepentimiento. Eso es todo lo que Dios quiere de nosotros. Quiere nuestro corazón fuera del refrigerador y de vuelta a su presencia, con nuestra devoción y nuestro amor más fuerte que antes; que pongamos nuestro corazón en sus manos y le dejemos allí. El resultado será rebajar de peso para siempre.

El amor cubre una multitud de pecados. Nadie tienen derecho a juzgar la decisión de Dios de abrazar a un pecador arrepentido. El hermano mayor del Hijo Pródigo se puso celoso porque el padre había hecho matar el becerro gordo para el hermano menor arrepentido, de regreso, que había malgastado toda su herencia en una vida desenfrenada. Pero la Biblia nos dice que hay gozo en los cielos cuando un corazón desviado vuelve a su hogar. ¡De seguro que hay muchas fiestas celestiales cuando esto sucede!

Volverse no es solo la llave para abrir el corazón, sino que es la llave para abrir el corazón de Dios.

Una cosa resulta clara: Dios no puede transformar su corazón si usted no se lo entrega. Pero observe a los personajes bíblicos que dieron libremente su corazón al Padre. Su exterior puede no parecer limpio, pero el interior de sus corazones sí que lo estaba... Querían muchísimo a Dios.

Abraham se acostó con Agar porque estaba tratando de hacer cumplir la voluntad del Padre. No era adúltero en su corazón. Más adelante, levantó un cuchillo sobre su hijo porque el Señor se lo pidió, no porque fuera un asesino.

Moisés defendió apasionadamente a los hijos de Dios, temprano aquel día en Egipto, y defendió a los hijos de Dios y los condujo hasta el umbral de la Tierra Prometida. No estaba pecando contra Dios.

David amaba tanto al Padre que danzaba por las calles aun siendo rey. Estos hombres eran imperfectos a los ojos de los hombres, pero eran sencillamente apasionados a los ojos del Padre.

Cuando era chica, me preocupaba esta afirmación de Dios: «A Jacob amé, mas a Esaú aborrecí» (Romanos 9.13).

¿Acaso no mintió y engañó Jacob para conseguir la primogenitura? ¿Eso está bien con Dios? Antes de contestar, vuelva a considerar lo sucedido. Jacob amaba muchísimo a Dios, y hasta engañó y mintió para obtener la primogenitura que lo acercaría más a Dios. En cambio, Esaú estaba dispuesto ¡a vender su primogenitura por un plato de guiso! ¡Esaú canjeó el estar cerca de Dios por un plato de comida! ¿Esto se aplica a nosotros?

Zaqueo se subió a un sicómoro para estar cerca de Jesús (véase Lucas 19). María, amiga de Jesús, cambió con Marta el trabajo en la cocina, para acercarse a Él. «Respondiendo Jesús, le dijo: Marta, Marta, afanada y turbada estás con muchas cosas. Pero solo una cosa es necesaria; y María ha escogido la mejor parte» (Lucas 10.41,42).

Todos ellos tenían una cosa en común: querían acercarse más

«Yo soy el pan de vida; el que a mí viene, nunca tendrá hambre; y el que en mí cree, no tendrá sed jamás»

a Dios, y hacían lo que fuera para lograrlo. *¿Es lo que quiere también usted?*

La Tierra Prometida es el lugar al cual Moisés condujo al pueblo de Israel. Los desobedientes murieron en el desierto y, simbólicamente, usted ha permitido que Dios hiciera una obra tal en su corazón que ha purgado toda la desobediencia en su comer. La Tierra Prometida es un lugar donde realmente ya no tiene que pensar en comer. Se ha disciplinado usted a someterse al apetito y la satisfacción. Someterse ya es parte integral de su propio ser. Sus ojos están puestos en el Padre. El desierto lo ha hecho concentrar tanto en el Padre que si le pidieran que marchara siete veces alrededor de Jericó, lo haría sin pestañear. Confía en Él, y ve que Él está al mando, y a usted le encanta estar bajo su mando. Ahora puede decir que se ha elevado más allá de la atracción magnética del refrigerador, y puede dejar de comer a la mitad de la barra de chocolate y no tener el deseo de comer la segunda mitad. Llegar a la Tierra Prometida no tiene que llevarle tiempo: es una opción.

La Palabra es «lámpara a nuestros pies» para que no tropecemos. Jesús fue la Palabra encarnada, y tenemos que continuamente acercarnos a Él para que nos dé las respuestas sobre cómo es nuestro Dios y qué quiere que hagamos. Es por eso que Jesús declaró: «Yo soy el pan de vida; el que a mí viene, nunca tendrá hambre; y el que en mí cree, no tendrá sed jamás» (Juan 6.35).

Debemos contemplar a Cristo. Si contemplamos o adoramos la alabanza de los demás, hemos errado al blanco. Si contemplamos o adoramos la comida, llegaremos a ser como un refrigerador. Si contemplamos y adoramos a Cristo, llegaremos a ser como Cristo. «En escasez y en abundancia» *acerquémonos... adorémosle.* ¡Y lo que Dios ha unido, no lo separe el hombre!

Apéndice A: Testimonios

Donna Peak, Algood, Tennessee

En dieciocho meses, he rebajado 126 libras y ochenta y cinco pulgadas. ¡Alabado sea el Señor y el Curso Weigh Down[†]! Había sido obesa durante veinte años y había probado todas las dietas conocidas por la humanidad. Dios me empezó a revelar

Antes

Rebajó 126 libras

que el problema con mi peso era espiritual, no físico. Un día recibí una llamada de una amiga que procedió a contarme de Weigh Down†. Oré pidiendo la dirección de Dios, y Él realmente ha obrado en mi vida.

En la primera sesión de doce semanas, rebajé cuarenta y cuatro libras. Sin embargo, no fue hasta la mitad de la segunda sesión de doce semanas que me encontré cara a cara con la sumisión y verdadera confesión. De mi corazón salió como un torrente mi arrepentimiento y confesión auténticos al rogarle al Señor que me perdonara y le sometí todo totalmente a Él. El realmente ha llegado a ser mi Dios en todos los aspectos de mi vida.

Mi palabra de aliento para los que tienen mucho peso que rebajar es que no se den por vencidos. No dejen que el estancamiento de la balanza los desanime, porque no se encontrarán en un estancamiento espiritual. Mientras no se den por vencidos, ¡siempre hay esperanza!

Nathan Kuslansky, Largo, Florida

A los dieciocho años, creo que tuve una de las experiencias más espantosas de mi vida, y esta fue enterarme que pesaba 291 libras. Me encontraba en el consultorio del doctor por primera vez en seis o siete años cuando me dijeron esa temible verdad, y pensé entonces que jamás sería delgado. Poco sabía que la coordinación de Dios es lo más asombroso que puede haber, porque al día siguiente la mamá de un amigo se enteró de mi preocupación por mi salud y me dijo que en la iglesia había un programa al que me podía sumar. No tenía idea de la filosofía del programa, pero había oído decir qué eficaz era, así que pregunté dónde me anotaba.

Pronto me enteré que una obrera juvenil que he conocido durante años, era una de las instructoras, y había estado orando por mí. Después de conversar con ella, empecé el programa.

Antes de que pasaran dos semanas, Dios comenzó a cambiar mi vida totalmente. El Curso Weigh Down[†] es literalmente lo mejor que he hecho en mi vida. Mis primeras intenciones eran rebajar de peso, pero Dios tenía mucho más reservado para mí de lo que jamás me hubiera podido imaginar. Ahora anhelo llenarme de la Palabra de Dios. También tengo un apetito y sed constante en mi corazón por crecer y madurar en mi andar cristiano.

Antes

Después de batallar con la depresión y un concepto bajo de mí mismo durante muchos años, Dios empezó a liberarme de ambos cuando me sometí en total obediencia. He descubierto que cuando estoy dispuesto a hacer morir mi voluntad y someter mi corazón en total obediencia a Cristo, me siento tan feliz que nada me puede deprimir como antes.

Rebajó 130 libras

Las transiciones que sucedían en mi vida hicieron enojar mucho a Satanás quien encontró una manera de atacarme. Algunos no comprenden que este es el camino de Dios, el único camino, y el mundo les ha cegado los ojos a la verdad. Mi clase de Weigh Down[†] fue una familia para mí, que realmente me apoyó y que pudo darme el aliento que necesitaba.

Lo mejor de lo mejor que he experimentado a través del Curso Weigh Down[†] es el adelanto en mi crecimiento espiritual. Las 130 libras que rebajé en ocho meses son solo un efecto secundario y una señal física de mi obediencia. Dios verdaderamente me ha bendecido más de lo que jamás hubiera podido imaginar, y la única manera como sé agradecerle es por medio de mi obediencia y sumisión. Los anhelos de mi corazón de crecer en Cristo serían imposible de expresar en papel, pero Dios conoce mi corazón, y alabo su santo nombre por lo que ha hecho por mí.

Delores Vaughn, Cookeville, Tennessee

¡Dios es tan bueno! Nunca podré agradecerle todo lo que ha hecho por mí desde mayo de 1994, cuando comencé a tomar el Curso Weigh Down[†].

Siempre había tenido problemas de sobrepeso. Cuando lo comprendí por primera vez, estaba en tercer grado. Un día la maestra nos pesó a todos y yo era la que más pesaba... hasta más que los varones. Me dio tanta pena ser la más gorda que llegué a casa llorando y no quería volver jamás a la escuela. Ese día comenzó mi lucha.

Muchas veces se burlaron de mí. Aun siendo pequeña, pasé muchísimo tiempo pidiéndole con lágrimas a Dios que me quitara la gordura. Así que supongo que ya sabía que Dios era la respuesta. Siempre había sido cristiana e hija de pastor.

Antes

Rebajó 160 libras

Siempre se me enseñó que debía confiarle a Dios mis necesidades, pero no sabía cómo buscar ayuda en la Biblia.

Ya adolescente, probé muchas dietas. Estaba bien consciente de la necesidad de perder peso. Tenía amigas delgadas, y estas tenían novio. Me ponía en dieta y perdía, digamos, 30 libras; pero me deprimía y me cansaba de todas esas bebidas de dieta y esos pescados al horno, y dejaba la dieta y volvía a comer. Aumentaba las 30 libras y algunas más. Durante años me pasó esto.

A los treinta y cinco años de edad, conocí al hombre más maravilloso del mundo, y me amó tal como yo era. Con el tiempo nos casamos. Para ese entonces pensaba que yo era como Dios me había hecho y que debía ser feliz y disfrutar la vida. Acepté esa mentira de Satanás y seguí engordando y engordando.

Después de catorce años de feliz matrimonio, mi esposo enfermó y murió un año después. Ya yo me había entregado a la comida como consuelo. Pero Dios fue misericordioso y estuvo conmigo.

Pasaron dos años, y una amiga me dijo: «Eres demasiado joven para pasar sola el resto de tu vida. Es hora de que te busques a un buen hombre con quien compartir la vida». Comencé a darle vueltas a eso en la cabeza. Me puse a orar que el Señor enviara algo positivo a mi vida, ya que tantas cosas negativas me habían ocurrido. Pero Dios tenía en mente otra cosa. Sabía que había muchas cosas en mi vida que corregir. Por lo tanto, me llevó a pensar en el Curso Weigh Down, aunque Dios sabía que lo de mi peso no era lo único que tenía que resolver en mi vida. De veras creo que al enfrentar lo de la muerte de mi esposo y tener que luchar sola con dos hijos, Dios me estaba preparando para la Dieta Weigh Down. Cuando comencé el programa, todo comenzó a caer en su lugar.

Supe de la Dieta Weigh Down a través de una amiga que había perdido 70 libras con el programa. Había cierta refulgencia en ella que era increíble. Su gozo y entusiasmo en cuanto a este programa fluía de ella. Cuando llamé para averiguar el lugar más cercano en que daban clase, me sorprendió no solo de enterarme de que el curso estaba a punto de comenzar, sino de que las oficinas centrales del Curso Weigh Down estaban en mi ciudad. Me dio por pensar que Dios estaba en todo aquello. Fui a la orientación y todo lo que escuché fue como música a mis oídos. Sentí que Dios al fin iba a contestar mis muchas oraciones. Pero no tenía idea de las maravillas que me iba dar en los próximos meses.

Dios me ha mostrado muchas cosas en el tiempo en que he estado tomando el Curso Weigh Down. Me ha hecho ver cosas en mi vida que no sabía que existían. Ha sanado las heridas de mi corazón y me ha ayudado a lidiar de día en día con dos hijos adolescentes. Como un bono adicional por serle totalmente fiel, he perdido 160 libras. Alabo a Dios por cada onza que he perdido, porque solo a través de Él podía haberlo logrado.

Muchas veces el desierto ha sido ardiente, y he tenido que postrarme ante el Señor con lágrimas en los ojos y pedir su ayuda. Y siempre ha estado ahí. Jamás me ha fallado.

Ha sido únicamente a través de la enseñanza de las Escrituras del Curso Weigh Down y porque abrí mis ojos a la Palabra de Dios que este cambio ha ocurrido en mi vida. Ahora soy más sensible al Señor y a lo que me dice. Dios tiene un plan para nosotros si lo escuchamos.

Jamás volveré a mis viejos hábitos de comida. Mientras haga lo que la Biblia me dice que haga (comer cuando tengo hambre y parar cuando estoy satisfecha), jamás volveré a mi sobrepeso. Mi meta es obedecer a Dios y dejar que Él me lleve al peso que quiere que yo tenga.

Servimos a un Dios maravilloso. Él espera que lleguemos al punto en que tengamos más hambre de que supla nuestras necesidades espirituales que nuestras necesidades físicas. Alabo a Dios porque el Curso Weigh Down me abrió lo ojos.

Mi pasaje bíblico favorito es Lamentaciones 3.22: «Por la misericordia de Jehová no hemos sido consumidos, porque nunca decayeron sus misericordias».

DeBorah Stevenson-Payne: Memphis, Tennessee

Llegué al Curso Weigh Down[†] insegura de lo que se requería o esperaba de mí. Sabía, por mi coordinadora, y el video de orientación, que se trataba de un programa para rebajar de peso pero, fuera de eso, no sabía mucho más. No obstante, estaba segura de que si tenía que ver con Dios, estaba dispuesta a probar. Mi hermana dice a menudo que si esto no da resultado, nada lo da. Tiene razón y la Biblia lo prueba. Juan 15.5b dice: «El que permanece en mí, y yo en él, éste lleva mucho fruto; porque separados de mí nada podéis hacer». He rebajado 38 libras comiendo hamburguesas con queso y comidas «regulares», y me he mantenido en ese peso por un año y medio.

Antes

Rebajó 38 libras

Kenny Autry: Camden, Tennessee

Karen, mi hermana, había estado tratando por un año y medio de conseguir que tomara el Curso Weigh Down[†]. Yo pensaba: «¿Para qué probarlo? Seguro que ha de ser un plan dietético más». Pero no me dejó tranquilo hasta que me enojé en serio. Karen estaba orando una noche, contándole a Dios que ella había hecho todo lo que podía. Dios le contestó: «No es así, ¡ve y traélo!» Karen me llamó y me prometió que si iba a la orientación, nunca más tendría que oír de Weigh Down†. Le dije: «Está bien, iré, pero no quiero escuchar más sobre el asunto». ¡Asistí a la orientación sólo para que se dejara de molestar!

Antes

Rebajó 122 libras

Había tanto cariño en la clase que me anoté.

Mido 5 pies 6 pulgadas de altura. Pesaba 315 libras cuando empecé la clase. No podía dormir de noche; la gordura me tapaba el aire. La única manera de poder descansar era dormir en una posición vertical... Era tan grave que cuando iba a visitar a alguien me quedaba dormido. En esa época estaba en medio de un divorcio que involucraba a dos niñitos. Me sentía muy deprimido y enojado; era la culpa de todo el mundo, menos la mía. Iba a la iglesia, pero no hacía lo que el Señor quería que hiciera. Cada vez que me alteraba, comía; cada vez que pasaba algo, comía. Sin tener ninguna razón de hacerlo, comía. Ya no me importaba si vivía o moría. Nunca en mi vida me había sentido tan mal. ¡Era terrible!

Yo era salvo, pero no era obediente a la voluntad de Dios. Esta clase me ayudó a comprender cuánto ama y se interesa Dios por cada uno de nosotros. Una vez que empecé a estudiar la Palabra y a escuchar los casetes, más me convencía. Más estudiaba y más oraba, más me mostraba Dios. (El casete «El comer emocional» me impactó; era como si Gwen estuviera en mi cabeza, observando todo lo que había estado haciendo y sintiendo.)

Empecé a rebajar de peso, pero el verdadero cambio ocurrió en mi alma. Llegué al punto de poder dormir de noche, pero la diferencia era el cambio en mi modo de pensar. Comprendí que la vida es hermosa y que vale la pena vivirla. Se completaron los trámites del divorcio y, con la ayuda de Dios, lo acepté. Mis hijas cenan conmigo tres o cuatro noches por semana. La paz y las recompensas que se reciben con la obediencia total no pueden ser explicadas con palabras. No soy perfecto. Nunca lo seré. Pero caminar más cerca de Dios es la meta de mi vida.

Mis pasajes favoritos se encuentran en Santiago 1.2-6,13-15, Salmo 34 e Isaías 40. Estos dos últimos capítulos son muy inspiradores.

El Salmo 40.1-3,11-13 dice: «Pacientemente esperé a Jehová, y se inclinó a mí, y oyó mi clamor. Y me hizo sacar del pozo de la desesperación, del lodo cenagoso; puso mis pies sobre peña, y enderezó mis pasos. Puso luego en mi boca cántico nuevo, alabanza a nuestro Dios. Verán esto muchos, y temerán, y confiarán en Jehová».

Segunda de Timoteo 1.6-11 dice: «Por lo cual te aconsejo que avives el fuego del don de Dios que está en ti por la imposición de mis manos. Porque no nos ha dado Dios espíritu de cobardía, sino de poder, de amor y de dominio propio. Por tanto, no te avergüences de dar testimonio de nuestro Señor, ni de mí, preso suyo, sino participa de las aflicciones por el evangelio según el poder de Dios, quien nos salvó y llamó con llamamiento santo, no conforme a nuestras obras, sino según el propósito suyo y la gracia que nos fue dada en Cristo Jesús antes de los tiempos de los siglos». Este pasaje me ha hecho comprender que si temo o dudo, eso no proviene de Dios. El Espíritu de Dios es de poder, de amor y de autodisciplina.

En trece meses, Dios me ha quitado 122 libras. ¡Alabado sea! ¡Alabado sea! Las recompensas a la obediencia son infinitas, como lo es la misericordia de Dios.

Helen Luck: Kalkaska, Michigan

Es la primera vez en veinticinco años que uso faldas. Soy una abuela de 76 años que pesaba 250 libras. He rebajado cinco talles y 64 libras hasta ahora. Si yo puedo rebajar de peso a los 76 años, ustedes, hermosas mujeres jóvenes que tienen toda una vida por delante, pueden lograr la misma meta. La mano de Dios está a disposición de ustedes para guiarles.

Tiene 76 años de edad y rebajó 64 libras

Mary Jo Runfola (ex Miss Ohio): Powell, Ohio

He sido modelo y reina de belleza. Me avergonzaba de mí misma al empezar a subir de peso cuando me acercaba a los

Antes

Rebajó 35 libras

treinta años. Había batallado con mi peso desde la adolescencia. Este curso y los principios bíblicos enseñados por Gwen ¡han revolucionado mi manera de pensar en los alimentos! He rebajado 35 libras sin renunciar a nada de lo que me gusta comer. ¡Nunca volveré a privarme ni a pasar hambre!

Janice Hoefer: Higginsville, Missouri

Antes tomaba bastantes bebidas alcohólicas. Hasta empecé a asistir a las reuniones de un grupo de apoyo al alcohólico porque creía que quizá estaba cayendo en el alcoholismo. Tenía muchos problemas con mi actitud hacia mi familia, porque siempre estaba gritándoles y era tan negativa. Tomé antidepresivos y consulté con un consejero durante muchos meses. El programa Weigh Down[†] cambió mi vida. También me preparó para la hospitalización y el peligro de perder a un pariente al mes de empezar el Curso Weigh Down[†]. Se envenenó por ingerir demasiadas bebidas alcohólicas. Se lo entregué a Dios al ir en el auto detrás de la ambulancia, y comprendí que tenía que cambiar mi vida. Mi pariente debió haber muerto o quedado con daño cerebral o algo, pero no fue así. Está fuerte y sano, y sé que Dios tiene planes para su vida, como los tiene para mí.

Había ido dejando gradualmente el alcohol y ya casi no tomaba cuando fui a la convención del Curso Weigh Down[†] el año pasado, pero el vino todavía era una tentación. Mientras escuchaba los poderosos cantos en la convención, sentí en todo mi ser la presencia de Dios, y simplemente le entregué todo a Él. Desde entonces, he ordenado solo una vez un vaso de vino al comer afuera con amigos, y me tomé apenas la mitad y dejé el resto. ¡Eso es asombroso y un milagro de Dios obrando en mi vida! Tengo tanto entusiasmo por contar cómo mi vida ha cambiado de tantas maneras desde que su programa me acercara más al Señor. Siempre estaré agradecida por tener otra oportunidad de conocer a Dios.

Melissa Shephard: Broken Arrow, Oklahoma

La razón principal por la cual tomé el Curso Weigh Down[†] no
fue para rebajar de peso. Yo tenía un problema totalmente distinto, pero la raíz de mi problema era la misma que la del que
está esclavizado por la comida. Mi esclavitud ha sido arran-
carme el cabello, literalmente... He tenido el problema desde
los ocho años. Ahora tengo veintiuno. Usaba tironearme el cabello como una manera de escapar cuando estaba nerviosa,
estresada, fatigada, aburrida, atemorizada, sola o avergonza-
da. Mis padres me llevaron a médicos, sicólogos y consejeros,
quienes me diagnosticaron desde una mala costumbre hasta
un tipo de trastorno obsesivo-compulsivo. Probé varias formas de modificación de conducta y medicamentos, pero nada
daba resultado. Me tironeaba el cabello hasta que la parte de
arriba de la cabeza quedaba totalmente calva.

Pero alabado sea Dios, ¡Él tenía otro plan! Mamá, que había batallado con su peso, comenzó el Curso Weigh Down[†]
junto con mi tía. Empezó a contarme algunas de las verdades
que estaba aprendiendo. Me dijo: «Melisa, nuestro problema
tiene la misma raíz y estas verdades te pueden ayudar a dejar
de tironearte el cabello de la misma manera como me están
ayudando a rebajar de peso». Lo que decía tenía sentido. Así

Antes

Después

que empecé el Curso Weigh Down[†] en marzo de 1996. Por medio del estudio bíblico y de escuchar los casetes, Dios empezó a abrirme los ojos para ver lo esclavizada que estaba por el pecado de tironearme el cabello. Comprendí que lo había hecho mi dios y que lo usaba para confortarme en lugar de recurrir al Dios Todopoderoso. Me arrepentí y entregué este bastión totalmente a Dios y Él me curó inmediatamente . Me quitó las cadenas de tironearme el cabello y las rompió. Hasta el día de hoy no he vuelto a tener el más mínimo deseo de tironearme el cabello. En realidad, el solo pensarlo me da repugnancia. ¡Qué maravilloso es Dios!

Gloria y Mary Cameron: St. Thomas, Ontario, Canadá

Entré en el desierto siguiendo a Mary, mi hija de 17 años. Me anoté en la clase para apoyarla a ella, pero pronto me di cuenta de mi propia necesidad de liberación, y he rebajado quince libras. Dios usó la fe y obediencia de Mary para enseñarme e inspirarme. Ella rebajó cuarenta libras en un año y empezó a usar el talle 5/6.

Antes   *Rebajó 40 libras*

Jill Bass: Memphis, Tennessee

¡A Dios demos gloria, pues grande es Él! Hace siete años, empecé mi primera dieta y lenta pero dramáticamente ¡caí en un «trastorno alimenticio» que controlaba mi vida! Los dos primeros años se me catalogó como anoréxica. Había dominado el «arte» de matarme de hambre y hacer ejercicio. Cuando me fue imposible ejercer dominio propio (lo que sucede siempre con el dominio propio), me convertí en una «bulímica, compulsiva con el ejercicio», comiendo descontroladamente, luego matándome de hambre y haciendo ejercicio compulsivamente para controlar mi peso. Probé vomitar. ¡Alabado sea Dios que no dio resultado! Pensaba en la comida constantemente, me pesaba dos y tres veces al día. Me concentraba en lo que iba a comer y, luego, después de comer, me concentraba en cómo me iba a matar de hambre o hacer ejercicio para compensar. Podía consumir más comida de una vez de lo que jamás hubiera imaginado, después no comía nada por uno o dos días y hacía ejercicios durante horas. Cualquier cosa que interfería con este patrón me alteraba terriblemente. Mi vida giraba alrededor de este simple círculo vicioso.

Estoy convencida ahora que era esclava del pecado y el enemigo. Aunque era creyente, había cerrado los ojos al pecado que me envolvía. ¡Estaba tan concentrada (y orgullosa) en controlar yo misma mi peso! ¡Qué fuerza de voluntad tenía! ¡Qué delgada estaba! ¡Qué *esclavizada* estaba! Probé de todo: pocas grasas, nada de grasas, fibra, comer más, pesar menos. ¡Qué falsedades! Hasta me valí de la terapia secular y la terapia cristiana, pero por fin comprendí ¡que me hundía vertiginosamente!

¡Alabado sea Dios por haber separado las aguas del mar! ¡Me preparó para el Curso Weigh Down^t dejándome tocar fondo! Ya no quería ser controlada por este trastorno. Clamé a Él. Él me guió a Weigh Down^t de una manera asombrosa. Fue que oí un anuncio en la radio y llamé al número 800 para ver si ofrecían una sesión la única noche en la semana que tenía disponible. La ofrecían, empezando la noche siguiente.

¡*Sabía* que esta era la solución! ¡Estaba empacando mis valijas para salir de Egipto! Pero, ¡cómo subestimé a Weigh Down[†]! Esto era mucho más que verdades bíblicas para ayudarme a aplicar principios seculares. ¡Esta era la manera de comer de Dios! ¡Qué Creador maravilloso! En cuanto reconocí que las modalidades de mi conducta eran lo que realmente eran, *pecado*, estaba camino a la Tierra Prometida.

Después de la primera sesión, sabía que esta era la respuesta a los excesos y privaciones de comer. Lo que no sabía era que Dios tenía en mente algo que nunca había imaginado. Quería liberarme de otra esclavitud también: del ejercicio compulsivo. Ahora veo que esto controlaba mi vida aun más que el exceso de comida o el privarme de ella. Nunca creí que podría renunciar al ejercicio. Así era como controlaba mi peso y mi *pecado*. Durante siete años, había hecho ejercicios vigorosos durante más de una hora, de cinco a siete veces por semana. Mis días giraban alrededor de las clases de aerobismo. Los viajes eran motivo de mucho estrés porque tenía que dejar mis ejercicios. Habían pasado siete años desde que había disfrutado de unas vacaciones. Lo más que había pasado sin hacer ejercicios eran siete días. Eso fue cuando me vi *obligada* a ir a Hawaii hace cinco años. Me pasé todo el tiempo preocupándome porque me estaba perdiendo el ejercicio y por mi peso. Hace poco pasé diez días sin hacer ejercicio sin preocuparme en lo más mínimo. En realidad, Dios está obrando dramáticamente en este aspecto y, de cuando en cuando, incluyo el ejercicio en mi horario. Ahora hago ejercicios porque me ayudan a conciliar el sueño y a sentirme mejor, *no* porque sea *mi* método para controlar mi peso. Mi método para ello es obedecer las señales que Dios creó. Él controlará mi peso.

Al principio, le temía a este programa. Satanás me dijo que si obedecía a Dios y no me encargaba yo misma, engordaría (*no* necesitaba rebajar de peso pero Satanás me tenía con el temor de que engordaría, especialmente si no hacía ejercicio). Pero la Palabra de Dios me dice que toda buena dádiva viene de Él; Él anhela dar cosas buenas a sus hijos y recompensa a los que le buscan.

Durante semanas se me antojaban las cosas dulces cuando tenía apetito porque me había privado de ellas durante años. Ahora me permito comer lo que quiero. ¡No me canso del pastel de zanahorias! Me como un trozo pequeño para el almuerzo! Por un tiempo, me comía todos los días una «donut» ¡pero ahora se me vuelven a antojar los cereales! ¡Estoy asombrada de las pocas cantidades que estoy comiendo! Me satisface mucho más comer una «donut» que un bol *enorme* (doble porción) de avena sin grasas. Media hamburguesa y unas pocas papas fritas es *maravilloso* en comparación con una gigantesca papa al horno con un plato lleno de bróculi. ¡Me encanta haber comprendido que Dios quiere que disfrute de comer! Sencillamente quiere que coma dentro de sus entornos, que han sido dispuestos para mantenerme con el peso correcto. ¡Y ese peso *no* es gordura! Me encanta no estar atiborrada, y me encanta sentir un auténtico apetito. Siento como si, por primera vez, estuviera descubriendo estas alegrías. Y, sobre todo, me encanta la comunión con el Padre que estoy disfrutando al ir creciendo en obediencia y amor por Él.

He rebajado *algo*. Estoy en el peso que espero mantener. Creo que Dios me permitió rebajar un poquito para confirmar su bondad y gracia. Me liberó milagrosamente del hambre cerebral. Todavía está obrando en mí en cuanto a parar de comer, pero me está enseñando misericordiosamente en el desierto, de manera que pueda estar totalmente preparada para vivir en la Tierra Prometida, libre de comilonas, purgas y ejercicios compulsivos.

¡Mi «joyero» está lleno de joyas! La mejor es en realidad vivir una vida que no gira alrededor del horario del aerobismo. Creo de verdad que Dios hasta se ha encargado de que aparecieran otras actividades a la hora cuando me tocaba ir a hacer aerobismo. A menudo hasta me ha dicho: «No vayas al aerobismo, vé a casa y pasa tu tiempo conmigo». ¡Lo hice! ¡Eso es una joya! Y, ¿sabe? ¡no aumenté ni una onza por no ir!

Me encanta sentirme «normal» en cuanto a mi comida. Salir a almorzar y cenar ya no es una batalla, sino una alegría. Hasta programo almorzar y cenar afuera el mismo día sin ninguna preocupación. Antes, esto era una pesadilla porque consumía más de lo correspondiente a un día, de una sola vez, especialmente si salía para comer.

Otra joya es haber recobrado mi matrimonio. Hace apenas tres años que estoy casada. Toqué fondo con mi pecado comida/ejercicio durante mi primer año. He estado obsesionada por la comida, ejercicio, etc, durante todo el tiempo de mi matrimonio. Alabado sea el Señor por un esposo piadoso que me ha comprendido y apoyado. Creo que ahora Dios me ha dado una oportunidad de ser la esposa que Él me llama a ser. ¡Cuántas veces he acusado a este hombre maravilloso de ser la causa de mis problemas, y cuántas veces ha sufrido personal, social y emocionalmente por *mi culpa*!

La obediencia es otra joya. Me estoy concentrando mucho más en obedecer a Dios en todas las áreas de mi vida. Al hacerlo, ¡he recibido paz y descanso! Dios es un Dios tan personal, singular, y Él a menudo me ha dado «vías de escape» y empujoncitos personales que son cuestiones entre Él y yo únicamente. Qué maravilloso es que quiera tener una relación personal *conmigo*, pecadora infiel. También se quiere tomar el tiempo para capacitarme y corregirme. He aprendido a valorar esto y a no descuidar su enseñanza. ¡He llegado a conocerle mejor como Padre en su perdón, resurrección y poder sobre el pecado; y como Espíritu Santo en su dirección, convicción y paz! ¡Todas estas *joyas* son por haber escogido *su* camino!

Alabo a Dios por lo oportuno que fue al guiarme hacia el Curso Weigh Down[†]. Lo oportuno de su intervención es perfecto. Lo alabo ahora por los años de sufrimiento. Nuestro maravilloso Dios hasta nos cambia y quita nuestro pecado para su gloria. ¡Qué Señor sobre Satanás! Casi no puedo contenerme de contar esta victoria. Sé que hay muchas mujeres con trastornos alimenticios y compulsivas en sus ejercicios (pecado). Espero poder compartir con ellas la victoria de Dios.

Aunque la mujer bulímica o anoréxica tiene una compulsión muy distinta de la mujer obesa, su victoria procede de la misma fuente: ¡nuestro poderoso Señor resucitado!

Lynda Bessell: Ilford, Essex, Inglaterra

Aunque no ha sido muy rápido (Dios me ha estado enseñando muchas cosas al liderar una clase del Curso Weigh Down), he

Antes

Rebajó 56 libras (4 «stones»)

rebajado ya cincuenta y seis libras y estoy segura que el resto sucederá pronto.

Debbie Auter: Tallahassee, Florida

Sufrí de bulimia durante unos diez años, corrí durante quince años, conté calorías todos los días (excepto los días cuando me atiborraba y purgaba) durante 23 años, seguí toda dieta imaginable, fui al gimnasio para seguir un tratamiento de envoltura en plástico, y me anoté en programas de ejercicios. Es por eso que no tengo un problema serio con mi peso. Sin embargo, he pasado por lo peor en lo que a confusión, degradación y odio a mí misma se refiere. Desde el Curso Weigh Down[†] ¡he rebajado cinco libras! Desde que he dejado de purgarme, no he aumentado nada de peso. Alabo al Señor por haber sido liberada de la obsesión con la comida. ¡Es imposible poder expresar la gratitud que siento al Señor por haberme dado esta libertad en los últimos dos años!

Sally: Long Beach, California

Dios me puso en el corazón que necesitaba contar un poquito de lo que Weigh Down[†] está haciendo y ha hecho por mí. Antes del programa, tenía una opinión muy baja de mí misma y ¡no podía creer que Dios supiera quién era yo y, menos aún, que me *quisiera*! Me creí las mentiras de que yo era un ser horrible, estúpido, incapaz e indigno de cualquier cosa buena de la vida. ¡Claro, estar casada con un alcohólico no ayudaba! Tampoco me gustaba mi trabajo. Me pasaba todos los días teniéndome lástima. Por fin, a la noche, ¡podía estar sola para atiborrarme de lo que pudiera encontrar!

A principio de año, pesaba doscientas doce libras con una altura de cinco pies, cinco pulgadas. No podía ir a la playa ni ir de caminata ni montar un caballo. ¡Me sentía desgraciada! Me daba cuenta que les daba demasiado poder sobre mi vida a los alimentos. Oré pidiendo liberación, pero no le entregaba la comida totalmente a Dios. Al mes siguiente empezó en mi iglesia el Curso Weigh Down[†]. ¡Mi vida nunca será la misma! Estoy emprendiendo una nueva carrera. Disfruto de enseñar y ayudar a otros a mejorar sus vidas por medio de una relación más firme con Cristo.

Desde Weigh Down[†], mi esposo ha entregado su vida al Señor, pero todavía bebe. Eso, creo, es el punto siguiente en la agenda de Dios. Nuestro matrimonio mejora todos los días a medida que voy renunciando a mi vieja posición en que me designé a mí misma cabeza del hogar y me voy convirtiendo en una esposa sumisa. Es realmente difícil, pero vale la pena.

Hasta ahora, he rebajado hasta pesar 170 y sigo rebajando y ¡he ido de un talle 20 al talle 14! No sería la persona que hoy soy si no hubiera dejado que la Palabra de Dos iluminara los rincones más oscuros de mi corazón. Lento pero seguro, ¡mi vida está siendo restaurada!

Nanette Newman: Racine, Wisconsin

Gracias, Gwen, por mostrarme cómo amar al Padre. Sé que es Cristo en ti lo que hace que yo ame al Padre cuando oigo hablar de Él.

Después de apenas dos semanas en Weigh Down†, estaba totalmente convencida de que había encontrado la respuesta. Pesaba 310 libras y rebajé 40 con esa primera sesión. Cuando empecé una clase en mi propia iglesia, dejé de rebajar. Pero sabía que no me volvería atrás. ¿Volverme atrás a qué? Había recurrido a sicólogos y a innumerables programas de pérdida de peso. Sabía que esos caminos eran equivocados pero, como dijo Pablo: «Porque sabemos que la ley es espiritual; mas yo soy carnal, vendido al pecado. Porque lo que hago, no lo entiendo; pues no hago lo que quiero, sino lo que aborrezco, eso hago». (Romanos 7.14,15).

Al clamar a Dios en mi desesperación, me dijo: «Te daré la victoria, pero te haré pasar algunas cosas para mostrarte por qué tuviste que sufrir esta esclavitud».

Asistí al seminario nacional del Curso Weigh Down†, llamado Oasis en el Desierto y vi el amor de Dios con mis propios ojos. Rogué a Dios que me ayudara a amarle como lo amas tú. Puedo decirte ahora que me he enamorado de Él, ¡tanto que no hay comida que pueda compararse con Él!

Antes de mi experiencia en el desierto, creía que lo amaba. Hasta creía que estaba dispuesta a morir por Él. Pero no me podía quitar de la cabeza el versículo que dice «si me amáis, guardad mis mandamientos». ¿Cómo podía afirmar que estaba dispuesta a morir por Él cuando ni siquiera le dejaba un bocado de mi comida? Así que me quedé en el desierto por un año, lo suficiente como para que Dios me mostrara la manera como Él quería que lo amara: ¡con todo mi corazón, alma, mente y fuerzas!

Gwen, observarte hablar de cómo le amabas, era como si extendías tu mano y tomabas mi corazón, ponías el amor por el Señor dentro de él, y volvías a colocar mi corazón dentro de mi cuerpo. Pensaba si sería real. Después que llegué a casa, la tentación me tendió una emboscada. Lloré y esperé repetidamente. ¡Tenía miedo que Dios no acudiera! Pero sí acudió, ¡y qué auxilio me dio! Puse el último casete de «*Freedom for the Captives*» (Libertad para los cautivos) y, ¡adivina qué escuché cuando lo prendí! ¡Era tu canto especial que recibiste de Dios!

¡Su amor inundó mi alma! Y ahora, con el corazón estremecido puedo decir: «*¡Le amo!*»

APÉNDICE B: NIÑOS

Los padres deben empezar a ser sensibles al hambre de su hijo desde su nacimiento. La alimentación debe ser en respuesta a la demanda. Pero hay que aprender la diferencia entre el llanto pidiendo alimento y el llanto pidiendo que le cambien el pañal mojado, etc. Las madres que tratan de que el chiquito termine la «porción» que la fábrica de alimentos para bebés ha determinado ser la correcta no hacen más que confundir su mecanismo natural del apetito. No se puede ver el tamaño de la porción que ofrecen las madres que le dan el pecho a su bebé. Tienen que confiar en el mecanismo de apetito y satisfacción del niñito. Por esta y muchas otras razones, sugiero dar el pecho durante un tiempo normal.

El niño que no tiene problemas de peso

Es buenísimo que deje usted de controlar lo que su hijo come a la mesa. Su obligación es servir una variedad de alimentos. De esta manera, su hijo no comerá demasiado. Asegúrese de que no esté bebiendo la mayor parte de sus calorías. No es bueno que tome demasiados líquidos azucarados. Después de años de aconsejamiento, he comprobado que el enemigo número uno son las bebidas (especialmente los jugos de fruta y las bebidas azucaradas) ni aun en el caso en que el azúcar sea «natural». (No puedo recordar nada que tenga sabor dulce que no provenga de la naturaleza, excepto los edulcorantes artificiales, como la sacarina.) De cualquier manera, la cuestión es que el niño puede contraer anemia si la fuente principal de las calorías es solo agua azucarada, porque no tendrá apetito para comer comidas sólidas. Dé agua o bebidas artificialmente azucaradas entre comidas. Apenas una porción de jugo puede hacer que el pequeño no coma el desayuno, así que guarde el jugo para tomar con la comida.

Los postres no deben asociarse con el almuerzo o la cena. En otras palabras, no establezca un sistema de recompensas de: «Si comes tu comida, te doy postre». En casa, le ofrecía la cena a mi familia. Más tarde en la noche, si los chicos volvían a tener hambre, les dejaba elegir qué comer. A veces elegían un postre, otras veces querían cereal. (En realidad, la mayoría de los cereales en la actualidad son postres.) O a veces querían más de lo que habían comido en la cena. Otras veces no les apetecía nada después de la cena.

Para tratar de liberarla y ayudarla a no preocuparse si sus hijos no siempre comen «el almuerzo ideal» tengo que decirle que trataba de dar un paso atrás y dejar que mis hijos hicieran sus propias selecciones naturales al comer. Nunca controlaba cantidades. Les brindaba variedad y, si presentaba alimentos nuevos (como verduras crudas y salsa para remojarlas) simplemente las preparaba y colocaba en la mesita frente al TV y les decía: «No coman esto. Esto es para los adultos». ¡El resultado era infalible! Según recuerdo, Michelle nunca parecía atraída hacia nada que fuera verde. Esto ahora ha cambiando un poco, pero ya es adulta y goza de buena salud. A Michael nunca parecían gustarle los platillos de papas. Come papas fritas, pero no son su alimento favorito; por otro lado, el puré de papas con salsa se cuenta entre mis favoritos. Leche y pizza parecen haber sido los alimentos básicos en casa.

Dicho sea de paso, los niños delgados son tan normales como los de huesos grandes. Dios los hizo a todos, y la variedad es adorable. Inviertan su energía en quererse los unos a los otros a la hora de comer.

El niño que pesa demasiado

Si en este momento su hijo pesa demasiado, no se desespere. Trate de concentrarse primero en su propia obediencia y, de esta manera, logrará un mayor impacto sobre el niño. No controle lo que él come. Dé un paso atrás. Enséñele la información básica sobre apetito y satisfacción. Prepárele su propia caja personal del Curso Weigh Down[†], con su nombre.

Cuando su hijo le dice: «Pero mi pancita quiere más» y usted sabe que es apetito cerebral, diga: «Después puedes comer más». Coloque la comida en bolsas de plástico transparente y escríbales el nombre. Ahora comprende usted que el niño tiene un agujero vacío en su corazón que necesita cariño y atención. Se los puede brindar con otras actividades. Salgan a caminar juntos o salten juntos la soga o jueguen con el perro o lean juntos un libro. Destáquele más adelante que se olvidaron completamente de la comida. Muéstreles que no comió esa comida cuando no necesitaba comerla, y elógielo por ello.

Nunca sea socia del «club plato vacío». Trate de distraer la atención del niño para que no piense en comer y trate de que las actividades divertidas no giren alrededor de preparar galletitas dulces o cocinar algo al horno. En el invierno, traten de hacer manualidades. Enséñele acerca de Dios y ayúdele a desarrollar una relación con Dios. Enséñele cómo orar y ayúdele, en sus primeros años, a ver que sus oraciones son contestadas. Ayúdele a acercarse a Dios para recibir su consuelo cuando parece que sus oraciones no tienen respuesta. Dios enseñará a su hijo a concentrarse en agradarle a Él.

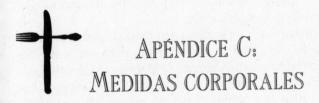

APÉNDICE C:
MEDIDAS CORPORALES

Es importante empezar este camino con un corazón y mente abiertos. Nuestro objetivo principal es remplazar nuestra pasión por la comida con una pasión por Dios, nuestro Creador y Guarda Celestial

¡Hablemos de esa balanza!

Dios está tratando de librarle de inclinarse ante el «dios balanza». ¡Qué triste es pensar en los millones en este país que se inclinan ante este dios falso para conseguir su aprobación y para comprobar si han sido buenos o malos! No obstante, si quiere pesarse ocasionalmente y anotar sus medidas corporales, encontrará el espacio para hacerlo en las páginas siguientes.

No se pese más de una vez por semana. Al ir aprendiendo a elevarse por encima de la comida, aprenda también a elevarse por encima de la balanza. ¡Algunos de ustedes se suben a la balanza tres veces al día! Empiece a usar su conciencia, su fuerza interior, para que le diga si ha sido obediente o no.

Las primeras dos semanas, puede pesarse más a menudo para poder ver que el programa da resultado. Pero después de eso, dé marcha atrás. Este trozo de metal no puede juzgarlo ni hacerlo sentir bueno o malo.

No se asombre si aumenta de peso si desobedece usted a su estómago.

No se asombre si es mujer y su peso aumenta cuando llega el tiempo de la menstruación.

No se deprima si una semana no rebaja de peso a pesar de que hizo todo bien; está siendo probado para ver si es obediente a Dios aun cuando no recibe recompensas inmediatas.

No se deprima si no puede lograr una total obediencia a Dios durante las primeras semanas del programa. He visto toda combinación imaginable. Sencillamente manténgase concentrado en lo que debe hacer. Válgase de su conciencia; háblele a Dios, y si la gráfica de su peso no está bajando, ¡coma menos! No se va a morir por comer menos.

Sobre todo, no compare su andar en el desierto con el de los demás. Dios ya tiene el mapa trazado para su camino, ¡simplemente dependa de Él para todo!

¿Con cuánta rapidez se rebaja de peso?

Cuando coma menos, bajará de peso. El que come cuando tiene apetito y para de comer cuando está satisfecho, no atiborrado, rebajará entre una y cuatro libras y media por semana. Estas no son cuatro libras de células grasas, son gordura más el líquido circundante que las mantiene vivas. Esta es la manera como el cuerpo quiere rebajar de peso. Contamos con muchas evidencias de personas que se ven muy bien porque están respondiendo a su cuerpo. Los que rebajan de peso rápidamente con ayunos líquidos a menudo tienen una palidez grisácea. No es así con Weigh Down[†].

Tomarse las medidas es muy importante. De cuando en cuando, usted come correctamente, pero la balanza no lo demuestra. Necesita concentrarse solo en Dios y buscar otras de sus recompensas. Haga un chequeo de sus medidas. A veces, esta demora en perder peso puede durar tres semanas seguidas. Pero normalmente, si no ha bajado para la cuarta semana, necesita afinar su percepción de su apetito y satisfacción.

> ¡Ay de los que descienden a Egipto por ayuda, y confían en caballos; y su esperanza ponen en carros, porque son muchos, y en jinetes, porque son valientes; y no miran al Santo de Israel, ni buscan a Jehová! (Isaías 31.1.)

He visto pérdidas de peso constantes de cuatro libras por semana, y las he visto constantes de una libra por semana. No tenga miedo de que no obtendrá comida, porque este Dios a quien usted sirve es el dueño de todos los negocios de productos alimenticios en el mundo, y puede tomar cinco panes y dos pescados y alimentar a cinco mil personas. Así que manténgase concentrado y mantenga su fe. La pérdida de peso es inevitable. ¡Dentro de poco habrá menos de usted y más de Él!

No se tiente a volver a Egipto

No haga nunca nada que le lleve a masticar más alimentos, ya sea comer comidas sin sabor, de bajas calorías o haciendo ejercicio para poder devorar más. Decídase hoy a *comer menos comida*.

No deje que su corazón se desvíe hacia el refrigerador. Lea el capítulo «La Tentación» una y otra vez hasta que lo haya memorizado.

Si se estanca por más de tres o cuatro semanas, lea el capítulo «Deleitémonos en la voluntad del Padre» y tome la decisión de darle a Él esos últimos bocados de comida. Acérquese a Dios en oración.

Gráfica del peso rebajado

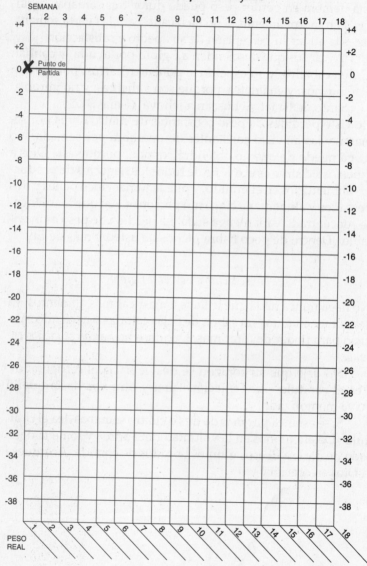

SEMANA

Punto de Partida

PESO REAL

Gráfica de las medidas corporales

Fecha	Fecha en que salí de Egipto						
Pecho							
Brazo							
Cintura							
Abdomen							
Muslo							
Cadera							
Pantorrilla							
Total de pulgadas							

Le animamos a anotar el total de pulgadas en los espacios de la gráfica en la parte superior de esta página. No se desanime si las pulgadas parecen disminuir más lentamente de lo que usted desea. Las pérdidas permanentes llevan más tiempo que las temporarias, ¡pero vale la pena esperarlas!

Trate de medirse cada vez en los mismos puntos. Por ejemplo, mídase el muslo siete pulgadas más arriba de la rodilla y el abdomen dos pulgadas más abajo de la cintura.

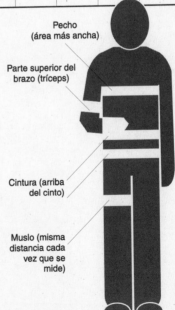

Pecho (área más ancha)

Parte superior del brazo (tríceps)

Cintura (arriba del cinto)

Muslo (misma distancia cada vez que se mide)

APÉNDICE D:
DIARIO DE VIAJE

Esta es la sección para que registre sus experiencias en el desierto. Use este diario para anotar las percepciones que Dios le da de la Biblia. Indique sus victorias y batallas. Cada semana, dedique un momento a repasar lo que el Señor le ha mostrado en su Palabra.

1. **Pensamientos de amor hacia el Padre:** Este espacio puede ser usado para lo que usted quiera. Algunos han compartido con nosotros pensamientos, poesías, cantos y relatos que han escrito en su propio Diario de Viaje. En esta sección, exprese todo lo que hay en su corazón si le gusta guardar por escrito sus pensamientos más profundos.

2. **Lecciones del Padre que me conmovieron:** Use esta sección para reflexionar en lo que Dios le ha revelado por medio de las Escrituras. Es nuestro más profundo anhelo que aprenda usted a volverse a Dios como su guía en todas las áreas. Así como lo busca en cuanto a cuándo y qué comer, puede buscarle en cuanto a

cuándo y qué leer en su Palabra. Aquí van algunas pautas para ayudarle con su lectura bíblica y su búsqueda diaria de Dios:

- Si no ha leído la Palabra desde hace un tiempo, sugerimos el Evangelio de Juan, 1 Juan, Proverbios o los Salmos porque abundan en sabiduría, alabanzas y obediencia a Dios. Pero sea sensible a la dirección del Señor en sus lecturas. Si le guía hacia otra parte de la Biblia, siga lo que le indica.

- Jesús lo expresó perfectamente en Juan 6.44,45: «Ninguno puede venir a mí, si el Padre que me envió no le trajese; y yo le resucitaré en el día postrero. Escrito está en los profetas: Y serán todos enseñados por Dios. Así que, todo aquel que oyó al Padre, y aprendió de Él, viene a mí».

- En definitiva, es Dios y su Espíritu Santo quien le guía y le enseña.

- La comida que usted come ya está toda usada después de tres o cuatro horas, y el efecto de un antihistamínico recetado para veinticuatro horas desaparece después de doce horas. El alimento espiritual también va desapareciendo después de varias horas. ¡No puede esperar recibir todo lo que necesita en el culto del domingo a la mañana! Debe volver al Señor con frecuencia, pero tenerlo en cuenta a Él y su voluntad. Prestarle atención a Dios lleva tiempo, ¡pero Él nos lo devuelve con creces!

De bebés, Dios nos hizo para que tuviéramos hambre más o menos cada tres horas a fin de que formáramos lazos afectivos con mamá y aprendiéramos a depender de ella para suplir nuestras necesidades. Dios nos ha hecho, como bebés cristianos para que tengamos hambre espiritual más o menos cada tres horas. Note que no tendrá usted nada de ansias de «comer por el deseo de comer» ni tanto antojo de comer si obtiene su alimento de su Padre Celestial con mucha frecuencia por medio de orar y leer su Palabra. Cuando se encuentra en el desierto y está siendo probado, orar y leer a veces le parecerá frío, helado o seco. A medida que pasa el tiempo y Dios lo transforma, ¡leer la Biblia será mejor que comerse una fuente de bizcochitos de chocolate! Difícil de creer, ¡pero así es!

DIARIO DE VIAJE

Fecha en que salí de Egipto: *20 de junio de (año)*

Pensamientos de amor hacia el Padre

Señor, gracias por amarme como me amas. Pude salir anoche y comer comida mexicana de verdad, papitas y salsa y parar controladamente. Pero más importante, sentir tu aceptación. ¡Qué paz! ¡Qué libertad!

Lecciones del Padre que me conmovieron

Señor, gracias por guiarme al Salmo 81. Me muestra tu paciencia y amor por mí. Me humilla y me conmueve el hecho de que permaneces tan atento a mi deseo de amarte más. No puedo expresar lo que siento al comprender que a ti te interesa hasta el más mínimo detalle, y me dejas sentir apetito, y me dejas probar lo mejor y me ayudas a dejar de comer cuando estoy lleno. Quererte es divertido.

DIARIO DE VIAJE

Fecha:

Pensamientos de amor hacia el Padre

_____

_____

_____

_____

_____

_____

_____

_____

_____

Lecciones del Padre que me conmovieron

_____

_____

_____

_____

_____

_____

_____

_____

_____

DIARIO DE VIAJE

Fecha:

Pensamientos de amor hacia el Padre

Lecciones del Padre que me conmovieron

DIARIO DE VIAJE

Fecha:

Pensamientos de amor hacia el Padre

_____

_____

_____

_____

_____

_____

_____

_____

_____

Lecciones del Padre que me conmovieron

_____

_____

_____

_____

_____

_____

_____

_____

_____

_____

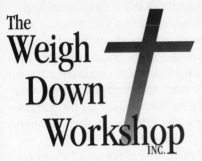

The Weigh Down Workshop INC.

Imagínese que alguien reporta que por primera vez en su vida pudo comer solo tres cuartos de un burrito y que ni deseó el resto. Imagínese a grupos que se reúnen una vez por semana reportando que el volumen de la comida ingerida había disminuido, pero que se sienten más contentos de lo que se han sentido en años. Imagínese a los que traen fotos de «antes» compartiendo que han rebajado 100 libras. Imagínese a grupos de personas de todos los trasfondos y denominaciones reuniéndose en un común propósito... volverse a Dios para obtener fuerzas. Hay en la actualidad 10.000 (y en aumento) grupos que se reúnen en los Estados Unidos, Canadá y Europa.

The Weigh Down Workshop[†] (Curso Weigh Down) es el nombre de un seminario basado en la Biblia, diseñado para reorientar a las personas a distinguir entre el apetito físico y el apetito espiritual, y que libera al participante de estar pensando en la comida. Enseña a las personas a remplazar su relación con la comida por una relación con Dios y, como resultado, muchos están logrando una pérdida de peso permanente.

En una serie de doce clases, los participantes de Weigh Down ven videos (en inglés) que demuestran el aspecto físico, el pensamiento y la conducta de los que comen delgadamente. La anfitriona en estos videos es Gwen Shamblin, R.D. (dietista certificada). Usando sus antecedentes en nutrición y su método firmemente centrado en Cristo, Gwen desarrolló estos materiales que conducen hacia Dios para obtener su ayuda en controlar la gula y el comer emocional. Las sesiones se realizan en un ambiente familiar, y son instructivas en su naturaleza. Se inician con videos de 45 minutos que incluyen diversos testimonios, tanto de personas que han rebajado 15-180 libras, como de personas que ya no sufren episodios de bulimia y anorexia. Y todo esto ocurre sin dietas, píldoras ni conteos de gramos de grasa. No es religión, pero sí es una relación de concesiones mutuas con Dios. «Dios no puso el chocolate, la crema agria o el aderezo de queso azul sobre la Tierra para torturarnos», dice Gwen. «Más bien, Dios los puso sobre la Tierra para que los disfrutemos, ¡y usted puede aprender a comerlos controladamente no importa lo "descontrolado" que se sienta!»

Después del video de 45 minutos, el resto del tiempo se utiliza para compartir y orar. No incluye la vergüenza de tener que pesarse. Al contrario, usted oirá de cómo las personas han recurrido a Dios para que les ayude, y han tenido la experiencia de que Dios les quitó el deseo de comer la segunda mitad de una comida. Se comparten todas las formas de victoria sobre el comer emocional, incluyendo: pérdida de peso, disminución de estrés y una relación más íntima con Dios.

El Curso Weigh Down[t] presenta información revolucionaria. Se han realizado, en la actualidad, muchos intentos de hacer que el ambiente cambie: haciendo que los alimentos tengan menos grasa, tomando píldoras, usando ayunos líquidos y teniendo rutinas de ejercicios «obligados». Este seminario para rebajar de peso, ofrecido a un precio razonable, se está extendiendo rápidamente porque el curso presenta el concepto de una modificación del *corazón*. Las personas están optando por amar a Dios en lugar del refrigerador, resultando en cambios dramáticos en muchas áreas de su vida. El Grupo de Investigaciones Perdue, una firma independiente de investigación de mercados, reporta que el 92 por ciento de las personas que completan el curso de The Weigh Down Workshop[t], lo consideran un éxito. Según dicho estudio, el promedio de pérdida de peso es de una libra por semana.

Si tiene usted interés en averiguar la dirección de una clase cerca de su domicilio, lo único que tiene que hacer es llamar, escribir, o enviar un fax a:

The
Weigh
Down
Workshop
INC.

Weigh Down Workshop
P. O. Box 1648
Franklin, Tennessee 37065
Teléfono: (800) 844-5208
Fax: (800) 340-2142

Un Director de Alcance contestará su llamada telefónica o carta, y le ayudará a localizar una clase cerca de usted.